N

VOYAGE AU CENTRE DE LA TERRE

JULES VERNE

VOYAGE AU CENTRE DE LA TERRE

Chronologie, introduction,
archives de l'œuvre par
Simone Vierne
professeur à l'Université de Grenoble III

GARNIER-FLAMMARION

CHRONOLOGIE

1828 : Jules Verne naît à Nantes le 8 février, de Pierre Verne, avoué dans cette ville, et de Sophie Allotte de la Fuye. Cette naissance sera suivie en 1829 de celle de Paul, le frère bien-aimé, et de trois filles. Son ascendance est lyonnaise par son père et angevine par sa mère (mais avec un lointain ancêtre archer écossais). Les père et grand-père de Pierre Verne étaient aussi gens de robe. Son oncle Chateaubourg, peintre, a épousé la sœur aînée de Chateaubriand. Cela lui ouvrira quelques salons à Paris.

1833-1846 : Il fréquente d'abord l'institution de Mme Sambin, veuve d'un capitaine au long cours, disparu en mer, et dont elle attend le retour; puis l'école Saint-Stanislas, le petit séminaire de Saint-Donatien, enfin le Lycée Royal. C'est un bon élève. Il vit depuis 1840 avec ses parents dans l'île Feydeau, quartier des anciens armateurs, près des quais et du port.

1839 : Il fait une fugue à bord d'un long courrier à destination des Indes, la *Coralie*, depuis la maison de vacances de la famille, à Chantenay, près de Nantes. Il est rattrapé par son père à Paimbœuf.

1846 : Il est bachelier sans difficulté et pour faire plaisir à son père qui veut lui céder son étude, il consent à faire du droit; son frère Paul, lui, sera officier de marine.

1847 : Il part pour Paris en avril, pour y passer ses

examens de droit, et surtout parce que sa famille veut l'éloigner de Nantes où ont lieu les fiançailles de sa cousine, Caroline Tronson, dont il est depuis longtemps amoureux. Il réussit ses examens de première année de droit.

1848 : Il obtient de son père de continuer ses études à Paris. Il s'installe, et vit modestement 24, rue de l'Ancienne-Comédie. Il pénètre dans des salons littéraires et politiques grâce à son oncle, ceux de Mmes Jomini, Mariani, Barrère surtout. Il se lie avec Alexandre Dumas père. Dès ce moment, il est bien plus attiré par la littérature que par le droit, et surtout par le théâtre.

1849 : Il est licencié en droit. Il a déjà écrit des tragédies en 5 actes, des vaudevilles.

1850 : Il peut enfin faire représenter le 21 juin *Pailles rompues*, comédie en un acte, grâce à la bienveillance de Dumas, qui a ouvert en 1849 le Théâtre historique. Il y aura 12 représentations qui lui rapporteront 15 francs. Il se lie avec un autre Nantais, le musicien Hignard, pour qui il écrit un livret, *La Mille et Deuxième Nuit*. C'est le début d'une longue collaboration. Il refuse de revenir à Nantes.

1851 : Edouard Seveste ouvre le théâtre lyrique le 21 novembre. Jules Verne en devient le secrétaire, fort mal payé, quand il l'est. Il fréquente le salon musical du pianiste Talexy. Il publie son premier article dans le *Musée des familles* avec l'appui du directeur, Pitre-Chevalier : *Amérique du Sud, étude historique. Les premiers navires de la marine mexicaine.* C'est en fait une nouvelle. Il se lie avec Arago, le voyageur frère de l'astronome, et rencontre grâce à lui des explorateurs et des scientifiques.

1852 : Une autre nouvelle pour la même revue, *Martin Paz*, et le livret d'un opéra comique de Hignard, *Les Compagnons de la Marjolaine*. Il refuse définitivement de succéder à son père : « La littérature avant tout! »

1853 : Début de sa collaboration avec Wallut pour des comédies qui auront un mince succès.

1854 : Un projet de mariage avec Laurence Janmare échoue. Son père cède son étude. Seveste meurt, déliant J. Verne d'une tâche sans intérêt. Au *Musée des familles*, une nouvelle fantastique, *Maître Zacharius ou l'horloger qui a perdu son âme*. Début des névralgies faciales dont il souffrira toujours.

1855 : Au *Musée*, *Un hivernage dans les glaces*, le plus proche de l'œuvre à venir. *Les Heureux du jour*, comédie plus satirique que les précédentes, est jouée au Gymnase avec l'appui de Dumas fils.

1856 : Il rencontre à Amiens, au mariage d'un ami, Honorine de Viane, une veuve qui a deux filles. Son frère est agent de change, ce qui donne à J. Verne l'idée de gagner sa vie par ce moyen. Son père, un peu réticent, lui prête cependant l'argent nécessaire pour acheter une part dans l'agence Eggly à Paris, surtout lorsqu'il manifeste l'intention d'épouser la jeune veuve.

1857 : 10 janvier, mariage très simple. Travail régulier mais profits minces. Le couple est installé à Paris, et déménage souvent, dans des logements peu coûteux.

1859 : Grâce au père d'Hignard, agent d'une compagnie de navigation, qui leur offre le passage, les deux amis visitent l'Ecosse. C'est pour J. Verne un coup de foudre durable. Son frère Paul se marie après avoir démissionné de son poste d'officier de marine.

1861 : J. Verne fait un voyage en Norvège et en Scandinavie, toujours grâce à Hignard et avec lui. Pendant son absence, naît son fils Michel qui sera son unique enfant.

1862 : Vraisemblablement, c'est Dumas qui a lu le premier le manuscrit d'un roman alors intitulé *Voyage en ballon* (inspiré par l'intérêt général pour ce mode de transport, et par la connaissance qu'il a faite de Nadar, alors fougueux partisan du plus léger que l'air). Il le met en rapport avec le romancier

Brichet, qui le présente à l'éditeur P.-J. Hetzel (né en 1814, libraire, éditeur et auteur; membre du parti républicain, chef de cabinet de Lamartine en 1848 aux Affaires étrangères, puis au ministère Cavaignac; exilé en 1852, il revient à Paris grâce à l'amnistie et relance la maison qu'il avait fondée en 1843; il s'intéresse à la fois à produire des éditions bon marché de grands auteurs, Hugo, Sand, etc., et à offrir une littérature spécifique pour la jeunesse). Hetzel donne des conseils à l'auteur et lui demande de ramener le manuscrit dans quinze jours. *Cinq semaines en ballon* est alors accepté et Hetzel s'attache l'écrivain, pour qu'il collabore à la revue qu'il prépare pour la jeunesse, le *Magasin illustré d'éducation et de récréation.* J. Verne, par contrat, doit trois volumes par an à l'éditeur, payés 1 925 francs par volume (certains romans font deux volumes). C'est pour Verne l'espoir de vivre enfin de sa plume. Il en sera toujours reconnaissant à l'éditeur, ainsi que de ses conseils et corrections. Il travaille à un article sur Poe, qu'il a lu en 1861.

1863 : Publication en librairie de *Cinq semaines en ballon*, qui obtient un succès d'autant plus grand, auprès des adultes, que Nadar construit son ballon, *Le Géant*, qui effectue son premier vol le 4 octobre. J. Verne est l'un des deux censeurs de la « Société d'encouragement pour la locomotion aérienne au moyen d'appareils plus lourds que l'air », dont le siège est situé chez Nadar. Bien plus tard, le plus lourd que l'air fera son apparition dans *Robur le Conquérant*. Dans le *Musée des familles*, il soutient les projets de Nadar dans un article, « A propos du Géant ».

1864 : Nouveau contrat avec Hetzel pour le second titre, 2 volumes auxquels il a travaillé en 1863, et qui s'intituleront d'abord *Les Anglais au pôle nord* et *Le Désert de glace.* En mai 1866, lorsqu'ils paraîtront en volumes, le titre général sera : *Voyages et aventures du capitaine Hatteras.* C'est le premier roman qui paraît pour le lancement du *Magasin illustré d'éducation et de récréation* d'Hetzel. Il est donné sous forme de livraisons (plus longues que le feuilleton). Dans le *Musée des familles* paraît un roman historique, *Le Comte de Chanteleine* (écrit entre 1852 et 1861), et l'article admiratif sur Edgar Poe. Il écrit *Le Voyage au centre de la terre*, mis sous presse en août 1864 et qui paraît en volume le 25 novembre 1864. J. Verne déménage et s'installe confortablement à Auteuil. Il liquide, très difficilement, sa charge d'agent de change.

1865 : *De la Terre à la Lune*, paru dans le *Journal des débats* en feuilleton à partir de septembre 1865. Il donne, au *Musée des familles*, *Les Forceurs de blocus*, où il est question de la guerre de Sécession (et de l'emploi du canon, qui sert de base au projet des militaires en retraite du Gun-Club). Il travaille à *Grant* et parle à Hetzel d'un *Robinson*, où il rêve de surpasser ses prédécesseurs. Les quelques pages écrites sont rejetées assez vivement par Hetzel, et J. Verne abandonne provisoirement ce projet (repris plus tard dans *L'Ile mystérieuse*). Un nouveau contrat porte le prix du volume à 3 000 francs. Il va chercher par mer son frère à Bordeaux et en revient de même; il essuie une tempête qui le ravit. Il annonce qu'il travaille à un *Voyage sous les eaux* dont le plan du premier volume est prêt dès janvier 1866 (futur *Vingt mille lieues sous les mers*).

1866 : Jules Verne s'installe au Crotoy, tout en gardant un pied-à-terre à Paris. Il a fait déjà des séjours de vacances dans ce port de la Somme, assez proche d'Amiens. Il entreprend de continuer, pour Hetzel, la *Géographie illustrée de la France*, commencée par Lavallée.

1867 : Fin de la *Géographie de la France*. En mars-avril, croisière sur le *Great Eastern* jusqu'aux Etats-Unis, dont il voit New York et les chutes du Niagara. Mer très mauvaise à l'aller. La relation, prévue dès ce moment, du voyage deviendra *Une ville flottante*

(1871). *Les Enfants du capitaine Grant* commencent
à paraître en mai. Il travaille au *Voyage sous les
eaux* dont il donne le manuscrit à Hetzel en août,
ce qui donne lieu à de vives discussions. Il travaille
en même temps à *Autour de la Lune*.

1868 : Commence *L'Histoire des grands voyages et des
grands voyageurs;* récrit le deuxième volume de
Vingt mille lieues. Voyage à Londres. Achète son
premier bateau, le *Saint-Michel I*.

1869 : Envoie le manuscrit d'*Autour de la Lune* dont
les calculs ont été revus par un collaborateur de
M. Bertrand, secrétaire perpétuel de l'Académie des
Sciences, son cousin Henri Garcet (c'était déjà le
cas pour *De la Terre à la Lune*). Tous ces manuscrits
et les placards voyagent entre J. Verne et Hetzel, qui
les corrige ou suggère des aménagements. *Vingt mille
lieues sous les mers* paraît dans *Le Magasin*,
« émietté » au grand regret de l'auteur, en mars,
et *Autour de la Lune* est publié d'abord dans le
Journal des débats. Jules Verne s'installe au Crotoy,
loue un pied-à-terre à Amiens, donne son congé pour
la maison d'Auteuil.

1870 : *Autour de la Lune* paraît en volume. Publication
de *Découverte de la Terre* (premier volume de l'*Histoire des grands voyages*); il obtient en août la croix de
la Légion d'honneur, l'un des derniers actes du gouvernement de Napoléon III; il a été proposé par
Ferdinand de Lesseps et aidé par un critique influent,
Weiss. Reprend son travail sur le *Robinson*. Envoie
en mai les épreuves d'*Une ville flottante*. Remonte
la Seine avec le *Saint-Michel*, le solide bateau de
pêche aménagé, acheté deux ans avant. Durant la
guerre, il est garde national au Crotoy, et se désole
du manque d'armes, tandis que sa femme et ses
enfants se retirent à Amiens.

1871 : Verne se rend trois fois à Paris, et se montre
horrifié par la Commune. Lors du voyage de juin,
quand la ville est aux mains des Versaillais, en raison
de la situation, il songe à revenir à la Bourse. Il

interrompt *L'Ile mystérieuse* jusqu'à ce qu'il ait pu en parler avec Hetzel. Travaille sur un ancien roman, *Les Naufragés du Chancellor*, qu'Hetzel lui demande d'adoucir, et apporte aussi ce qui deviendra *Les Aventures de trois Russes et de trois Anglais*, roman sur la mesure du méridien inspiré par les travaux d'Arago. Commence *Le Pays des fourrures*.

Publication d'*Une ville flottante* et des *Aventures de trois Russes et de trois Anglais*. Hetzel est en difficultés financières et lui doit de l'argent. Cependant, un nouveau contrat permet à Verne de fournir seulement deux volumes par an, et de toucher 1 000 francs par mois. Son père meurt le 3 novembre 1871.

1872 : *Le Docteur Ox* est publié dans le *Musée des familles*. Verne achève le *Pays des fourrures* et prépare *Le Tour du monde en quatre-vingts jours*. Il assiste au printemps à une exécution capitale, qui le bouleverse. Il décide de s'installer définitivement à Amiens, où se trouve la famille de sa femme. Il est élu à l'Académie d'Amiens. *Les Voyages extraordinaires* sont couronnés par l'Académie française. *Le Tour du monde en quatre-vingts jours*, publié en feuilleton dans *Le Temps*, obtient un succès triomphal : des paris s'engagent parmi les lecteurs. L'édition en volume aura le plus fort tirage (108 000 ex.).

1873 : On joue une ancienne pièce de lui, écrite en collaboration avec Wallut, *Un neveu d'Amérique*, à la Porte Saint-Martin. J. Verne monte en ballon pour la première fois à Amiens, sur le *Météore* de Godard — pendant vingt-quatre minutes (récit publié en plaquette chez Jeunet à Amiens).

1874 : Achève avec d'Ennery l'adaptation du *Tour du monde en quatre-vingts jours* pour la scène (Porte Saint-Martin). En septembre, *L'Ile mystérieuse* paraît dans *Le Magasin*. Son fils Michel, qui lui donne depuis longtemps des soucis par sa conduite, fait un séjour dans la clinique du docteur Blanche, puis dans un établissement de redressement. J. Verne commence *Le Courrier du Czar* (futur *Michel Stro-*

goff) sous le coup des événements de Russie (prise de Khiva en 1873). Achète le *Saint-Michel II.*

1875 : Travaille à *Strogoff ;* il a été relu par des diplomates — pour éviter tout incident, car les livres de Verne sont traduits en Russie, et par Tourguenief. Michel est envoyé à Nantes pour y faire ses études au lycée ; il se montre très prodigue et a des fréquentations fâcheuses. Publication du *Chancellor* en février. Discours à l'Académie d'Amiens, *Amiens en l'an 2000*, qui sera publié en 1875 sous le titre *Une ville idéale, Amiens en l'an 2000*, impr. Jeunet, Amiens. Pont-Jest lui intente un procès. Il l'accusait de l'avoir plagié en écrivant *Voyage au centre de la Terre.*

1876 : Lancement de son second bateau, le *Saint-Michel II. L'Ile mystérieuse* paraît en librairie. Tout en corrigeant *Michel Strogoff*, il travaille à *Hector Servadac* (qui s'appelle encore *Le Monde solaire*) qu'il revoit à Paris avec Hetzel du 5 au 10 avril. Mais les lettres parlent aussi des *Indes-Noires* et du *Héros de quinze ans (Capitaine de quinze ans).*

1877 : Grâce aux ressources procurées par *L'Histoire des grands voyages et des grands voyageurs* qui arrive à son terme, J. Verne achète le yacht à voile et vapeur *Saint-Michel III* (28 mètres, machine de 100 chevaux, 55 000 francs). 12 personnes peuvent vivre à son bord.
2 avril : grand bal travesti à Amiens avec Nadar sortant de l'obus lunaire. Sa femme est très malade et ne peut y assister. Publication d'*Hector Servadac* et des *Indes-Noires*. Reçoit à la fin de l'année le manuscrit de Grousset, *L'Héritier de Langevol* (qui deviendra *Les Cinq Cents Millions de la Begum*). Hetzel lui demande de l'utiliser pour un roman. Jules Verne poussé par Dumas songe à l'Académie française, mais il est déçu par l'accueil réservé à sa candidature.

1878 : Croisière sur son nouveau bateau avec son frère Paul, le fils aîné de celui-ci, le fils d'Hetzel et le fils de l'avocat Raoul Duval : Lisbonne, Tanger, Gibraltar, Alger.

Michel, « incarcéré par voie de correction pater-
nelle », est embarqué comme pilotin à Bordeaux le
4 février. Voyage peu sévère dont il gardera un excellent souvenir. Verne est conscient douloureusement
de n'avoir pas su former cet adolescent.

Il travaille à remanier le manuscrit de Grousset et
pense à *L'Assassiné volontaire (Tribulations d'un
Chinois en Chine)* et à *La Maison à vapeur*. *Un capitaine de quinze ans* paraît.

Le Docteur Ox, musique d'Offenbach, opéra-bouffe
tiré par Gille du roman, au Théâtre des Variétés. Il
rencontre à Nantes le jeune Aristide Briand, alors
collégien.

1879 : Sa femme est considérée comme perdue, mais
finit par se remettre. Son fils Michel veut être éman-
cipé pour épouser une actrice lyrique du Théâtre
municipal. Il fait des dettes. Son père le met à la
porte (mais sans lui couper les vivres et en le faisant
surveiller par les autorités).

Dans *Le Temps*, *Les Tribulations d'un Chinois en
Chine*, en feuilleton; en volume à la fin de l'année.
En volume aussi : *Les Cinq Cents Millions de la
Begum*, suivi des *Révoltés de la Bounty*.

1880 : Voyage avec Paul, un fils de celui-ci et R. Gode-
froy, de Rotterdam à Kiel et Copenhague, puis avec
le fils d'Hetzel et Raoul Duval en Irlande, Ecosse et
Norvège.

On joue *Michel Strogoff* (adaptation de d'Ennery)
à l'Odéon.

Michel a enlevé l'actrice du Théâtre municipal, fait
publier les bans. Le père désapprouve ce mariage
mais envoie une pension. Le ménage connaît une
mésentente rapide.

La Maison à vapeur paraît (juillet et novembre), ainsi
que *Les Voyageurs du XIXe siècle*.

Il travaille à *La Jangada*, sans doute inspiré par ses
relations avec le comte de Paris et le comte d'Eu
dont la femme est régente du Brésil.

1881 : *La Jangada* paraît, suivie de la relation du

voyage à Rotterdam par Paul Verne. Jules Verne s'attaque à *L'Ecole des Robinsons* et au *Rayon-Vert*. Il relit *L'Itinéraire de Paris à Jérusalem* de Chateaubriand « comme chaque année ».

1882 : Il déménage, à Amiens, pour une maison plus vaste (rue Charles-Dubois). Publication de *L'Ecole des Robinsons* et du *Rayon-Vert*. Travaille à *Kéraban-le-têtu*.
Novembre : *Voyage à travers l'Impossible*, pièce en collaboration avec d'Ennery, à la Porte Saint-Martin.

1883 : Michel enlève une jeune pianiste (mineure) tandis que son père accueille sa femme. Il a de la jeune fille deux enfants à onze mois d'intervalle. Sa femme accepte le divorce et Michel épouse Jeanne, qui parviendra à le stabiliser, et l'obligera à travailler. Il fera divers métiers, aidé souvent par son père financièrement. Un troisième enfant naît.
Kéraban-le-têtu paraît en volumes, mais échoue au théâtre. Jules Verne travaille à nouveau sur un scénario de Grousset *(L'Etoile du Sud)* et sur *L'Archipel en feu*, en se défendant d'avoir voulu faire un roman historique sur la guerre de Grèce; son roman est maritime et géographique *(L'Archipel grec)*. Il annonce qu'il va travailler à un *Monte-Cristo* (futur *Mathias Sandorf*) à la fin de l'année.

1884 : 15 mai, départ pour un grand périple méditerranéen, avec, pour une fois, sa femme, au moins à partir d'Oran. Mais Honorine, qui supporte mal la mer, fera le voyage de Bône à Tunis, avec son mari, en chemin de fer (celui-ci est d'ailleurs inachevé...). Somptueuse réception par le bey. Jules Verne renonce, après une tempête aux abords de Malte, à continuer le voyage et revient en train avec Honorine. Réception par le Pape en audience privée. Reçoit la visite de l'archiduc d'Autriche Louis Salvador, qui se consacre aux Baléares à des travaux océanographiques.
Met au point *Mathias Sandorf*.
Publication de *L'Etoile du Sud* et de *L'Archipel en*

feu. Dans *Le Figaro illustré*, une nouvelle fantastique (qui complétera en 1886 *Un billet de loterie*), *Fritt-Flacc*.

1885 : Nouveau bal costumé, la « Grande auberge du tour du monde », à Amiens. Publication de *Mathias Sandorf* d'abord en feuilleton dans *Le Temps*. Un roman signé A. Laurie (Grousset) et Verne paraît dans *Le Magasin*, *L'Epave du Cynthia*.
Il travaille à une fantaisie sur le plus lourd que l'air, futur *Robur le Conquérant;* nombreuses discussions avec Hetzel, mais il envoie aussi la copie du premier volume de *La Dernière Esclave (Nord contre Sud)*, et corrige *Un billet de loterie* et *Chemin de France*. *Robur le Conquérant* paraît dans le *Journal des débats*.

1886 : En volumes : *Un billet de loterie*, *Robur le Conquérant*.
Le 15 février, il vend le *Saint-Michel III*, trop coûteux d'entretien, au prince de Montenegro.
10 mars : son neveu Gaston (fils aîné de son frère Paul, auditeur au Conseil d'Etat) tire sur lui dans une crise de folie. Il se croyait poursuivi par des ennemis. Il est interné et traînera sa vie dans des maisons de santé. Jules Verne, blessé au pied, demeurera infirme, la balle n'ayant pu être extraite; il ne fait que quelques promenades en octobre, et en décembre, la marche lui est à nouveau interdite pour un temps.
17 mars : mort d'Hetzel. Verne ne peut, à son désespoir, se rendre aux obsèques à Monte-Carlo.
On pense aussi que c'est vers cette date que mourut une femme fort discrètement aimée de Verne, qui vivait à Asnières, et dont on ne connaît que le nom, Mme Duchesne.

1887 : L.-J. Hetzel, fils de l'éditeur, a pris sa succession. Publication de *Chemin de France* et *Nord contre Sud*. Tournée de lectures en Belgique et Hollande en novembre. Lit, curieusement, un conte (très symbolique), *La Famille Raton*.
Il se rapproche de son fils. Mort de sa mère.

1888 : Publication de *Deux ans de vacances* et *Sens dessus dessous*.

Pour ce dernier roman, Badoureau, ingénieur des mines et mathématicien, lui a cédé pour 2 500 francs les calculs qu'il a faits pour redresser l'axe de la Terre (le travail figure à la fin du roman).

Début d'une longue et vive affection avec sa bru ; il donne son prénom à l'héroïne du roman auquel il travaille, *Famille sans nom*. En chantier, un *Voyage à reculons (César Cascabel)*.

Elu au conseil municipal sur une liste radicale-socialiste.

Ne s'occupera d'ailleurs que des Beaux-Arts. C'est à lui qu'on doit la construction du Cirque municipal d'Amiens.

Dans *Le Forum* de New York, *La Journée d'un journaliste américain en 2889*, signé de son nom, mais écrit (en anglais) par son fils Michel. Repris en français dans les *Mémoires de l'Académie d'Amiens* en 1889, puis dans *Hier et Demain*.

1889 : *Famille sans nom* paraît. Il écrit *Le Château des Carpathes* et commence *Mistress Branican*.

1890 : Publication de *César Cascabel*. Propose un recueil de contes, qui sera posthume *(Hier et Demain)*. Travaille à l'adaptation pour la scène des *Tribulations d'un Chinois en Chine*. Santé assez mauvaise (pointes de feu, lavages d'estomac).

La Famille Raton paraît dans le numéro de Noël du *Figaro illustré*.

1891 : Publication de *Mistress Branican*. Travaille au *Château des Carpathes* (article d'Elisée Reclus). A alors terminé *Claudius Bombarnac*.

1892 : Publication du *Château des Carpathes* en volume, et de *Claudius Bombarnac* en feuilleton dans *Le Soleil*. Travaille à *P'tit Bonhomme*. Les affaires de Michel vont mal. Son père éponge les déficits. Devient président de l'Académie d'Amiens et s'occupe toujours sérieusement des affaires municipales.

1893 : Il écrit *L'Ile à hélice* dont il donne les détails techniques à revoir à son frère et termine le premier volume de *Maître Antifer*.

Son succès (et ses revenus) baissent, et la critique n'a rien dit des deux derniers romans.

1894 : Publication des *Mirifiques aventures de Maître Antifer*. Il donne en août la liste des volumes à venir, dont trois sont terminés ; ils ne paraîtront d'ailleurs pas dans l'ordre indiqué. Il achève à la fin de l'année le roman de 1898, *Seconde Patrie*.

1895 : Publication de *L'Ile à hélice*. Travaille à *Face au drapeau*. Très affecté par la mort de Dumas.

1896 : Dédie *Clovis Dardentor* à ses petits-fils ; il en presse la publication. La publication de *Face au drapeau* lui vaut un procès avec le chimiste Turpin, qui l'accuse, non sans raison, de l'avoir dépeint sous les traits de Roch. Le procès, plaidé par Raymond Poincaré, sera gagné l'année suivante (Turpin avait en 1885 inventé la mélinite). S'enthousiasme pour le « Sphynx antarctique » *(Le Sphynx des Glaces)*, « pendant du capitaine Hatteras » dont le point de départ est le roman de Poe, *Les Aventures d'Arthur Gordon Pym*. Il pense être allé « infiniment plus loin ».

1897 : Publication du *Sphynx des Glaces*. Adresse à son éditeur le manuscrit du *Superbe Orénoque*, prêt dès 1894.

Santé très ébranlée (crampes, lavages d'estomac, régime sévère). Mort de son frère Paul.

1898 : Publication du *Superbe Orénoque*. Hetzel reçoit en juillet le volume intitulé *Le Testament d'un excentrique*, dont Verne lui avait déjà parlé « dans le temps ». Pense aussi à donner une suite au *Robinson suisse* de Wyss *(Seconde Patrie)*.

1899 : Publication du *Testament d'un excentrique*. Corrige la « Nouvelle Suisse ». Se dit « plongé dans les mines du Klondike » *(Le Volcan d'or,* posthume). Antidreyfusard, approuve cependant la révision. Son fils, (qui, lui, est dreyfusard) commence enfin à réussir, dans l'administration de l'Exposition universelle de 1900, puis dans la prospection minière.

1900 : Publication de *Seconde Patrie*. Jules Verne habite à nouveau la maison plus petite du boulevard Longueville, et s'y confine de plus en plus. Il travaille à « La Grande Forêt » *(Le Village aérien)* et annonce « Le Grand Serpent de mer » *(Jean-Marie Cabidoulin)*.
Sa vue s'affaiblit (cataracte).

1901 : Publication du *Village aérien* et des *Histoires de Jean-Marie Cabidoulin*. Travaille aux *Frères Kip* (d'après l'histoire réelle des Frères Rorique, 1893).

1902 : *Les Frères Kip*. Jules Verne discute à propos du titre de *Maître du monde* et envoie le manuscrit du premier volume de *Bourses de voyage*.

1903 : *Bourses de voyage* (la question de la réunion des Antilles danoises aux Etats-Unis est d'actualité). Travaille sur les épreuves d'*Un drame en Livonie* (prêt en 1894).

1904 : *Maître du monde, Un drame en Livonie*.
Annonce l'envoi du manuscrit de *Storitz* et de la *Mer saharienne*.

1905 : 17 février, une crise de diabète se déclare. Il s'éteint le 24 à dix heures du matin, entouré de toute sa famille.
L'Invasion de la mer, Le Phare du bout du monde, paraissent après sa mort. Jules Verne avait désiré aussi que *Le Secret de Wilhelm Storitz* parût avant sa mort, juste après *L'Invasion de la mer*.

Dates de publication des œuvres posthumes (voir à ce sujet notre article dans les *Annales de Bretagne*, LXXIII, nᵒ 3, Rennes, 1966).

1906 : *Le Volcan d'or*.

1907 : *L'Agence Thompson and Co*.

1908 : *La Chasse au météore* et *Le Pilote du Danube*.

1909 : *Les Naufragés du* Jonathan (en feuilleton dans *Le Journal*).

1910 : *Le Secret de Wilhelm Storitz. Hier et demain* (« La Famille Raton », « Monsieur Ré-Dièze et Mademoiselle Mi-Bémol », « La Destinée de Jean Morénas », « Le Humbug », « Au XXIXe siècle : la journée d'un journaliste américain », « L'Eternel Adam »).

1920 : *L'Etonnante aventure de la Mission Barsac* (chez Hachette, qui a racheté le fonds Hetzel).

INTRODUCTION

Jules Verne a trente-cinq ans lorsque paraît en 1863 le premier roman qui allait définitivement le lancer dans la littérature, comme il le souhaitait en vain depuis son arrivée à Paris en 1848. *Cinq semaines en ballon*, accepté par l'éditeur Hetzel en 1862, au prix de quelques remaniements, lui apporte simultanément le succès, l'appui d'un éditeur qui sera aussi à la fois un censeur et un père spirituel, et une aisance qui lui permet d'abandonner sa charge d'agent de change, pour se consacrer à une œuvre aussi abondante que continue : il produira jusqu'à sa mort en 1905 trois, puis deux volumes par an, et laissera huit titres posthumes. Cette cadence était stipulée par contrat avec l'éditeur. A dire vrai, c'est là un tournant dans sa vocation littéraire. Il se croyait jusqu'alors des dons pour le théâtre, qu'il regrettera toujours un peu d'avoir abandonné. Bien des dialogues de romans portent la marque de ces premières amours. On y reconnaît parfois un certain « ton » boulevardier, dans le genre des « Gaîtés parisiennes » d'Offenbach (qui composa d'ailleurs la musique du livret tiré du *Docteur Ox* de J. Verne). Mais il s'intéressait aussi, comme une grande partie de ses contemporains, à l'essor de la science et des inventions techniques, si prodigieux en cette seconde moitié du XIXᵉ siècle. Jules Verne semble avoir fréquenté le Cercle de la Presse scientifique, où il rencontra Nadar. Il écrit, dès 1851, pour le *Musée des familles*, revue de vulgarisation, des articles soit historiques, soit scientifiques, parfois romancés sous forme de courtes nouvelles (tel *Un voyage en ballon*, en 1851, qui deviendra *Un drame dans les airs*, en 1874, pour Hetzel).

Il n'est pas indifférent de voir comment est née cette vaste entreprise, qui se nomma d'abord *Voyages dans les mondes connus et inconnus* (préface aux *Voyages et aventures du capitaine Hatteras*, en 1866), puis définitivement un peu plus tard *Les Voyages extraordinaires*. Car *Voyage au centre de la Terre* fait partie de ce premier jet de la création. Après le succès du premier roman, Jules Verne est chargé par Hetzel de le seconder dans un projet qu'il caresse depuis longtemps : celui de fournir à la jeunesse une littérature adaptée à son époque. Pour cela, l'éditeur veut fonder une sorte de revue, *Le Magasin illustré d'éducation et de récréation*, qui paraîtra en livraisons régulières du 20 mars 1864 jusqu'en 1906. Il oriente cette publication selon deux directions : la partie récréative est assurée par lui-même — il écrivait déjà des romans pour la jeunesse sous le nom de P.-J. Stahl; il confie la partie éducative à Jean Macé, un ami de lycée retrouvé en 1860 et qui deviendra l'un des fondateurs de la Ligue française de l'Enseignement. C'est ce dernier qui est le « directeur spécial » de Jules Verne (selon une lettre de celui-ci). En fait, Verne a une mission bien précise; celle de « résumer toutes les connaissances *géographiques*, *géologiques*, *astronomiques*, *physiques*, amassées par la science moderne, et de refaire, sous la forme attrayante qui lui est propre, l'histoire de l'univers » (préface citée plus haut). Le but est donc essentiellement didactique et il est vrai que c'était là un projet très original, très « laïque » aussi, par rapport aux publications existantes. Une place était à prendre, dans le marché de l'édition et dans la littérature. La rencontre d'un éditeur et d'un auteur allait combler une lacune, et la première livraison du *Magasin* comportait le début des *Anglais au pôle Nord* (qui deviendra en volume, en 1866, *Voyages et aventures du capitaines Hatteras*).

D'après les lettres de Verne à Hetzel (conservées à la Bibliothèque nationale, peu nombreuses pour cette

époque, où le romancier a encore un domicile à Paris)
il s'engage, immédiatement après *Cinq semaines en
ballon*, dans *Les Aventures du capitaine Hatteras*. Un
contrat d'ailleurs l'atteste. Puis, tandis qu'il corrige
cette aventure polaire, il écrit *Voyage au centre de la
Terre*, probablement dès la fin 1863 puisque l'impression
commence en avril 1864. Le roman paraît en novembre,
Jules Verne ayant dû faire selon son habitude de nombreuses corrections sur épreuves. On peut parler de
véritable bouillonnement de la création : suit immédiatement en 1864 la rédaction de *La Terre à la Lune*,
en 1865 celle des *Enfants du capitaine Grant*. Il en sera
toujours ainsi : Jules Verne travaille à un roman tout
en corrigeant et parfois modifiant profondément le
précédent. Assurément, il est pressé par la nécessité
d'honorer son contrat. Mais aussi, malgré l'apparente
diversité des sujets, nous verrons qu'il n'y a aucune disparate dans l'inspiration profonde, bien au contraire.

Il est difficile, faute de confidence, de savoir ce qui
a pu déclencher en Jules Verne l' « invention » de ce
voyage. Des modèles, il en avait certes, et notamment
dans les épopées antiques qui faisaient partie de sa
culture (il cite deux fois Virgile, chap. XI et XVIII), dans
les légendes et les récits fantastiques. S'il n'est pas sûr
qu'il ait lu Novalis, il cite au chapitre XXXIX Hoffmann :
« Nous ressemblions à ce fantastique personnage
d'Hoffmann qui a perdu son ombre ». Et l'on ne peut
qu'être frappé si l'on rapproche certains passages des
Mines de Falun de *Voyage au centre de la Terre* :

> (...) son discours devenait de plus en plus animé,
> son regard plus ardent (...) Les roches se mettaient
> à vivre, les fossiles à se mouvoir, la merveilleuse
> pyrosmalite et l'almandine étincelaient à la lueur
> des lampes, les cristaux de roche luisaient et
> mêlaient leurs feux *(Mines de Falun)*.

En 1874, un obscur écrivain, Delmas dit Pont-Jest, lui
intenta un procès, l'accusant d'avoir plagié une de ses
œuvres, *La Tête de Minerve*, parue dans la *Revue*

contemporaine. Non seulement Verne jura qu'il n'avait pas lu cette œuvre, mais il ajouta que le seul point de rencontre, c'est que l'endroit où le héros de Pont-Jest découvre un cercueil, sur une montagne, est indiqué par une baguette à la clarté de la lune, « tandis que moi, c'est l'ombre d'un pic qui indique l'endroit où se trouve l'ouverture pour descendre à l'intérieur de la Terre ». On pourrait d'ailleurs se demander si la source commune n'est pas Edgar Poe, que Verne admire et auquel il a consacré un article en 1864 dans le *Musée des familles.* Au reste, le héros de Pont-Jest ne descend pas à l'intérieur du globe. Quant aux autres voyages, (celui de Kirchner, celui de Collin de Plancy), à supposer que Verne les aient lus ou en ait eu connaissance grâce aux compilations chères à cette époque, ils sont surtout des occasions de critiquer la société ou la pensée du temps. Aucun des héros ne part pour une « expédition scientifique ». Aucun de ces auteurs ne prétend que ce voyage pourrait avoir une quelconque réalité. Certains pourtant avait-ils songé déjà à une telle aventure ? J. Verne semble déjà l'indiquer dans les *Aventures du capitaine Hatteras* (chap. XXIV). Le docteur Clawbonny tente d'expliquer à ses compagnons ce qu'a de remarquable ce pôle si convoité, et leur fait remarquer, entre autres particularités, que par suite de l'aplatissement du globe terrestre, ce point est plus proche du centre de la terre de cinq lieues. De sorte qu'un capitaine anglais, Synness, aurait proposé à Davy, Humboldt et Arago de tenter l'expédition. Il est difficile toutefois, étant donné la concomitance de la rédaction des deux œuvres, de savoir si les anecdotes que J. Verne a compilées à propos du pôle lui ont donné l'idée du voyage au centre de la Terre, ou s'il s'agit dans *Hatteras* d'une allusion au roman qui suivra. Au reste, et l'ironie n'en est pas surprenante, Clawbonny et Altamont approuvent en riant le refus des trois savants.

Et pourtant, c'est un savant qui tente l'aventure. L'original Lidenbrock, géologue et minéralogiste, nous est donné comme l'égal des Humphry Davy, Humboldt,

Becquerel, Ebelmer, Brewster, Dumas, Milne-Edwards, Sainte-Claire-Deville. Par un procédé cher à Verne, l'énumération contribue à donner le poids du réel au personnage. Il accentue encore la vraisemblance en parlant d'un ouvrage du savant, un *Traité de cristallographie transcendante*, paru à Leipzig en 1853, grand in-folio avec planches. En fait, Verne a dû surtout consulter les ouvrages de Sainte-Claire-Deville. Il était peut-être même en rapport direct avec ce savant, grand ami de Hetzel (le savant lorsqu'il écrivait à l'éditeur, signait « Ton vieux camarade »). Sainte-Claire-Deville avait spécialement étudié les phénomènes sismiques et les volcans, et avait exploré le cratère du Stromboli, que l'on trouve justement à la fin du roman comme voie de sortie.

La question de la constitution interne de notre globe devait être à l'ordre du jour. George Sand, à la même époque et sans que les deux auteurs aient pu connaître leurs manuscrits, faisait paraître un court roman, *Laura, Voyage dans le cristal*. La Terre y était présentée comme une géode, une sphère creuse, dont la caverne souterraine pouvait être atteinte à partir du pôle Nord. Les agendas de George Sand signalent le 21 avril 1863 la lecture d'un article de Figuier sur les volcans. Le point de départ de l'expédition, dans le roman de Verne, l'Islande et le volcan éteint du Sneffels, s'inspire sans doute du *Voyage dans les mers du Nord de la corvette « la Reine Hortense »* (1857) par un ami de George Sand, Charles-Edmond, cité par Jules Verne au chapitre x, par la bouche d'un autre personnage réel, M. Fridriksson[1]. Les problèmes de la nature interne du globe sont exposés dans le chapitre vi. Axel, le narrateur, qui n'a nullement envie de tenter l'expédition, soutient à son oncle qu'elle est impossible : le centre de la Terre est une masse de gaz incandescent. Lidenbrock oppose à Axel la thèse de Poisson et d'autres « géologues distingués » et même une *conver-*

---

1. Il n'était pas naturaliste, mais philologue ; renseignement communiqué par sa fille à la Société Jules Verne en 1936.

sation qu'il aurait eue avec Humphry Davy. Si une chaleur de deux cent mille degrés existait à l'intérieur du globe, l'écorce terrestre ne pourrait résister à la poussée des gaz. Grâce à cet exposé sous forme dialoguée et « en situation » conflictuelle, nous sommes bien dans la ligne didactique désirée par Hetzel.

De même les préparatifs de l'expédition sont d'une minutie réaliste, avec des listes d'équipements. Le problème de l'éclairage est résolu de façon très « moderniste », grâce à deux lampes de Ruhmkorff. Le lecteur a même droit à une note — ce qui accentue le côté scientifique de l'écriture — au chapitre XI, expliquant à la fois le mécanisme de cet appareil électrique et les mérites de son inventeur. Pourtant, on peut s'interroger sur la raison pour laquelle Verne baptise le vaisseau qui amène les héros de Kiel en Islande *La Valkyrie* (ce n'est pas seulement parce qu'il admire Wagner). Et la goélette longeant la côte d'Elseneur, Axel s'attend « à voir l'ombre d'Hamlet errant sur la terrasse légendaire ». Il s'écrie :

> « Sublime insensé! (...) tu nous approuverais sans doute! Tu nous suivrais peut-être pour venir au centre du globe chercher une solution à ton doute éternel! »

Le réel est ainsi entrelacé à l'imaginaire. Verne, comme pour ne pas succomber à celui-ci, accumule les références à la réalité. Parmi ces effets, on notera la date très précise qui ouvre le roman, le situant dans le passé immédiat, de sorte que la fin du récit coïncidait à peu près avec le moment où le lecteur le lisait. Autre référence didactique au réel : les indications minéralogiques, les noms savants utilisés d'abord dérisoirement pour se moquer du défaut de langue de Lidenbrock. En ce cas, les termes choisis sont d'une complication voulue. Mais une fois l'expédition commencée, les citations ne sont plus ironiques : la période silurienne est expliquée en note (chap. XIX), les terrains dévoniens sont décrits dans l'étincellement des « schistes, (du) calcaire et (des) vieux grès rouges des parois », tandis qu'Axel note, en même temps, la présence des fossiles qui permettent de remonter l'échelle de la vie sur la Terre. Une mine de charbon que la main de l'homme n'a pas creusée permet d'expliquer la formation de la houille (chap. xx) — mais aussi de faire rêver sur les richesses souterraines inaccessibles à l'homme, (thème bien connu du trésor). Les minéralogistes à mesure de leur descente peuvent « étudier la nature sur place » et confirmer les hypothèses de la science, car l'œil humain est bien supérieur à la sonde, « machine inintelligente et brutale ». De même, le roman est bien supérieur à l'exposé « brutal » des livres de science. Ni la sonde ni l'écrit théorique ne rendront l'émerveillement fasciné procuré par les étincellements du micaschiste, cette « fête de la lumière », l'impression magique que ressent Axel : « Je m'imaginais voyager à travers un diamant creux, dans lequel les rayons se brisaient en mille éblouissements » (chap. xxii). Les gravures de Riou qui accompagnaient le texte accentuaient encore cette « poétisation ».

Mais à partir du moment où Axel, après son évanouissement, se trouve au bord de l'improbable mer intérieure, les références purement géologiques se font plus rares. Il est vrai qu'elles auraient fini par lasser ; il est vrai aussi que la paléontologie remplace la science géologique. La paléontologie, qui reconstruit le passé de l'homme et des êtres vivants depuis les origines, est plus propice aux rêves. Nous sommes maintenant suffisamment assurés de la réalité de l'aventure — notre rationalisme est assez satisfait — pour que l'auteur se laisse aller à des inventions qui n'ont plus qu'un référent scientifique vague ; pour les justifier, il se contente souvent de formules imprécises : ainsi dans la caverne intérieure, l'évaporation de l'eau, qui ne devrait pas se produire sous une pression aussi forte de l'atmosphère, forme pourtant de « grands nuages, vapeurs mobiles et changeantes », et cela, « pour une raison physique qui m'échappait ». Ces nuages font partie de ce paysage de mort, de pays des morts. De même que la triste lumière qui éclaire la mer intérieure

est « d'origine électrique », « comme une aurore
boréale, un phénomène cosmique continu », ce qui n'est
pas fort satisfaisant! Parfois, conscient de l'extrava-
gance scientifique des situations ou des épisodes, il
accumule les effets de réel annexes : ainsi le journal de
bord du narrateur (chap. XXXII à XXXVI), ou le discours
ridicule et savant de Lidenbrock pour faire passer la
découverte du squelette de l'homme quaternaire, et préparer le lecteur à celle d'un géant *vivant* au chapitre
suivant (chap. XXXVII). Parfois, il glisse une affirmation
du plus pur scientisme : « (...) car pour grandes que
soient les merveilles de la nature, elles sont toujours
explicables par des raisons physiques » (chap. XXXVII).
Mais le narrateur ne craint pas de reprendre la théorie
du capitaine anglais déjà mentionnée dans *Hatteras*,
« qui assimilait la terre à une vaste sphère creuse, à l'intérieur de laquelle l'air se maintenait lumineux par
suite de sa pression, tandis que deux astres, Pluton et
Proserpine, y traçaient leurs mystérieuses orbites »
(chap. XXX). Axel ne voit certes pas ces astres, mais la
référence en elle-même, avec le nom du dieu des
enfers et de son épouse, est étrange.
  Le réel, avec l'affirmation de la possibilité d'une
telle expédition, reprend ses droits, au moins en apparence, à la fin du roman. J. Verne a hésité à faire
atteindre par ses héros le centre de la terre. L'une des
raisons en est qu'il ne pouvait dans une perspective
« scientifique », prendre partie pour l'une des théories
en présence; d'autant que celle du feu central paraissait la plus probable, mais du même coup ruinait le
roman lui-même. Aussi le narrateur Axel reste-t-il
partisan du feu central, tout en reconnaissant que
« certaines circonstances encore mal définies (modi-
fient) cette loi (celle de l'accroissement de la chaleur à
mesure que l'on descend) sous l'action de phénomènes
naturels » (chap. XLV). En faisant sauter le rocher qui
empêche la progression, Axel provoque un tremblement de terre qui ouvre un gouffre où sont entraînés
la mer intérieure, le radeau et ses passagers. Ainsi la
route de Saknussem est-elle bien encore parcourue un

certain temps, mais à la vitesse d'un train — ce qui
évite en outre la répétition des épisodes du premier
parcours, et le cataclysme provoque une éruption qui
fait remonter nos héros par un puits très étroit, tandis
qu'*enfin* la chaleur s'accroît jusqu'à l'insupportable.
Telle est la violence de cette sortie qu'on n'a pas le
temps de s'étonner que le radeau, lorsqu'il n'est plus
protégé de la lave par l'eau, ne brûle pas. Il est vrai
qu'on nous a bien dit qu'il était fait d'un « bois particulier », bois fossile nommé (le nom ici tient lieu de
qualité) « surtrabandur »... Il est assez miraculeux pour
flotter, alors qu'ayant la dureté de la pierre, il devrait
s'enfoncer (chap. XXXI)! Ainsi cette sortie rapide offre
tous les avantages du point de vue de la technique du
récit et des apparences de la vraisemblance et de la
logique, confortées par les observations volcanolo-
giques dues à Sainte-Claire-Deville, notamment sur
les volcans intermittents.

Ce n'est pas seulement ce souci qui a commandé le
dénouement, ni l'ensemble même de l'invention. Surtout, ce n'est pas ce qui explique le « charme » qui
enchaîne le lecteur. Ce qu'il lit, ce n'est pas le *Voyage
au centre de la Terre* du professeur Lidenbrock, dont
le narrateur nous avertit au chapitre dernier qu'il lui
attira une grande considération — un récit scientifique
où sont consignées toutes les observations savantes
(chap. XXIV). Le récit d'Axel est une autre manière de
dire la science, comme l'indique nettement ce jeu sur
un livre scientifique supposé célèbre dans le monde
entier — mais aussi raillé puisque M. Barnum propose
au professeur de l' « exhiber » à très haut prix dans les
Etats de l'Union. Nous suivons le récit d'une expérience : le héros en est le narrateur, d'abord entraîné
malgré lui dans une aventure qui le dépasse; novice
encore en matière scientifique, il a conservé ses facultés
d'émerveillement. Lidenbrock, lui, ne trouve pas le
temps d'admirer. Le siècle est sans doute positiviste
et scientiste, mais il demeure fasciné par les *Merveilles
de la science*, pour reprendre le titre d'un livre du
vulgarisateur Figuier (cité comme source dans d'autres

romans). Conscient d'écrire une aventure qui permette
d'exposer les connaissances géologiques du temps,
Jules Verne est conduit comme malgré lui à écrire une
moderne descente aux enfers, car l'imaginaire a des
lois bien aussi impératives que les desseins conscients,
fussent-ils sanctionnés par un contrat.

Tout se passe donc comme si celui qui écrit un roman
d'aventures, pour peu qu'il laisse aller son imagination,
faisait le roman de l'Aventure, sur le modèle de toutes
les Quêtes, où la découverte est à la fois celle du Soi
et du Sacré, qu'il se nomme Graal, Trésor, Princesse,
ou... Centre. Tous ces récits ont un support mythique,
et sont plus précisément formés sur le modèle du mythe
initiatique, celui qui raconte comment, *in illo tempore*,
temps des origines, le grand Ancêtre, ou le Dieu, ou
le Héros fondateur, ont réussi le voyage au pays des
morts et en sont revenus transmutés, Autres, tout en
garantissant par leur Aventure la possibilité pour tout
homme d'échapper à la condition humaine, à la Mort.
Le récit est répété lors des cérémonies rituelles de
l'initiation et sert de modèle aux rites (ou le contraire :
il est impossible d'en décider). Les romans de Jules
Verne sont particulièrement fidèles, en toute incon-
science d'ailleurs, à cette structure qui semble un des
modèles les plus constants de l'imaginaire. *Voyage au
centre de la Terre* en est un si bon exemple qu'un cher-
cheur suisse, André Corboz, a pu en présenter les
éléments structuraux comme s'il s'agissait d'un mythe
africain ou indien, avant de dévoiler à quelle sphère
inattendue ils appartenaient. Léon Cellier avait bien
montré que « le roman initiatique (...) transforme
l'aventure humaine en mythe », et que c'était le roman
d'aventures « qui se prête le mieux à cette transmutation spirituelle ».

Ainsi, l'espace sacré qui est toujours aménagé pour
les besoins du rite est ici très symboliquement une île
lointaine, magique par la présence de phénomènes
volcaniques, témoins du feu sacré et de la puissance
cosmique. L'Islande en outre est proche de Thulé : les
héros aperçoivent le Groenland du haut de la mon-

tagne, elle aussi sacrée puisqu'elle est le lieu d'entrée,
le seuil de l'Autre monde — et qu'elle est un volcan.
Le lieu a été indiqué au *novice*, le jeune Axel, par un
double « hasard », signe qu'il a été « choisi » : le
manuscrit caché dans un vieux livre et qu'il fait
remarquer à son oncle, et surtout la découverte de la
clé du cryptogramme, inscrit sur le parchemin. C'est
l'œuvre d'un *alchimiste* du XVIe siècle, dont toutes les
œuvres ont disparu, brûlées par l'Inquisition. Jules
Verne, si soucieux de donner des références exactes en
citant les savants de son temps, en prend ici à son aise
avec le véritable Arni Magnusson, devenu Arne
Saknussem, savant du XVIIIe siècle qui collectionnait
les manuscrits pour le roi de Danemark. Mais l'identité qu'il lui donne est bien mieux en accord avec
l'image de l'ancêtre fondateur du rite, de celui qui a
fait pour la première fois le voyage — même si l'allusion à l'Inquisition est aussi un témoignage de l'esprit
laïque d'Hetzel, sinon de l'auteur. Saknussem possède
ainsi une Connaissance qui échappe aux religions
établies, qui est d'autant plus secrète que le seul
document subsistant est écrit en « runes ». Les gravures,
et le texte lui-même les « reproduisent » — à vrai dire,
ils reproduisent des signes à *allure* de runes. La découverte de l'entrée se situe à un moment sacré, dans les
jours du solstice d'été. La séparation du futur initié
d'avec le monde profane se fait aussi, très rituellement,
de manière déchirante. Axel répugne à quitter le
monde féminin de la maison de Hambourg, sa cousine
Graüben qu'il aime, et même la vieille Marthe, qui
l'entoure d'un douillet confort bourgeois, équivalent
romanesque en termes du XIXe siècle du monde profane.
Enfin des épreuves purificatrices préparent le héros :
« leçons d'abîme », pour l'accoutumer au vertige du
sacré, rencontre avec la figure de la mort sous la forme
hideuse du lépreux, difficultés de l'ascension et tempête
qui semblent défendre le seuil. Une fois arrivé au sommet, le jeune homme commence ce qu'il appelle
imprudemment, mais en toutes lettres, le *facilis descensus Averni*.

Dans cette descente, il est accompagné, toujours
très rituellement, de son père initiatique, et non biolo-
gique, son oncle Lidenbrock, qui l'a véritablement
obligé à cette aventure. Le savant « à l'énergie surhumaine » est assisté cependant d'un guide islandais,
Hans. Si le premier est l'organisateur du voyage, s'il
a toutes les connaissances intellectuelles nécessaires
pour l'entreprise, il est pourtant nécessaire, et pas
seulement pour la vraisemblance, que son savoir soit
complété par le sûr instinct d'un être lié à la terre —
spécialement à la terre magique de l'Islande. Taciturne
mais toujours prêt à aider Axel, dévoué à son maître
Lidenbrock auquel il obéit sans poser de questions,
comme une sorte de double de l'initiateur, c'est Hans
qui découvre l'eau salvatrice, qui administre à Axel un
remède magique, qui construit le radeau; mais s'il
sauve la vie d'Axel à plusieurs reprises, se montrant
là aussi un « père », ce dernier ne le comprend pas :
seuls ceux qui ont déjà été initiés peuvent communiquer
dans la langue secrète, ici le danois, de même qu'Axel
avait bien découvert la clé du cryptogramme, mais
n'aurait pu déchiffrer les runes.

Les étapes du voyage seront, elles aussi, très symbo-
liques, suivant en gros l'ordre rituel, bien que certaines
soient répétées, en redondance ou en variation. Elles
sont jalonnées par le signe du Maître qui a fait le premier
le voyage, notamment le lieu de départ comme le début
du dernier parcours. Mais la véritable entrée d'Axel
dans le domaine du Sacré et de la Mort a lieu quelque
temps après les premières étapes, qui parfont la purification, notamment par l'épreuve de la soif, la traversée
du diamant creux. Axel s'égare dans un labyrinthe,
dont le motif avait déjà été indiqué, sous forme euphé-
mique, auparavant. Par un véritable miracle, même
s'il s'agit d'un effet d'acoustique, Axel, « perdu dans
la plus profonde obscurité », dans ces entrailles de la
terre-mère, entre en communication avec son guide,
qui l'exhorte solennellement à reprendre sa marche.
Pour rejoindre celui-ci, Axel est entraîné dans une chute
vertigineuse, et perd, toujours rituellement, connais-

sance. Son réveil, dans une grotte, elle-même emboîtée
dans la grande caverne, qui est elle-même dans le
globe terrestre, est rendu plus miraculeux encore par
la présence de cette mer intérieure, baignée d'une
lumière « spéciale », sinistre, et par l'onguent de Hans
qui le guérit de ses contusions, si rapidement qu'il
n'est évidemment pas un médicament ordinaire. Alors
commence à se transformer le pusillanime aide-miné-
ralogiste : il prend sa destinée en main, et la curiosité
du professeur Lidenbrock perd de son importance, à
mesure que dans le roman le scientifique laisse la
place au fantastique. C'est un véritable retour à la
mère-mer primitive qui commence avec le bain dans
les eaux primordiales de cette « Méditerranée ». C'est
aussi un retour aux origines du monde, soit par la
vision des plantes, des restes d'animaux, soit par celle
du squelette d'un homme du quaternaire, soit aussi
par le combat des monstres préhistoriques, l'ichthyo-
saure et le plésiosaure, dans les eaux de la mer. L'in-
terprétation psychanalytique de ce genre de scène est
presque trop évidente... Notre héros contemple ensuite
la source de vie, le geyser, eau et feu, qui est baptisée
de son nom, par une inversion qui n'enlève rien au
symbole. Enfin, il est rempli de l'esprit de la divinité
lorsqu'il est littéralement traversé par le fluide électrique de la foudre, boule de feu qui erre sur le radeau.

C'est alors seulement qu'il aperçoit le Grand
Ancêtre, vivant, gardant un troupeau de mastodontes,
immanis pecoris custos, immanior ipse (chap. xxxix).
Il ne communique pas avec lui : écart impossible par
rapport à la vraisemblance, pour le lecteur positif du
xixe siècle, parent des enfants auxquels le livre est en
principe destiné ? Mais le symbole est sans doute plus
puissant, présenté sous la forme d'une brève et terri-
fiante *vision*. C'est là le point extrême qui sera atteint,
puisque les héros ne parviennent pas au centre, bien
qu'un nouvel indice (l'arme de Saknussem et ses
initiales), leur ait indiqué le chemin, avec l'aide toujours « providentielle » du hasard complaisant : la
tempête les a rejetés sur le rivage approprié, mais non

reconnu (ils croient être revenus à leur point de départ);
la boussole, la Science technologique et rationnelle, les
trahit, car l'électricité de la foudre a *inversé* les pôles.
Ainsi les héros, qui ne vivent plus, déjà, dans le temps
profane puisqu'ils ont remonté jusqu'aux origines du
monde, ne se situent pas non plus dans l'espace profane, espace orienté. Ils ne sont plus sous le soleil des
vivants. Ils se trouvent dans le domaine du Sacré, avec
tout ce qu'il implique de paradoxal, notamment la
vie dans la mort.

Aussi le fait que l'expédition ne parvienne pas au
but initialement espéré s'explique-t-il de diverses
manières, qui, loin de s'opposer, se complètent et se
renforcent. Nous avons vu déjà la raison scientifique :
le roman étant donné pour « vrai » parce que ce qui
est raconté est censé avoir été « vu » — et le récit à la
première personne ajoute encore à ce parti pris de
réel — le vulgarisateur ne peut se permettre d'adopter
la théorie du « centre vide et froid » puisqu'elle est
contestée, tandis que la théorie du feu central empêche-
rait la réalisation même de l'aventure. Autre raison de
cette apparente défaite, une raison mythique : les
initiations comportent des degrés, et manifestement,
nous sommes dans une initiation du premier degré,
étant donné notamment la personnalité d'Axel. Dans
ce cas, on n'accède qu'à une partie du Secret, le
contact avec le Sacré est bref, même s'il est suffisant
pour transformer l'initié. Peut-être aussi une raison
d'ordre inconscient intervient-elle : toute descente aux
enfers est une descente dans l'inconscient. Or ici, la
pénétration de la Terre-mère se termine par un véritable viol. Axel est beaucoup trop impatient (la
patience est une qualité exigée à la fois de l'initié et de
l'analyste comme de l'analysé). Le rocher, tombé
depuis l'exploration primitive, qui garde l'entrée du
secret le plus profond, de l'*anaktoron* des temples, ne
devrait pas être ainsi pulvérisé : les approches du plus
refoulé de l'inconscient ne peuvent se faire par un
attentat, sans risque grave d'un *surgissement* catastro-
phique dans les conduites conscientes, et l'on voit de

reste que ce surgissement est rendu par l'image de la remontée dans le puits du Stromboli. La surexcitation d'Axel *qui met lui-même le feu à la mèche* après avoir suggéré le moyen de passer outre, est un signe du trouble de la psyché devant un blocage des pulsions. C'est aussi, pour une fois, une erreur du guide, qui consent à l'opération. Il aurait dû prévoir le danger (même sur le plan purement scientifique), mais il est affligé, nous le savons depuis le début, de ce défaut qui envahit maintenant Axel, l'impatience. Dans le précédent roman, Hatteras ne touchait au point sacré, la bouche d'un volcan en éruption, image symbolique évidente, qu'au prix de sa vie dans une première version, au prix de sa raison dans la version définitive. Sa passion, là aussi, l'a trahi, en lui faisant croire que « toucher le pôle » était nécessaire et suffisant *en soi*. Mais il faut encore être capable d'intégrer les découvertes de l'inconscient dans le conscient. En outre, comme l'indiquait Michel Butor dès 1949 dans un article, on peut considérer que si le centre même n'est pas atteint « physiquement », il l'est « métaphoriquement ». Axel atteint un de ces « points suprêmes », l'origine, dans une hallucination (chap. XXXII). Le corps atomisé en rêve devra se reformer pour renaître :

> « Toute la vie de la terre se résume en moi (...) Au centre de cette nébuleuse, quatorze cent mille fois plus considérable que ce globe qu'elle va former un jour, je suis entraîné dans les espaces planétaires! Mon corps se subtilise, se sublime à son tour et se mélange comme un atome impondérable à ces immenses vapeurs qui tracent dans l'infini leurs orbites enflammées! »

Sans le secours de Hans, qui le saisit vigoureusement, il se serait précipité dans les flots, comme Hatteras se jette dans le volcan du pôle et n'est sauvé que par un autre être instinctif, son chien. Mais lui ne sauve que son corps. Pour Axel, une part au moins de l'inconscient est intégrée au conscient, puisque le retour a lieu

et que l'individu est transformé. La Quête du Soi est
réussie, jusqu'à un certain point en tout cas, et semble
permettre désormais une vie harmonieuse — à condition sans doute qu'une situation inattendue ne vienne
pas remettre en cause les couches les plus profondes,
qui n'ont pas été atteintes. Mais cela serait une autre
histoire, que Jules Verne a toujours par la suite hésité
à écrire, comme si, arrêté au bord du gouffre le plus
profond de l'inconscient, il avait peur de s'y engloutir
et d'y demeurer prisonnier.

Car l'homme après son aventure doit re-naître et
reprendre la vie quotidienne, alourdi de ce qu'il a
connu et métamorphosé par cette connaissance. L'ex-
pulsion hors de la terre, brutale et en contraste avec
la descente, n'est pas seulement une manière de
résoudre (au niveau du récit et au niveau du didac-
tisme scientifique) le problème technique du retour,
que Lidenbrock, puis Axel lui-même, ont refusé d'en-
visager. C'est une belle métaphore de la naissance
véritable, avec son traumatisme douloureux, le passage
déchirant de la nuit à la lumière ; à leur sortie, les héros
sont totalement dépouillés, et aussi nus que le permet
la décence du XIXᵉ siècle. Après l'évanouissement
rituel d'Axel, qui fait pendant à celui qui s'est produit
avant l'entrée dans la caverne-matrice, la re-naissance
s'opère dans un lieu en parfaite antithèse avec celui du
départ : à l'Islande désertique, limbes où se manifeste
la présence des puissances infernales, est opposée
l'une des îles Lipari, au volcan éteint le volcan en
activité, au lépreux l'enfant, aux lichens les raisins.
Axel et son oncle dans leur joie ont « l'air de chanter
un chœur », comme pour remercier les dieux d'avoir
permis ce voyage du (nord)-ouest au (sud)-est, parcours de tous les héros initiatiques, et du soleil pendant
la nuit, pendant sa mort.

Pour traduire le changement de statut d'Axel, le
roman ne dispose pas de beaucoup de moyens, à cause
notamment des « garde-fous » de la vraisemblance.
Nous avons vu déjà que le personnage se transformait
durant le voyage. Le prudent jeune homme entraîné

bien contre son gré dans l'aventure s'écrie, au moment
du dernier obstacle (chap. XL) : « L'âme du professeur
avait passé tout entière en moi. Le génie des découvertes m'inspirait. J'oubliais le passé, je dédaignais
l'avenir. » Ce qui est évidemment dangereux, car il ne
s'agit pas de demeurer dans les entrailles de la terre,
dans une sorte de régression schizophrénique, mais
qui traduit parfaitement le changement de comporte-
ment d'Axel. Une fois de retour, Axel se marie enfin
avec Graüben. Fin très bourgeoise, qui était aussi celle
d'Alexis, dans le roman de Sand, *Laura*, dont le héros
devenait le « bon Monsieur Hartz ». Fin symbolique,
d'autant plus que c'est la jeune fille qui l'a poussé à
partir, afin de la mériter. Son curieux prénom, qui
n'existe pas en allemand, est peut-être un jeu de mots
de Jules Verne — qui les adorait (ainsi dans d'autres
romans, Ardan et Servadac sont-ils les anagrammes
de Nadar et de cadavres) : on peut penser qu'il a
utilisé la racine *grab-*, creuser, avec un *ü*, marque de
la langue allemande aux yeux du lecteur non germa-
niste, et une terminaison *-en*, celle du prénom le plus
courant, *Gretchen*. Graüben n'est donc que le signe
de la descente, le moteur et l'enjeu, sans y participer.
Les femmes ne participent jamais autrement à l'aventure initiatique : c'est une grave erreur qu'a commise
le réalisateur du film tiré du roman, en lui faisant
accompagner les héros — outre que cette présence
est parfaitement invraisemblable dans le contexte socio-
historique du XIXe siècle, et passablement ridicule dans
sa réalisation. Pourtant, le scénario du film donne de
précieuses indications quant à la force des archétypes
de l'imaginaire : pour « agrémenter » certains épisodes,
on a rajouté précisément des incidents pris dans les
grands thèmes mythiques : les animaux préhistoriques
menacent directement les héros, qui sont obligés de
les combattre — thème connu de la lutte contre le
dragon; on découvre le trésor de l'Atlantide, ce conti-
nent disparu qui hante par la suite l'œuvre de Jules
Verne, et qui est lié à ce que Michel Butor appelle
justement « le point suprême et l'âge d'or ».

Lorsqu'en 1877, Verne donne à Hetzel une liste de ses œuvres pour montrer qu'il a bien accompli sa mission, indiquée dans la préface aux *Voyages extraordinaires* de 1866, il *oublie* de mentionner « le Centre de la terre », « destiné à décrire l'intérieur du globe. Vous pourriez, ajoute-t-il, dans cet ordre d'idée, y joindre les *Indes-noires* ». Oubli significatif, doublement : le *Voyage au centre de la Terre* est ressenti par Verne, inconsciemment, comme un roman à part, en raison de sa charge mythique ; et le lien avec les *Indes-noires* n'est pas seulement une question de sujet. Les deux histoires sont fort différentes ; la seconde est celle d'une cité minière qui s'installe définitivement *dans* une immense caverne de la mine d'Aberfoyle en Ecosse, après que le héros eut découvert un nouveau filon apparemment inépuisable. Mais la parenté est nette au niveau des images. C'est bien aussi le récit d'une quête souterraine, avec la découverte de trésors, cette fois représentés par le charbon et la jeune fille, princesse bienfaisante de ces lieux infernaux, où règne un maître maléfique, son grand-père Silfax. Le motif obsessionnel de la grotte heureuse, éminemment régressif, fait de Coal-City un paradis de l'âge d'or, possible *hic et nunc*. La grotte est un thème constant chez Jules Verne, au point que les héros les plus ingénieux ne construisent jamais, à la différence de Robinson Crusoe, de maison mais découvrent toujours des cavernes à allure de temple gothique. C'est le refuge par excellence. De même que le « point suprême », celui où « tous les contraires s'abolissent », idéal alchimique et surréaliste, se retrouve sans cesse : les sources du Nil, dans *Cinq semaines en ballon*, sont bien données comme le lieu réputé impossible à atteindre, depuis la plus haute antiquité, et il est survolé par les héros ; le pôle Nord, plus tard le pôle Sud *(Hatteras* et *Vingt mille lieues sous les mers*, repris dans le *Sphinx des glaces)* ces lieux qui sont les seuls immobiles de toute la terre, sont marqués par des phénomènes sacrés : le pôle Nord se trouve au centre d'une mer paradisiaque, dans une île, au sommet d'un volcan ; le

pôle Sud est conquis par le capitaine Nemo parce que
c'est le seul lieu libre, inviolé par les hommes ; d'autres
héros y verront une figure de pierre fantastique, qui
attire à elle les imprudents, car elle est un aimant géant.
On pourrait citer aussi la lune — le roman suit de peu
Voyage au centre de la terre — pays des morts et à
cause de ses phases figure des renaissances.

Ce qui nous amène à penser que l'originalité et ce
qu'il faut bien appeler le génie de Jules Verne tiennent
essentiellement à ce qu'il a su obéir conjointement à
deux impératifs apparemment difficiles à concilier,
mais sans lesquels ses romans seraient oubliés, comme
l'ont été ceux de ses nombreux imitateurs : faire le
roman de la science, en restant fidèle au récit mythique
qui est sous-jacent à toute aventure, dès lors qu'elle
est vécue imaginairement par l'auteur comme par le
lecteur. Parfois on sentait une certaine disparate dans le
ton, suivant que le didactique ou l'imaginaire prenaient
le dessus. Dans notre roman, il n'en est rien. Simplement, lorsque J. Verne touche aux archétypes, comme
le fait remarquer Hélène Tuzet, les formules poétiques
jaillissent plus spontanément — par exemple lors
de la « traversée du diamant », de la description de la
mer souterraine et de sa caverne. Mais la poésie existe
aussi dans les passages plus didactiques, non seulement
parce qu'ils sont bien intégrés dans l'aventure, mais
surtout parce que J. Verne, grand rêveur de « la terre
et des rêveries de la volonté », (pour reprendre une
idée de Bachelard) sent et traduit l'*aura* magique qui
se dégage des noms des roches, des évocations de la
paléontologie. Grâce à la situation qui fait étinceler
les roches comme des gemmes [1], les structures géologiques sont autant de trésors offerts à l'émerveillement
et au rêve. L'humour lui-même n'est pas sans quelque
sortilège. On pourrait y voir, assurément, un procédé
semblable à celui de Rabelais dans le *Quint Livre*, pour
préserver/dévoiler le secret de la subtantifique moelle.

---

1. En 1884, dans *L'Etoile du Sud*, d'autres héros seront conduits
dans la grotte matrice des pierres précieuses de l'Afrique du Sud.

Mais Jules Verne n'était sans doute pas aussi conscient du mystère qu'il pouvait avoir à révéler. L'humour est plutôt ici d'abord un moteur dynamique du récit, ensuite une manière de faire sentir l'étrangeté. Notamment en ce qui concerne le personnage de Lidenbrock. Ce n'est pas sans une raison profonde que sa silhouette apparemment ridicule hante les œuvres du peintre surréaliste belge Delvaux (par exemple *Les Extravagantes d'Athènes*, 1969, *Le Veilleur III*, 1962, *Pompéi II*, s.d.). Villiers de L'Isle Adam avait glissé lui aussi dans l'un de ses contes, *Claire Lenoir*, le personnage, il est vrai insolite mais non ridicule, d'Arne Saknussem, sous le nom à peine déformé de Björn Zachnussem. Ces échos sont moins surprenants qu'il pourrait sembler.

La fascination exercée par le récit est d'autant plus complexe qu'outre les divers sens qu'il peut offrir, il semble se détruire lui-même. D'une part, il a le même titre qu'un autre *Voyage au centre de la Terre*, ouvrage scientifique, sérieux mais illisible au sens propre puisque inexistant en dehors de la mention faite dans le roman. D'autre part, le roman que nous lisons se termine sur la réponse à la seule question en apparence restée sans réponse : celle de la direction de la marche souterraine, dans sa phase finale ; la marche a perdu son *sens* à cause de l'erreur de la boussole. Sens, signification (du récit) enfin expliqués ? Mais c'est par un « tour » de l'électricité magique. Le vrai Sens échappe, comme le but avait lui-même échappé à la quête. Il est enfoui dans ce centre de la terre, image de l'inconscient, du sacré, du pays de mort et de vie. La réponse à la question du sens est en chaque lecteur. Car il n'y a pas de solution à proposer au doute éternel d'Hamlet.

Simone VIERNE.

BIBLIOGRAPHIE

Pour l'ensemble de l'œuvre de Jules Verne, on trouvera une bibliographie détaillée dans la thèse de Simone VIERNE, *Jules Verne et le roman initiatique*, atelier des thèses de Lille et éditions du Sirac 1973, et dans F. RAYMOND et D. COMPERE, *Le Développement des études sur Jules Verne*, Archives des Lettres modernes, Minard 1976.

En ce qui concerne ce roman, outre la thèse citée, on pourra consulter :

BRION Marcel, « Le Voyage initiatique », *L'Arc*, n° 29, 1966.

BUTOR Michel, « Le point suprême et l'âge d'or », *Arts et Lettres*, n° 15, 1949, repris dans *Répertoire I*, éd. de Minuit, 1960.

CARROUGES Michel, « Le mythe de Vulcain chez Jules Verne », *Arts et Lettres*, *op. cit.*

CELLIER Léon, « Le roman initiatique en France au temps du romantisme », *Cahiers internationaux de Symbolisme n° 4*, Genève, 1964.

CORBOZ André, « Au milieu de la nuit, j'ai vu le soleil resplendir... », *Action et Pensée*, n° 3, Genève, 1961.

SERRES Michel, *Hermès ou la communication*, éd. de Minuit, 1968.

TUZET Hélène, *Le Cosmos et l'imagination*, Paris, Corti, 1965.

VIERNE Simone, *Rite, roman, initiation*, Presses universitaires de Grenoble, 1973.

« Deux voyages initiatiques en 1864 : *Laura* de G. Sand

et *Voyage au centre de la Terre* de J. Verne, *Hommage à G. Sand*, P.U.G., 1969.

Pour la bibliographie des œuvres de J. Verne, on se reportera à la *Bibliographie analytique de toutes les œuvres de Jules Verne*, par P. GONDOLO della RIVA, éditée par la Société Jules Verne, 11 *bis*, rue Pigalle, Paris, à paraître courant 1977.

Filmographie de *Voyage au centre de la Terre* :
1907 Segundo de Chomon (Esp.).
1959, Henri Levin (U.S.A.).
1964, A. B. Crevenne (Mexique).

(Voir Daniel COMPÈRE, catalogue de l'exposition *Jules Verne et le cinéma*, 1974, Centre de Documentation Jules Verne, 23, rue Caumartin, Amiens, qui donne la liste des films tirés des œuvres de J. Verne.)

NOTE SUR LA PRÉSENTE ÉDITION

La présente édition suit la seconde version de *Voyage au centre de la Terre*.

La première version est celle de l'édition originale in-18 et de toutes les éditions in-18 jusqu'à la 12ᵉ exceptée (1873), texte plus bref que celui des éditions illustrées grand in-8 et des éditions in-18 publiées à partir de 1873.

Ont été ajoutés, dans la seconde version :
chap. XXXVII (vers la fin) : de « Pendant un mille, nous avions côtoyé... » jusqu'à la fin,
tout le chapitre XXXVIII;
chap. XXXIX : — du début jusqu'à « qui me ramena à des observations plus pratiques ». Le passage qui suit (« Bien que je fusse... cet objet en ma possession. ») faisait partie de l'ancien chap. XXXVII, à quelques différences près;
          — « Est-ce donc l'arme... » à « reviens à la raison ». Le passage suivant, « Ce poignard est

une arme... » jusqu'à la fin du chapitre formait la
fin de l'ancien chap. XXXVII.

A partir du chap. XL, le texte est le même dans les
deux versions, mais la numérotation de chapitres a
changé :

XXXVIII devient XL, XXXIX devient XLI, XL devient XLII,
    XLI devient XLIII, XLII devient XLIV, XLIII devient XLV.

*Ces renseignements sont dus à l'obligeance de
M. Gondolo della Riva (voir bibliographie).*

VOYAGE AU CENTRE DE LA TERRE

I

Le 24 mai 1863, un dimanche, mon oncle, le professeur Lidenbrock, revint précipitamment vers sa petite maison située au numéro 19 de Königstrasse, l'une des plus anciennes rues du vieux quartier de Hambourg.

La bonne Marthe dut se croire fort en retard, car le dîner commençait à peine à chanter sur le fourneau de la cuisine.

« Bon, me dis-je, s'il a faim, mon oncle, qui est le plus impatient des hommes, va pousser des cris de détresse.

— Déjà M. Lidenbrock! s'écria la bonne Marthe stupéfaite, en entrebâillant la porte de la salle à manger.

— Oui, Marthe; mais le dîner a le droit de ne point être cuit, car il n'est pas deux heures. La demie vient à peine de sonner à Saint-Michel.

— Alors pourquoi M. Lidenbrock rentre-t-il?

— Il nous le dira vraisemblablement.

— Le voilà! je me sauve, monsieur Axel, vous lui ferez entendre raison. »

Et la bonne Marthe regagna son laboratoire culinaire.

Je restai seul. Mais de faire entendre raison au plus irascible des professeurs, c'est ce que mon caractère un peu indécis ne me permettait pas. Aussi je me préparais à regagner prudemment ma petite chambre du haut, quand la porte de la rue cria sur ses gonds; de grands pieds firent craquer l'escalier de bois, et le maître de la maison, traversant la salle à manger, se précipita aussitôt dans son cabinet de travail.

Mais, pendant ce rapide passage, il avait jeté dans un coin sa canne à tête de casse-noisette, sur la table son large chapeau à poils rebroussés, et à son neveu ces paroles retentissantes :

« Axel, suis-moi! »

Je n'avais pas eu le temps de bouger que le professeur me criait déjà avec un vif accent d'impatience :

« Eh bien! tu n'es pas encore ici ? »

Je m'élançai dans le cabinet de mon redoutable maître.

Otto Lidenbrock n'était pas un méchant homme, j'en conviens volontiers; mais, à moins de changements improbables, il mourra dans la peau d'un terrible original.

Il était professeur au Johannæum, et faisait un cours de minéralogie pendant lequel il se mettait régulièrement en colère une fois ou deux. Non point qu'il se préoccupât d'avoir des élèves assidus à ses leçons, ni du degré d'attention qu'ils lui accordaient, ni du succès qu'ils pouvaient obtenir par la suite; ces détails ne l'inquiétaient guère. Il professait « subjectivement », suivant une expression de la philosophie allemande, pour lui et non pour les autres. C'était un savant égoïste, un puits de science dont la poulie grinçait quand on en voulait tirer quelque choses : en un mot, un avare.

Il y a quelques professeurs de ce genre en Allemagne.

Mon oncle, malheureusement, ne jouissait pas d'une extrême facilité de prononciation, sinon dans l'intimité, au moins quand il parlait en public, et c'est un défaut regrettable chez un orateur. En effet, dans ses démonstrations au Johannæum, souvent le professeur s'arrêtait court; il luttait contre un mot récalcitrant qui ne voulait pas glisser entre ses lèvres, un de ces mots qui résistent, se gonflent et finissent par sortir sous la forme peu scientifique d'un juron. De là, grande colère.

Or, il y a en minéralogie bien des dénominations semi-grecques, semi-latines, difficiles à prononcer, de ces rudes appellations qui écorcheraient les lèvres d'un poète. Je ne veux pas dire du mal de cette science. Loin de moi. Mais lorsqu'on se trouve en présence des cristallisations rhomboédriques, des résines rétinas-phaltes, des ghélénites, des fangasites, des molybdates de plomb, des tungstates de manganèse et des titaniates de zircone, il est permis à la langue la plus adroite de fourcher.

Donc, dans la ville, on connaissait cette pardon-nable infirmité de mon oncle, et on en abusait, et on l'attendait aux passages dangereux, et il se mettait en fureur, et l'on riait, ce qui n'est pas de bon goût, même pour des Allemands. Et s'il y avait toujours grande affluence d'auditeurs aux cours de Lidenbrock, combien les suivaient assidûment qui venaient surtout pour se dérider aux belles colères du professeur!

Quoi qu'il en soit, mon oncle, je ne saurais trop le dire, était un véritable savant. Bien qu'il cassât parfois ses échantillons à les essayer trop brusquement, il joignait au génie du géologue l'œil du minéralogiste. Avec son marteau, sa pointe d'acier, son aiguille aimantée, son chalumeau et son flacon d'acide nitrique, c'était un homme très fort. A la cassure, à l'aspect, à la dureté, à la fusibilité, au son, à l'odeur, au goût d'un minéral quelconque, il le classait sans hésiter parmi les six cents espèces que la science compte aujourd'hui.

Aussi le nom de Lidenbrock retentissait avec hon-neur dans les gymnases et les associations nationales. MM. Humphry Davy, de Humboldt, les capitaines Franklin et Sabine, ne manquèrent pas de lui rendre visite à leur passage à Hambourg. MM. Becquerel, Ebelmen, Brewster, Dumas, Milne-Edwards, Sainte-Claire-Deville, aimaient à le consulter sur des questions les plus palpitantes de la chimie. Cette science lui devait d'assez belles découvertes, et, en 1853, il avait paru à Leipzig un *Traité de Cristallographie transcen-dante*, par le professeur Otto Lidenbrock, grand in-folio avec planches, qui cependant ne fit pas ses frais.

Ajoutez à cela que mon oncle était conservateur du musée minéralogique de M. Struve, ambassadeur de

Russie, précieuse collection d'une renommée euro-
péenne.

Voilà donc le personnage qui m'interpellait avec
tant d'impatience. Représentez-vous un homme grand,
maigre, d'une santé de fer, et d'un blond juvénile qui
lui ôtait dix bonnes années de sa cinquantaine. Ses
gros yeux roulaient sans cesse derrière des lunettes
considérables; son nez, long et mince, ressemblait à une
lame affilée; les méchants prétendaient même qu'il
était aimanté et qu'il attirait la limaille de fer. Pure
calomnie : il n'attirait que le tabac, mais en grande
abondance, pour ne point mentir.

Quand j'aurai ajouté que mon oncle faisait des
enjambées mathématiques d'une demi-toise, et si je dis
qu'en marchant il tenait ses poings solidement fermés,
signe d'un tempérament impétueux, on le connaîtra
assez pour ne pas se montrer friand de sa compagnie.

Il demeurait dans sa petite maison de Königstrasse,
une habitation moitié bois, moitié brique, à pignon
dentelé; elle donnait sur l'un de ces canaux sinueux qui
se croisent au milieu du plus ancien quartier de
Hambourg que l'incendie de 1842 a heureusement res-
pecté.

La vieille maison penchait un peu, il est vrai, et
tendait le ventre aux passants; elle portait son toit
incliné sur l'oreille, comme la casquette d'un étudiant
de la Tugendbund; l'aplomb de ses lignes laissait à
désirer; mais, en somme, elle se tenait bien, grâce à un
vieil orme vigoureusement encastré dans la façade, qui
poussait au printemps ses bourgeons en fleur à travers
les vitraux des fenêtres.

Mon oncle ne laissait pas d'être riche pour un
professeur allemand. La maison lui appartenait en
toute propriété, contenant et contenu. Le contenu,
c'était sa filleule Graüben, jeune Virlandaise de dix-
sept ans, la bonne Marthe et moi. En ma double
qualité de neveu et d'orphelin, je devins son aide-
préparateur dans ses expériences.

J'avouerai que je mordis avec appétit aux sciences
géologiques; j'avais du sang de minéralogiste dans les

veines, et je ne m'ennuyais jamais en compagnie de mes
précieux cailloux.

En somme, on pouvait vivre heureux dans cette
maisonnette de Königstrasse, malgré les impatiences
de son propriétaire, car, tout en s'y prenant d'une
façon un peu brutale, celui-ci ne m'en aimait pas moins.
Mais cet homme-là ne savait pas attendre, et il était
plus pressé que nature.

Quand, en avril, il avait planté dans les pots de
faïence de son salon des pieds de réséda ou de volubilis,
chaque matin il allait régulièrement les tirer par les
feuilles afin de hâter leur croissance.

Avec un pareil original, il n'y avait qu'à obéir. Je me
précipitai donc dans son cabinet.

II

Ce cabinet était un véritable musée. Tous les échantillons du règne minéral s'y trouvaient étiquetés avec
l'ordre le plus parfait, suivant les trois grandes divisions
des minéraux inflammables, métalliques et lithoïdes.

Comme je les connaissais, ces bibelots de la science
minéralogique! Que de fois, au lieu de muser avec les
garçons de mon âge, je m'étais plu à épousseter ces
graphites, ces anthracites, ces houilles, ces lignites, ces
tourbes! Et les bitumes, les résines, les sels organiques
qu'il fallait préserver du moindre atome de poussière!
Et ces métaux, depuis le fer jusqu'à l'or, dont la valeur
relative disparaissait devant l'égalité absolue des
spécimens scientifiques! Et toutes ces pierres qui eussent
suffi à reconstruire la maison de Königstrasse, même
avec une belle chambre de plus, dont je me serais si
bien arrangé!

Mais, en entrant dans le cabinet, je ne songeais guère
à ces merveilles. Mon oncle seul occupait ma pensée. Il

était enfoui dans son large fauteuil garni de velours d'Utrecht, et tenait entre les mains un livre qu'il considérait avec la plus profonde admiration.

« Quel livre! quel livre! » s'écriait-il.

Cette exclamation me rappela que le professeur Lidenbrock était aussi bibliomane à ses moments perdus; mais un bouquin n'avait de prix à ses yeux qu'à la condition d'être introuvable, ou tout au moins illisible.

« Eh bien! me dit-il, tu ne vois donc pas? Mais c'est un trésor inestimable que j'ai rencontré ce matin en furetant dans la boutique du juif Hevelius.

— Magnifique! » répondis-je avec un enthousiasme de commande.

En effet, à quoi bon ce fracas pour un vieil in-quarto dont le dos et les plats semblaient faits d'un veau grossier, un bouquin jaunâtre auquel pendait un signet décoloré ?

Cependant les interjections admiratives du professeur ne discontinuaient pas.

« Vois, disait-il, en se faisant à lui-même demandes et réponses; est-ce assez beau ? Oui, c'est admirable! Et quelle reliure! Ce livre s'ouvre-t-il facilement ? Oui, car il reste ouvert à n'importe quelle page! Mais se ferme-t-il bien ? Oui, car la couverture et les feuilles forment un tout bien uni, sans se séparer ni bâiller en aucun endroit! Et ce dos qui n'offre pas une seule brisure après sept cents ans d'existence! Ah! voilà une reliure dont Bozerian, Closs ou Purgold eussent été fiers! »

En parlant ainsi, mon oncle ouvrait et fermait successivement le vieux bouquin. Je ne pouvais faire moins que de l'interroger sur son contenu, bien que cela ne m'intéressât aucunement.

« Et quel est donc le titre de ce merveilleux volume ? demandai-je avec un empressement trop enthousiaste pour n'être pas feint.

— Cet ouvrage! répondit mon oncle en s'animant, c'est l'*Heims-Kringla* de Snorre Turleson, le fameux auteur islandais du XIIe siècle! C'est la Chronique des princes norvégiens qui régnèrent en Islande!

— Vraiment! m'écriai-je de mon mieux, et sans doute c'est une traduction en langue allemande ?

— Bon! riposta vivement le professeur, une traduction! Et qu'en ferais-je de la traduction ? Qui se soucie de la traduction ? Ceci est l'ouvrage original en langue islandaise, ce magnifique idiome, riche et simple à la fois, qui autorise les combinaisons grammaticales les plus variées et de nombreuses modifications de mots!

— Comme l'allemand, insinuai-je avec assez de bonheur.

— Oui, répondit mon oncle en haussant les épaules, sans compter que la langue islandaise admet les trois genres comme le grec et décline les noms propres comme le latin!

— Ah! fis-je un peu ébranlé dans mon indifférence, et les caractères de ce livre sont-ils beaux?

— Des caractères! Qui te parle de caractères, malheureux Axel ? Il s'agit bien de caractères! Ah! tu prends cela pour un imprimé ? Mais, ignorant, c'est un manuscrit, et un manuscrit runique!...

— Runique?

— Oui! Vas-tu me demander maintenant de t'expliquer ce mot ?

— Je m'en garderai bien », répliquai-je avec l'accent d'un homme blessé dans son amour-propre.

Mais mon oncle continua de plus belle et m'instruisit, malgré moi, de choses que je ne tenais guère à savoir.

« Les runes, reprit-il, étaient des caractères d'écriture usités autrefois en Islande, et, suivant la tradition, ils furent inventés par Odin lui-même! Mais regarde donc, admire donc, impie, ces types qui sont sortis de l'imagination d'un dieu! »

Ma foi, faute de réplique, j'allais me prosterner, genre de réponse qui doit plaire aux dieux comme aux rois, car elle a l'avantage de ne jamais les embarrasser, quand un incident vint détourner le cours de la conversation.

Ce fut l'apparition d'un parchemin crasseux qui glissa du bouquin et tomba à terre.

Mon oncle se précipita sur ce brimborion avec une

avidité facile à comprendre. Un vieux document, enfermé depuis un temps immémorial dans un vieux livre, ne pouvait manquer d'avoir un haut prix à ses yeux.

« Qu'est-ce que cela ? » s'écria-t-il.

Et, en même temps, il déployait soigneusement sur sa table un morceau de parchemin long de cinq pouces, large de trois, et sur lequel s'allongeaient, en lignes transversales, des caractères de grimoire.

En voici le fac-similé exact. Je tiens à faire connaître ces signes bizarres, car ils amenèrent le professeur Lidenbrock et son neveu à entreprendre la plus étrange expédition du XIXᵉ siècle :

Le professeur considéra pendant quelques instants cette série de caractères; puis il dit en relevant ses lunettes :

« C'est du runique; ces types sont absolument identiques à ceux du manuscrit de Snorre Turleson! Mais... qu'est-ce que cela peut signifier? »

Comme le runique me paraissait être une invention de savants pour mystifier le pauvre monde, je ne fus pas fâché de voir que mon oncle n'y comprenait rien. Du moins cela me sembla ainsi au mouvement de ses doigts qui commençaient à s'agiter terriblement.

« C'est pourtant du vieil islandais! » murmurait-il entre ses dents.

Et le professeur Lidenbrock devait bien s'y connaître, car il passait pour être un véritable polyglotte. Non pas qu'il parlât couramment les deux mille langues et les quatre mille idiomes employés à la surface du globe, mais enfin il en savait sa bonne part.

Il allait donc, en présence de cette difficulté, se livrer à toute l'impétuosité de son caractère, et je prévoyais une scène violente, quand deux heures sonnèrent au petit cartel de la cheminée.

Aussitôt la bonne Marthe ouvrit la porte du cabinet en disant :

« La soupe est servie.

— Au diable la soupe, s'écria mon oncle, et celle qui l'a faite, et ceux qui la mangeront! »

Marthe s'enfuit. Je volai sur ses pas, et, sans savoir comment, je me trouvai assis à ma place habituelle dans la salle à manger.

J'attendis quelques instants. Le professeur ne vint pas. C'était la première fois, à ma connaissance, qu'il manquait à la solennité du dîner. Et quel dîner, cependant! Une soupe au persil, une omelette au jambon relevée d'oseille à la muscade, une longe de veau à la compote de prunes, et, pour dessert, des crevettes au sucre, le tout arrosé d'un joli vin de la Moselle.

Voilà ce qu'un vieux papier allait coûter à mon oncle. Ma foi, en qualité de neveu dévoué, je me crus obligé de manger pour lui, en même temps que pour moi. Ce que je fis en conscience.

« Je n'ai jamais vu chose pareille! disait la bonne Marthe. M. Lidenbrock qui n'est pas à table!

— C'est à ne pas le croire.

— Cela présage quelque événement grave! » reprenait la vieille servante, hochant la tête.

Dans mon opinion, cela ne présageait rien, sinon une scène épouvantable quand mon oncle trouverait son dîner dévoré.

J'en étais à ma dernière crevette, lorsqu'une voix retentissante m'arracha aux voluptés du dessert. Je ne fis qu'un bond de la salle dans le cabinet.

III

« C'est évidemment du runique, disait le professeur en fronçant le sourcil. Mais il y a un secret, et je le découvrirai, sinon... »

Un geste violent acheva sa pensée.

« Mets-toi là, ajouta-t-il en m'indiquant la table du poing, et écris. »

En un instant je fus prêt.

« Maintenant, je vais te dicter chaque lettre de notre alphabet qui correspond à l'un de ces caractères islandais. Nous verrons ce que cela donnera. Mais, par saint Michel! garde-toi bien de te tromper! »

La dictée commença. Je m'appliquai de mon mieux. Chaque lettre fut appelée l'une après l'autre, et forma l'incompréhensible succession des mots suivants :

m.rnlls	esreuel	seecJde
sgtssmf	unteief	niedrke
kt,samn	atrateS	Saodrrn
emtnael	nuaect	rrilSa
Atvaar	.nscrc	ieaabs
ccdrmi	eeutul	frantu
dt,iac	oseibo	KediiY

Quand ce travail fut terminé, mon oncle prit vivement la feuille sur laquelle je venais d'écrire, et il l'examina longtemps avec attention.

« Qu'est-ce que cela veut dire ? » répétait-il machinalement.

Sur l'honneur, je n'aurais pu le lui apprendre. D'ailleurs il ne m'interrogea pas, et il continua de se parler à lui-même :

« C'est ce que nous appelons un cryptogramme, disait-il, dans lequel le sens est caché sous des lettres brouillées à dessein, et qui convenablement disposées formeraient une phrase intelligible. Quand je pense qu'il y a là peut-être l'explication ou l'indication d'une grande découverte ! »

Pour mon compte, je pensais qu'il n'y avait absolument rien, mais je gardai prudemment mon opinion.

Le professeur prit alors le livre et le parchemin, et les compara tous les deux.

« Ces deux écritures ne sont pas de la même main, dit-il ; le cryptogramme est postérieur au livre, et j'en vois tout d'abord une preuve irréfragable. En effet, la première lettre est une double M qu'on chercherait vainement dans le livre de Turleson, car elle ne fut ajoutée à l'alphabet islandais qu'au XIVe siècle. Ainsi donc, il y a au moins deux cents ans entre le manuscrit et le document. »

Cela, j'en conviens, me parut assez logique.

« Je suis donc conduit à penser, reprit mon oncle, que l'un des possesseurs de ce livre aura tracé ces caractères mystérieux. Mais qui diable était ce possesseur ? N'aurait-il point mis son nom en quelque endroit de ce manuscrit ? »

Mon oncle releva ses lunettes, prit une forte loupe, et passa soigneusement en revue les premières pages du livre. Au verso de la seconde, celle du faux titre, il découvrit une sorte de macule, qui faisait à l'œil l'effet d'une tache d'encre. Cependant, en y regardant de près, on distinguait quelques caractères à demi effacés. Mon oncle comprit que là était le point intéressant ; il s'acharna donc sur la macule et, sa grosse loupe aidant, il finit par reconnaître les signes que voici, caractères runiques qu'il lut sans hésiter :

ᛏᛐᚼᛂ   ᛋᛏᛦᛐᚼᚼᛏᚼ

« Arne Saknussemm ! s'écria-t-il d'un ton triomphant, mais c'est un nom cela, et un nom islandais encore, celui d'un savant du XVIe siècle, d'un alchimiste célèbre ! »

Je regardai mon oncle avec une certaine admiration.

« Ces alchimistes, reprit-il, Avicenne, Bacon, Lulle, Paracelse, étaient les véritables, les seuls savants de leur époque. Ils ont fait des découvertes dont nous avons le droit d'être étonnés. Pourquoi ce Saknussemm n'aurait-il pas enfoui sous cet incompréhensible cryptogramme quelque surprenante invention ? Cela doit être ainsi. Cela est. »

L'imagination du professeur s'enflammait à cette hypothèse.

« Sans doute, osai-je répondre, mais quel intérêt pouvait avoir ce savant à cacher ainsi quelque merveilleuse découverte ?

— Pourquoi ? pourquoi ? Eh! le sais-je ? Galilée n'en a-t-il pas agi ainsi pour Saturne ? D'ailleurs, nous verrons bien : j'aurai le secret de ce document, et je ne prendrai ni nourriture ni sommeil avant de l'avoir deviné. »

« Oh! » pensai-je.

« Ni toi non plus, Axel », reprit-il.

« Diable! me dis-je, il est heureux que j'aie dîné pour deux! »

« Et d'abord, fit mon oncle, il faut trouver la langue de ce « chiffre ». Cela ne doit pas être difficile. »

A ces mots, je relevai vivement la tête. Mon oncle reprit son soliloque :

« Rien n'est plus aisé. Il y a dans ce document cent trente-deux lettres qui donnent soixante-dix-neuf consonnes contre cinquante-trois voyelles. Or, c'est à peu près suivant cette proportion que sont formés les mots des langues méridionales, tandis que les idiomes du nord sont infiniment plus riches en consonnes. Il s'agit donc d'une langue du midi. »

Ces conclusions étaient fort justes.

« Mais quelle est cette langue ? »

C'est là que j'attendais mon savant, chez lequel cependant je découvrais un profond analyste.

« Ce Saknussemm, reprit-il, était un homme instruit; or, dès qu'il n'écrivait pas dans sa langue maternelle, il devait choisir de préférence la langue courante entre

les esprits cultivés du XVIᵉ siècle, je veux dire le latin.
Si je me trompe, je pourrai essayer de l'espagnol, du
français, de l'italien, du grec, de l'hébreu. Mais les
savants du XVIᵉ siècle écrivaient généralement en latin.
J'ai donc le droit de dire *a priori* : ceci est du latin. »

Je sautai sur ma chaise. Mes souvenirs de latiniste
se révoltaient contre la prétention que cette suite de
mots baroques pût appartenir à la douce langue de
Virgile.

« Oui! du latin, reprit mon oncle, mais du latin
brouillé. »

« A la bonne heure! pensai-je. Si tu le débrouilles,
tu seras fin, mon oncle. »

« Examinons bien, dit-il en reprenant la feuille sur
laquelle j'avais écrit. Voilà une série de cent trente-
deux lettres qui se présentent sous un désordre apparent.
Il y a des mots où les consonnes se rencontrent seules
comme le premier « m.rnlls », d'autres où les voyelles,
au contraire, abondent, le cinquième, par exemple,
« unteief », ou l'avant-dernier, « oseibo ». Or, cette
disposition n'a évidemment pas été combinée : elle est
donnée *mathématiquement* par la raison inconnue qui a
présidé à la succession de ces lettres. Il me paraît certain
que la phrase primitive a été écrite régulièrement, puis
retournée suivant une loi qu'il faut découvrir. Celui qui
posséderait la clef de ce « chiffre » le lirait couramment.
Mais quelle est cette clef? Axel, as-tu cette clef? »

A cette question je ne répondis rien, et pour cause.
Mes regards s'étaient arrêtés sur un charmant portrait
suspendu au mur, le portrait de Graüben. La pupille de
mon oncle se trouvait alors à Altona, chez une de ses
parentes, et son absence me rendait fort triste, car, je
puis l'avouer maintenant, la jolie Virlandaise et le
neveu du professeur s'aimaient avec toute la patience et
toute la tranquillité allemandes. Nous nous étions
fiancés à l'insu de mon oncle, trop géologue pour
comprendre de pareils sentiments. Graüben était une
charmante jeune fille blonde aux yeux bleus, d'un
caractère un peu grave, d'un esprit un peu sérieux; mais
elle ne m'en aimait pas moins. Pour mon compte, je

l'adorais, si toutefois ce verbe existe dans la langue tudesque! L'image de ma petite Virlandaise me rejeta donc, en un instant, du monde des réalités dans celui des chimères, dans celui des souvenirs.

Je revis la fidèle compagne de mes travaux et de mes plaisirs. Elle m'aidait à ranger chaque jour les précieuses pierres de mon oncle; elle les étiquetait avec moi. C'était une très forte minéralogiste que Mlle Graüben! Elle en eût remontré à plus d'un savant. Elle aimait à approfondir les questions ardues de la science. Que de douces heures nous avions passées à étudier ensemble! et combien j'enviai souvent le sort de ces pierres insensibles qu'elle maniait de ses charmantes mains!

Puis, l'instant de la récréation venu, nous sortions tous les deux, nous prenions par les allées touffues de l'Alster, et nous nous rendions de compagnie au vieux moulin goudronné qui fait si bon effet à l'extrémité du lac; chemin faisant, on causait en se tenant par la main. Je lui racontais des choses dont elle riait de son mieux. On arrivait ainsi jusqu'au bord de l'Elbe, et, après avoir dit bonsoir aux cygnes qui nagent parmi les grands nénuphars blancs, nous revenions au quai par la barque à vapeur.

Or, j'en étais là de mon rêve, quand mon oncle, frappant la table du poing, me ramena violemment à la réalité.

« Voyons, dit-il, la première idée qui doit se présenter à l'esprit pour brouiller les lettres d'une phrase, c'est, il me semble, d'écrire les mots verticalement au lieu de les tracer horizontalement. »

« Tiens! » pensai-je.

« Il faut voir ce que cela produit. Axel, jette une phrase quelconque sur ce bout de papier; mais, au lieu de disposer les lettres à la suite les unes des autres, mets-les successivement par colonnes verticales, de manière à les grouper en nombre de cinq ou six. »

Je compris ce dont il s'agissait, et immédiatement j'écrivis de haut en bas :

J	*m*	*n*	*e*	*G*	*e*
e	*e*	*,*	*t*	*r*	*n*
t'	*b*	*m*	*i*	*a*	*!*
a	*i*	*a*	*t*	*ü*	
i	*e*	*p*	*e*	*b*	

« Bon, dit le professeur sans avoir lu. Maintenant, dispose ces mots sur une ligne horizontale. »

J'obéis, et j'obtins la phrase suivante :

JmneGe ee,trn t'bmia! aiatü iepeb

« Parfait! fit mon oncle en m'arrachant le papier des mains, voilà qui a déjà la physionomie du vieux document : les voyelles sont groupées ainsi que les consonnes dans le même désordre; il y a même des majuscules au milieu des mots, ainsi que des virgules, tout comme dans le parchemin de Saknussemm! »

Je ne pus m'empêcher de trouver ces remarques fort ingénieuses.

« Or, reprit mon oncle en s'adressant directement à moi, pour lire la phrase que tu viens d'écrire, et que je ne connais pas, il me suffira de prendre successivement la première lettre de chaque mot, puis la seconde, puis la troisième, ainsi de suite. »

Et mon oncle, à son grand étonnement, et surtout au mien, lut :

Je t'aime bien, ma petite Graüben!

« Hein! » fit le professeur.

Oui, sans m'en douter, en amoureux maladroit, j'avais tracé cette phrase compromettante!

« Ah! tu aimes Graüben? reprit mon oncle d'un véritable ton de tuteur.

— Oui... Non... balbutiai-je.

— Ah! tu aimes Graüben! reprit-il machinalement. Eh bien, appliquons mon procédé au document en question! »

Mon oncle, retombé dans son absorbante contemplation, oubliait déjà mes imprudentes paroles. Je dis imprudentes, car la tête du savant ne pouvait comprendre les choses du cœur. Mais, heureusement, la grande affaire du document l'emporta.

Au moment de faire son expérience capitale, les yeux du professeur Lidenbrock lancèrent des éclairs à travers ses lunettes. Ses doigts tremblèrent, lorsqu'il reprit le vieux parchemin. Il était sérieusement ému. Enfin il toussa fortement, et d'une voix grave, appelant successivement la première lettre, puis la seconde de chaque mot, il me dicta la série suivante :

> messunkaSenrA.icefdoK.segnittamurtn
> ecertserrette,rotaivsadua,ednecsedsadne
> lacartniiiluJsiratracSarbmutabiledmek
> meretarcsiluco YsleffenSnl

En finissant, je l'avouerai, j'étais émotionné ; ces lettres, nommées une à une, ne m'avaient présenté aucun sens à l'esprit ; j'attendais donc que le professeur laissât se dérouler pompeusement entre ses lèvres une phrase d'une magnifique latinité.

Mais, qui aurait pu le prévoir ! un violent coup de poing ébranla la table. L'encre rejaillit, la plume me sauta des mains.

« Ce n'est pas cela ! s'écria mon oncle, cela n'a pas le sens commun ! »

Puis, traversant le cabinet comme un boulet, descendant l'escalier comme une avalanche, il se précipita dans Königstrasse, et s'enfuit à toutes jambes.

IV

« Il est parti ? s'écria Marthe en accourant au bruit de la porte de la rue qui, violemment refermée, venait d'ébranler la maison tout entière.

— Oui! répondis-je, complètement parti!

— Eh bien! et son dîner ? fit la vieille servante.

— Il ne dînera pas!

— Et son souper ?

— Il ne soupera pas!

— Comment ? dit Marthe en joignant les mains.

— Non, bonne Marthe! il ne mangera plus, ni personne dans la maison! Mon oncle Lidenbrock nous met tous à la diète jusqu'au moment où il aura déchiffré un vieux grimoire qui est absolument indéchiffrable!

— Jésus! nous n'avons donc plus qu'à mourir de faim! »

Je n'osai pas avouer qu'avec un homme aussi absolu que mon oncle, c'était un sort inévitable.

La vieille servante, sérieusement alarmée, retourna dans sa cuisine en gémissant.

Quand je fus seul, l'idée me vint d'aller tout conter à Graüben. Mais comment quitter la maison ? Le professeur pouvait rentrer d'un instant à l'autre. Et s'il m'appelait ? Et s'il voulait recommencer ce travail logogryphique, qu'on eût vainement proposé au vieil Œdipe! Et si je ne répondais pas à son appel, qu'adviendrait-il ?

Le plus sage était de rester. Justement, un minéralogiste de Besançon venait de nous adresser une collection de géodes siliceuses qu'il fallait classer. Je me mis au travail. Je triai, j'étiquetai, je disposai dans leur vitrine toutes ces pierres creuses au-dedans desquelles s'agitaient de petits cristaux.

Mais cette occupation ne m'absorbait pas. L'affaire du vieux document ne laissait point de me préoccuper étrangement. Ma tête bouillonnait, et je me sentais pris d'une vague inquiétude. J'avais le pressentiment d'une catastrophe prochaine.

Au bout d'une heure, mes géodes étaient étagées avec ordre. Je me laissai aller alors dans le grand fauteuil d'Utrecht, les bras ballants et la tête renversée. J'allumai ma pipe à long tuyau courbe, dont le fourneau sculpté représentait une naïade nonchalamment étendue; puis je m'amusai à suivre les progrès de la

carbonisation, qui de ma naïade faisait peu à peu une
négresse accomplie. De temps en temps j'écoutais si
quelque pas retentissait dans l'escalier. Mais non. Où
pouvait être mon oncle en ce moment ? Je me le
figurais courant sous les beaux arbres de la route
d'Altona, gesticulant, tirant au mur avec sa canne,
d'un bras violent battant les herbes, décapitant les
chardons et troublant dans leur repos les cigognes
solitaires.

Rentrerait-il triomphant ou découragé ? Qui aurait
raison l'un de l'autre, du secret ou de lui ? Je m'inter-
rogeais ainsi, et, machinalement, je pris entre mes
doigts la feuille de papier sur laquelle s'allongeait
l'incompréhensible série de lettres tracées par moi. Je
me répétais :

« Qu'est-ce que cela signifie ? »

Je cherchai à grouper ces lettres de manière à former
des mots. Impossible! Qu'on les réunît par deux, trois,
ou cinq, ou six, cela ne donnait absolument rien d'intelligible. Il y avait bien les quatorzième, quinzième et
seizième lettres qui faisaient le mot anglais « ice ». La
quatre-vingt-quatrième, la quatre-vingt-cinquième et
la quatre-vingt-sixième formaient le mot « sir ». Enfin,
dans le corps du document, et à la troisième ligne, je
remarquai aussi les mots latins « rota », « mutabile »,
« ira », « nec », « atra ».

« Diable, pensai-je, ces derniers mots sembleraient
donner raison à mon oncle sur la langue du document!
Et même, à la quatrième ligne, j'aperçois encore le mot
« luco » qui se traduit par « bois sacré ». Il est vrai
qu'à la troisième ligne, on lit le mot « tabiled » de tournure parfaitement hébraïque, et à la dernière les
vocables « mer », « arc », « mère », qui sont purement
français. »

Il y avait là de quoi perdre la tête! Quatre idiomes
différents dans cette phrase absurde! Quel rapport
pouvait-il exister entre les mots « glace, monsieur,
colère, cruel, bois sacré, changeant, mère, arc ou mer? »
Le premier et le dernier seuls se rapprochaient facilement : rien d'étonnant que, dans un document écrit

en Islande, il fût question d'une « mer de glace ». Mais de là à comprendre le reste du cryptogramme, c'était autre chose.

Je me débattais donc contre une insoluble difficulté; mon cerveau s'échauffait, mes yeux clignaient sur la feuille de papier; les cent trente-deux lettres semblaient voltiger autour de moi, comme ces larmes d'argent qui glissent dans l'air autour de notre tête, lorsque le sang s'y est violemment porté.

J'étais en proie à une sorte d'hallucination; j'étouffais; il me fallait de l'air. Machinalement, je m'éventai avec la feuille de papier, dont le verso et le recto se présentèrent successivement à mes regards.

Quelle fut ma surprise, quand dans l'une de ces voltes rapides, au moment où le verso se tournait vers moi, je crus voir apparaître des mots parfaitement lisibles, des mots latins, entre autres « craterem » et « terrestre »!

Soudain une lueur se fit dans mon esprit; ces seuls indices me firent entrevoir la vérité; j'avais découvert la loi du chiffre. Pour comprendre ce document, il n'était pas même nécessaire de le lire à travers la feuille retournée! Non. Tel il était, tel il m'avait été dicté, tel il pouvait être épelé couramment. Toutes les ingénieuses combinaisons du professeur se réalisaient. Il avait eu raison pour la disposition des lettres, raison pour la langue du document! Il s'en était fallu de « rien » qu'il pût lire d'un bout à l'autre cette phrase latine, et ce « rien », le hasard venait de me le donner!

On comprend si je fus ému! Mes yeux se troublèrent. Je ne pouvais m'en servir. J'avais étalé la feuille de papier sur la table. Il me suffisait d'y jeter un regard pour devenir possesseur du secret.

Enfin je parvins à calmer mon agitation. Je m'imposai la loi de faire deux fois le tour de la chambre pour apaiser mes nerfs, et je revins m'engouffrer dans le vaste fauteuil.

« Lisons », m'écriai-je, après avoir refait dans mes poumons une ample provision d'air.

Je me penchai sur la table; je posai mon doigt

successivement sur chaque lettre, et, sans m'arrêter, sans hésiter un instant, je prononçai à haute voix la phrase entière.

Mais quelle stupéfaction, quelle terreur m'envahit! Je restai d'abord comme frappé d'un coup subit. Quoi! ce que je venais d'apprendre s'était accompli! Un homme avait eu assez d'audace pour pénétrer!...

« Ah! m'écriai-je en bondissant, mais non! mais non! mon oncle ne le saura pas! Il ne manquerait plus qu'il vînt à connaître un semblable voyage! Il voudrait en goûter aussi! Rien ne pourrait l'arrêter! Un géologue si déterminé! Il partirait quand même, malgré tout, en dépit de tout! et il m'emmènerait avec lui, et nous n'en reviendrions pas! Jamais! jamais! »

J'étais dans une surexcitation difficile à peindre.

« Non! non! ce ne sera pas, dis-je avec énergie, et puisque je peux empêcher qu'une pareille idée vienne à l'esprit de mon tyran, je le ferai. A tourner et retourner ce document, il pourrait par hasard en découvrir la clef! Détruisons-le. »

Il y avait un reste de feu dans la cheminée. Je saisis non seulement la feuille de papier, mais le parchemin de Saknussemm; d'une main fébrile j'allais précipiter le tout sur les charbons et anéantir ce dangereux secret, quand la porte du cabinet s'ouvrit. Mon oncle parut.

V

Je n'eus que le temps de replacer sur la table le malencontreux document.

Le professeur Lidenbrock paraissait profondément absorbé. Sa pensée dominante ne lui laissait pas un instant de répit; il avait évidemment scruté, analysé l'affaire, mis en œuvre toutes les ressources de son imagination pendant sa promenade, et il revenait appliquer quelque combinaison nouvelle.

En effet, il s'assit dans son fauteuil, et, la plume à la main, il commença à établir des formules qui ressemblaient à un calcul algébrique.

Je suivais du regard sa main frémissante; je ne perdais pas un seul de ses mouvements. Quelque résultat inespéré allait-il donc inopinément se produire? Je tremblais, et sans raison, puisque la vraie combinaison, la « seule », étant déjà trouvée, toute autre recherche devenait forcément vaine.

Pendant trois longues heures, mon oncle travailla sans parler, sans lever la tête, effaçant, reprenant, raturant, recommençant mille fois.

Je savais bien que, s'il parvenait à arranger ces lettres suivant toutes les positions relatives qu'elles pouvaient occuper, la phrase se trouverait faite. Mais je savais aussi que vingt lettres seulement peuvent former deux quintillions, quatre cent trente-deux quatrillions, neuf cent deux trillions, huit milliards, cent soixante-seize millions, six cent quarante mille combinaisons. Or, il y avait cent trente-deux lettres dans la phrase, et ces cent trente-deux lettres donnaient un nombre de phrases différentes composé de cent trente-trois chiffres au moins, nombre presque impossible à énumérer et qui échappe à toute appréciation.

J'étais rassuré sur ce moyen héroïque de résoudre le problème.

Cependant le temps s'écoulait; la nuit se fit; les bruits de la rue s'apaisèrent; mon oncle, toujours courbé sur sa tâche, ne vit rien, pas même la bonne Marthe qui entrouvrit la porte; il n'entendit rien, pas même la voix de cette digne servante, disant:

« Monsieur soupera-t-il ce soir? »

Aussi Marthe dut-elle s'en aller sans réponse. Pour moi, après avoir résisté pendant quelque temps, je fus pris d'un invincible sommeil, et je m'endormis sur un bout du canapé, tandis que mon oncle Lidenbrock calculait et raturait toujours.

Quand je me réveillai, le lendemain, l'infatigable piocheur était encore au travail. Ses yeux rouges, son teint blafard, ses cheveux entremêlés sous sa main

fiévreuse, ses pommettes empourprées indiquaient
assez sa lutte terrible avec l'impossible, et dans quelles
fatigues de l'esprit, dans quelle contention du cerveau
les heures durent s'écouler pour lui.

Vraiment, il me fit pitié. Malgré les reproches que
je croyais être en droit de lui faire, une certaine émotion me gagnait. Le pauvre homme était tellement
possédé de son idée, qu'il oubliait de se mettre en
colère. Toutes ses forces vives se concentraient en un
seul point, et, comme elles ne s'échappaient pas par
leur exutoire ordinaire, on pouvait craindre que leur
tension ne le fît éclater d'un instant à l'autre.

Je pouvais d'un geste desserrer cet étau de fer qui lui
serrait le crâne, d'un mot seulement! et je n'en fis rien.

Cependant j'avais bon cœur. Pourquoi restai-je
muet en pareille circonstance? Dans l'intérêt même
de mon oncle.

« Non, non, répétai-je, non, je ne parlerai pas! Il
voudrait y aller, je le connais; rien ne saurait l'arrêter.
C'est une imagination volcanique, et, pour faire ce que
d'autres géologues n'ont point fait, il risquerait sa vie.
Je me tairai; je garderai ce secret dont le hasard m'a
rendu maître! Le découvrir, ce serait tuer le professeur
Lidenbrock Qu'il le devine, s'il le peut. Je ne veux pas
me reprocher un jour de l'avoir conduit à sa perte! »

Ceci résolu, je me croisai les bras, et j'attendis.
Mais j'avais compté sans un incident qui se produisit
à quelques heures de là.

Lorsque la bonne Marthe voulut sortir de la maison
pour se rendre au marché, elle trouva la porte close.
La grosse clef manquait à la serrure. Qui l'avait ôtée?
Mon oncle évidemment, quand il rentra la veille après
son excursion précipitée.

Etait-ce à dessein? Etait-ce par mégarde? Voulait-il
nous soumettre aux rigueurs de la faim? Cela m'eût
paru un peu fort. Quoi! Marthe et moi, nous serions
victimes d'une situation qui ne nous regardait pas le
moins du monde? Sans doute, et je me souvins d'un
précédent de nature à nous effrayer. En effet, il y a
quelques années, à une époque où mon oncle travail-

lait à sa grande classification minéralogique, il demeura quarante-huit heures sans manger, et toute sa maison dut se conformer à cette diète scientifique. Pour mon compte, j'y gagnai des crampes d'estomac fort peu récréatives chez un garçon d'un naturel assez vorace.

Or, il me parut que le déjeuner allait faire défaut comme le souper de la veille. Cependant je résolus d'être héroïque et de ne pas céder devant les exigences de la faim. Marthe prenait cela très au sérieux et se désolait, la bonne femme. Quant à moi, l'impossibilité de quitter la maison me préoccupait davantage et pour cause. On me comprend bien.

Mon oncle travaillait toujours; son imagination se perdait dans le monde des combinaisons; il vivait loin de la terre, et véritablement en dehors des besoins terrestres.

Vers midi, la faim m'aiguillonna sérieusement. Marthe, très innocemment, avait dévoré la veille les provisions du garde-manger; il ne restait plus rien à la maison. Cependant je tins bon. J'y mettais une sorte de point d'honneur.

Deux heures sonnèrent. Cela devenait ridicule, intolérable même. J'ouvrais des yeux démesurés. Je commençai à me dire que j'exagérais l'importance du document; que mon oncle n'y ajouterait pas foi; qu'il verrait là une simple mystification; qu'au pis aller on le retiendrait malgré lui, s'il voulait tenter l'aventure; qu'enfin il pouvait découvrir lui-même la clef du « chiffre », et que j'en serais alors pour mes frais d'abstinence.

Ces raisons me parurent excellentes, que j'eusse rejetées la veille avec indignation; je trouvai même parfaitement absurde d'avoir attendu si longtemps, et mon parti fut pris de tout dire.

Je cherchais donc une entrée en matière, pas trop brusque, quand le professeur se leva, mit son chapeau et se prépara à sortir.

Quoi! quitter la maison, et nous enfermer encore! Jamais.

« Mon oncle! » dis-je.

Il ne parut pas m'entendre.

« Mon oncle Lidenbrock? répétai-je en élevant la voix.

— Hein? fit-il comme un homme subitement réveillé.

— Eh bien! cette clef?

— Quelle clef? La clef de la porte?

— Mais non, m'écriai-je, la clef du document! »

Le professeur me regarda par-dessus ses lunettes; il remarqua sans doute quelque chose d'insolite dans ma physionomie, car il me saisit vivement le bras, et, sans pouvoir parler, il m'interrogea du regard. Cependant, jamais demande ne fut formulée d'une façon plus nette.

Je remuai la tête de haut en bas.

Il secoua la sienne avec une sorte de pitié, comme s'il avait affaire à un fou.

Je fis un geste plus affirmatif.

Ses yeux brillèrent d'un vif éclat; sa main devint menaçante.

Cette conversation muette dans ces circonstances eût intéressé le spectateur le plus indifférent. Et vraiment j'en arrivais à ne plus oser parler, tant je craignais que mon oncle ne m'étouffât dans les premiers embrassements de sa joie. Mais il devint si pressant qu'il fallut répondre.

« Oui, cette clef!... le hasard!...

— Que dis-tu? s'écria-t-il avec une indescriptible émotion.

— Tenez, dis-je en lui présentant la feuille de papier sur laquelle j'avais écrit, lisez.

— Mais cela ne signifie rien! répondit-il en froissant la feuille.

— Rien, en commençant à lire par le commencement, mais par la fin... »

Je n'avais pas achevé ma phrase que le professeur poussait un cri, mieux qu'un cri, un véritable rugissement! Une révélation venait de se faire dans son esprit. Il était transfiguré.

« Ah! ingénieux Saknussemm! s'écria-t-il, tu avais donc d'abord écrit ta phrase à l'envers? »

Et se précipitant sur la feuille de papier, l'œil trouble, la voix émue, il lut le document tout entier, en remontant de la dernière lettre à la première.

Il était conçu en ces termes :

In Sneffels Yoculis craterem kem delibat
umbra Scartaris Julii intra calendas descende,
audas viator, et terrestre centrum attinges.
Kod feci. Arne Saknussemm.

Ce qui, de ce mauvais latin, peut être traduit ainsi :

Descends dans le cratère du Yocul de
Sneffels que l'ombre du Scartaris vient
caresser avant les calendes de Juillet,
voyageur audacieux, et tu parviendras
au centre de la Terre. Ce que j'ai fait.
Arne Saknussemm.

Mon oncle, à cette lecture, bondit comme s'il eût inopinément touché une bouteille de Leyde. Il était magnifique d'audace, de joie et de conviction. Il allait et venait ; il prenait sa tête à deux mains ; il déplaçait les sièges ; il empilait ses livres ; il jonglait, c'est à ne pas le croire, avec ses précieuses géodes ; il lançait un coup de poing par-ci, une tape par-là. Enfin ses nerfs se calmèrent et, comme un homme épuisé par une trop grande dépense de fluide, il retomba dans son fauteuil.

« Quelle heure est-il donc ? demanda-t-il après quelques instants de silence.

— Trois heures, répondis-je.

— Tiens ! mon dîner a passé vite. Je meurs de faim. A table. Puis ensuite...

— Ensuite ?

— Tu feras ma malle.

— Hein ! m'écriai-je.

— Et la tienne ! » répondit l'impitoyable professeur en entrant dans la salle à manger.

VI

A ces paroles un frisson me passa par tout le corps. Cependant je me contins. Je résolus même de faire bonne figure. Des arguments scientifiques pouvaient seuls arrêter le professeur Lidenbrock. Or, il y en avait, et de bons, contre la possibilité d'un pareil voyage. Aller au centre de la terre! Quelle folie! Je réservai ma dialectique pour le moment opportun, et je m'occupai du repas.

Inutile de rapporter les imprécations de mon oncle devant la table desservie. Tout s'expliqua. La liberté fut rendue à la bonne Marthe. Elle courut au marché et fit si bien, qu'une heure après, ma faim était calmée, et je revenais au sentiment de la situation.

Pendant le repas, mon oncle fut presque gai; il lui échappait de ces plaisanteries de savant qui ne sont jamais bien dangereuses. Après le dessert, il me fit signe de le suivre dans son cabinet.

J'obéis. Il s'assit à un bout de sa table de travail, moi à l'autre.

« Axel, dit-il d'une voix assez douce, tu es un garçon très ingénieux; tu m'as rendu là un fier service, quand, de guerre lasse, j'allais abandonner cette combinaison. Où me serais-je égaré? Nul ne peut le savoir! Je n'oublierai jamais cela, mon garçon, et de la gloire que nous allons acquérir tu auras ta part. »

« Allons! pensai-je, il est de bonne humeur; le moment est venu de discuter cette gloire. »

« Avant tout, reprit mon oncle, je te recommande le secret le plus absolu, tu m'entends? Je ne manque pas d'envieux dans le monde des savants, et beaucoup voudraient entreprendre ce voyage, qui ne s'en doute-ront qu'à notre retour.

— Croyez-vous, dis-je, que le nombre de ces audacieux fût si grand?

— Certes! qui hésiterait à conquérir une telle renommée? Si ce document était connu, une armée entière de géologues se précipiterait sur les traces d'Arne Saknussemm!

— Voilà ce dont je ne suis pas persuadé, mon oncle, car rien ne prouve l'authenticité de ce document.

— Comment! Et le livre dans lequel nous l'avons découvert!

— Bon! j'accorde que ce Saknussemm ait écrit ces lignes, mais s'ensuit-il qu'il ait réellement accompli ce voyage, et ce vieux parchemin ne peut-il renfermer une mystification? »

Ce dernier mot, un peu hasardé, je regrettai presque de l'avoir prononcé. Le professeur fronça son épais sourcil, et je craignais d'avoir compromis les suites de cette conversation. Heureusement il n'en fut rien. Mon sévère interlocuteur ébaucha une sorte de sourire sur ses lèvres, et répondit:

« C'est ce que nous verrons.

— Ah! fis-je un peu vexé; mais permettez-moi d'épuiser la série des objections relatives à ce document.

— Parle, mon garçon, ne te gêne pas. Je te laisse toute liberté d'exprimer ton opinion. Tu n'es plus mon neveu, mais mon collègue. Ainsi, va.

— Eh bien, je vous demanderai d'abord ce que sont ce Yocul, ce Sneffels et ce Scartaris, dont je n'ai jamais entendu parler?

— Rien n'est plus facile. J'ai précisément reçu, il y a quelque temps, une carte de mon ami Augustus Peterman de Leipzig; elle ne pouvait arriver plus à propos. Prends le troisième atlas dans la seconde travée de la grande bibliothèque, série Z, planche 4. »

Je me levai, et, grâce à ces indications précises, je trouvai rapidement l'atlas demandé. Mon oncle l'ouvrit et dit:

« Voici une des meilleures cartes de l'Islande, celle de Handerson, et je crois qu'elle va nous donner la solution de toutes tes difficultés. »

Je me penchai sur la carte.

« Vois cette île composée de volcans, dit le professeur, et remarque qu'ils portent tous le nom de Yokul. Ce mot veut dire « glacier » en islandais, et, sous la latitude élevée de l'Islande, la plupart des éruptions se font jour à travers les couches de glace. De là cette dénomination de Yokul appliquée à tous les monts ignivomes de l'île.

— Bien, répondis-je ; mais qu'est-ce que le Sneffels ? »

J'espérais qu'à cette demande il n'y aurait pas de réponse. Je me trompais. Mon oncle reprit :

« Suis-moi sur la côte occidentale de l'Islande. Aperçois-tu Reykjawik, sa capitale ? Oui. Bien. Remonte les fjörds innombrables de ces rivages rongés par la mer, et arrête-toi un peu au-dessous du soixante-cinquième degré de latitude. Que vois-tu là ?

— Une sorte de presqu'île semblable à un os décharné, que termine une énorme rotule.

— La comparaison est juste, mon garçon ; maintenant, n'aperçois-tu rien sur cette rotule ?

— Si un mont qui semble avoir poussé en mer.

— Bon ! c'est le Sneffels.

— Le Sneffels ?

— Lui-même, une montagne haute de cinq mille pieds, l'une des plus remarquables de l'île, et à coup sûr la plus célèbre du monde entier, si son cratère aboutit au centre du globe.

— Mais c'est impossible ! m'écriai-je, haussant les épaules et révolté contre une pareille supposition.

— Impossible ! répondit le professeur Lidenbrock d'un ton sévère. Et pourquoi cela ?

— Parce que ce cratère est évidemment obstrué par les laves, les roches brûlantes, et qu'alors...

— Et si c'est un cratère éteint ?

— Eteint ?

— Oui. Le nombre des volcans en activité à la surface du globe n'est actuellement que de trois cents environ ; mais il existe une bien plus grande quantité de volcans éteints. Or, le Sneffels compte parmi ces derniers, et, depuis les temps historiques, il n'a eu qu'une seule éruption, celle de 1219 ; à partir de cette époque, ses rumeurs se sont apaisées peu à peu, et il n'est plus au nombre des volcans actifs. »

A ces affirmations positives je n'avais absolument rien à répondre ; je me rejetai donc sur les autres obscurités que renfermait le document.

« Que signifie ce mot Scartaris, demandai-je, et que viennent faire là les calendes de juillet ? »

Mon oncle prit quelques moments de réflexion. J'eus un instant d'espoir, mais un seul, car bientôt il me répondit en ces termes :

« Ce que tu appelles obscurité est pour moi lumière. Cela prouve les soins ingénieux avec lesquels Saknussemm a voulu préciser sa découverte. Le Sneffels est formé de plusieurs cratères ; il y avait donc nécessité d'indiquer celui d'entre eux qui mène au centre du globe. Qu'a fait le savant Islandais ? Il a remarqué qu'aux approches des calendes de juillet, c'est-à-dire vers les derniers jours du mois de juin, un des pics de la montagne, le Scartaris, projetait son ombre jusqu'à l'ouverture du cratère en question, et il a consigné le fait dans son document. Pouvait-il imaginer une indication plus exacte, et, une fois arrivés au sommet du Sneffels, nous sera-t-il possible d'hésiter sur le chemin à prendre ? »

Décidément mon oncle avait réponse à tout. Je vis bien qu'il était inattaquable sur les mots du vieux parchemin. Je cessai donc de le presser à ce sujet, et, comme il fallait le convaincre avant tout, je passai aux objections scientifiques, bien autrement graves, à mon avis.

« Allons, dis-je, je suis forcé d'en convenir, la phrase de Saknussemm est claire et ne peut laisser aucun doute à l'esprit. J'accorde même que le document a un air de parfaite authenticité. Ce savant est allé au fond du Sneffels ; il a vu l'ombre du Scartaris caresser les bords du cratère avant les calendes de juillet ; il a même entendu raconter dans les récits légendaires de son temps que ce cratère aboutissait au centre de la terre ; mais quant à y être parvenu lui-même, quant à avoir fait le voyage et à en être revenu, s'il l'a entrepris, non, cent fois non !

— Et la raison ? dit mon oncle d'un ton singulièrement moqueur.

— C'est que toutes les théories de la science démontrent qu'une pareille entreprise est impraticable !

— Toutes les théories disent cela ? répondit le professeur en prenant un air bonhomme. Ah ! les vilaines théories ! Comme elles vont nous gêner, ces pauvres théories ! »

Je vis qu'il se moquait de moi, mais je continuai néanmoins :

« Oui ! il est parfaitement reconnu que la chaleur augmente environ d'un degré par soixante-dix pieds de profondeur au-dessous de la surface du globe; or, en admettant cette proportionnalité constante, le rayon terrestre étant de quinze cents lieues, il existe au centre une température qui dépasse deux cent mille degrés. Les matières de l'intérieur de la terre se trouvent donc à l'état de gaz incandescent, car les métaux, l'or, le platine, les roches les plus dures, ne résistent pas à une pareille chaleur. J'ai donc le droit de demander s'il est possible de pénétrer dans un semblable milieu !

— Ainsi, Axel, c'est la chaleur qui t'embarrasse ?

— Sans doute. Si nous arrivions à une profondeur de dix lieues seulement, nous serions parvenus à la limite de l'écorce terrestre, car déjà la température est supérieure à treize cents degrés.

— Et tu as peur d'entrer en fusion ?

— Je vous laisse la question à décider, répondis-je avec humeur.

— Voici ce que je décide, répliqua le professeur Lidenbrock en prenant ses grands airs : c'est que ni toi ni personne ne sait d'une façon certaine ce qui se passe à l'intérieur du globe, attendu qu'on connaît à peine la douze millième partie de son rayon; c'est que la science est éminemment perfectible, et que chaque théorie est incessamment détruite par une théorie nouvelle. N'a-t-on pas cru jusqu'à Fourier que

la température des espaces planétaires allait toujours
diminuant, et ne sait-on pas aujourd'hui que les plus
grands fro ds des régions éthérées ne dépassent pas
quarante ou cinquante degrés au-dessous de zéro ?
Pourquoi n'en serait-il pas ainsi de la chaleur interne ?
Pourquoi, à une certaine profondeur, n'atteindrait-elle
pas une limite infranchissable, au lieu de s'élever
jusqu'au degré de fusion des minéraux les plus réfractaires ? »

Mon oncle plaçant la question sur le terrain des
hypothèses, je n'eus rien à répondre.

« Eh bien, je te dirai que de véritables savants,
Poisson entre autres, ont prouvé que, si une chaleur
de deux cent mille degrés existait à l'intérieur du globe,
les gaz incandescents provenant des matières fondues
acquerraient une élasticité telle que l'écorce terrestre
ne pourrait y résister et éclaterait comme les parois
d'une chaudière sous l'effort de la vapeur.

— C'est l'avis de Poisson, mon oncle, voilà tout.

— D'accord, mais c'est aussi l'avis d'autres géologues distingués, que l'intérieur du globe n'est formé
ni de gaz, ni d'eau, ni des plus lourdes pierres que
nous connaissions, car, dans ce cas, la terre aurait un
poids deux fois moindre.

— Oh! avec les chiffres on prouve tout ce qu'on
veut!

— Et avec les faits, mon garçon, en est-il de même ?
N'est-il pas constant que le nombre des volcans a
considérablement diminué depuis les premiers jours
du monde ? et, si chaleur centrale il y a, ne peut-on en
conclure qu'elle tend à s'affaiblir ?

— Mon oncle, si vous entrez dans le champ des
suppositions, je n'ai plus à discuter.

— Et moi j'ai à dire qu'à mon opinion se joignent
les opinions de gens fort compétents. Te souviens-tu
d'une visite que me fit le célèbre chimiste anglais
Humphry Davy en 1825 ?

— Aucunement, car je ne suis venu au monde que
dix-neuf ans après.

— Eh bien, Humphry Davy vint me voir à son

passage à Hambourg. Nous discutâmes longtemps, entre autres questions, l'hypothèse de la liquidité du noyau intérieur de la terre. Nous étions tous deux d'accord que cette liquidité ne pouvait exister, par une raison à laquelle la science n'a jamais trouvé de réponse.

— Et laquelle ? dis-je un peu étonné.

— C'est que cette masse liquide serait sujette, comme l'Océan, à l'attraction de la lune, et conséquemment, deux fois par jour, il se produirait des marées intérieures qui, soulevant l'écorce terrestre, donneraient lieu à des tremblements de terre périodiques!

— Mais il est pourtant évident que la surface du globe a été soumise à la combustion, et il est permis de supposer que la croûte extérieure s'est refroidie d'abord, tandis que la chaleur se réfugiait au centre.

— Erreur, répondit mon oncle; la terre a été échauffée par la combustion de sa surface, non autrement. Sa surface était composée d'une grande quantité de métaux, tels que le potassium, le sodium, qui ont la propriété de s'enflammer au seul contact de l'air et de l'eau; ces métaux prirent feu quand les vapeurs atmosphériques se précipitèrent en pluie sur le sol; et peu à peu, lorsque les eaux pénétrèrent dans les fissures de l'écorce terrestre, elles déterminèrent de nouveaux incendies avec explosions et éruptions. De là les volcans si nombreux aux premiers jours du monde.

— Mais voilà une ingénieuse hypothèse! m'écriai-je un peu malgré moi.

— Et qu'Humphry Davy me rendit sensible, ici même, par une expérience bien simple. Il composa une boule métallique faite principalement des métaux dont je viens de parler, et qui figurait parfaitement notre globe; lorsqu'on faisait tomber une fine rosée à sa surface, celle-ci se boursouflait, s'oxydait et formait une petite montagne; un cratère s'ouvrait à son sommet; l'éruption avait lieu et communiquait à toute la boule une chaleur telle qu'il devenait impossible de la tenir à la main. »

Vraiment, je commençais à être ébranlé par les arguments du professeur; il les faisait valoir, d'ailleurs, avec sa passion et son enthousiasme habituels.

« Tu le vois, Axel, ajouta-t-il, l'état du noyau central a soulevé des hypothèses diverses entre les géologues; rien de moins prouvé que ce fait d'une chaleur interne; suivant moi, il n'existe pas, elle ne saurait exister; nous le verrons, d'ailleurs, et, comme Arne Saknussemm, nous saurons à quoi nous en tenir sur cette grande question.

— Eh bien oui! répondis-je, me sentant gagner à cet enthousiasme, oui, nous le verrons, si on y voit, toutefois.

— Et pourquoi pas ? Ne pouvons-nous compter sur des phénomènes électriques pour nous éclairer, et même sur l'atmosphère, que sa pression peut rendre lumineuse en s'approchant du centre ?

— Oui, dis-je, oui! cela est possible, après tout.

— Cela est certain, répondit triomphalement mon oncle; mais silence, entends-tu ? silence sur tout ceci, et que personne n'ait l'idée de découvrir avant nous le centre de la terre. »

VII

Ainsi se termina cette mémorable séance. Cet entretien me donna la fièvre. Je sortis du cabinet de mon oncle comme étourdi, et il n'y avait pas assez d'air dans les rues de Hambourg pour me remettre. Je gagnai donc les bords de l'Elbe, du côté du bac à vapeur qui met la ville en communication avec le chemin de fer de Hambourg.

Etais-je convaincu de ce que je venais d'apprendre ? N'avais-je pas subi la domination du professeur Lidenbrock ? Devais-je prendre au sérieux sa résolution d'aller au centre du massif terrestre ? Venais-je d'entendre les spéculations insensées d'un fou ou les déductions scientifiques d'un grand génie ? En tout cela, où s'arrêtait la vérité, où commençait l'erreur ?

Je flottais entre mille hypothèses contradictoires, sans pouvoir m'accrocher à aucune.

Cependant je me rappelais avoir été convaincu, quoique mon enthousiasme commençât à se modérer ; mais j'aurais voulu partir immédiatement et ne pas prendre le temps de la réflexion. Oui, le courage ne m'eût pas manqué pour boucler ma valise en ce moment.

Il faut pourtant l'avouer, une heure après cette surexcitation tomba ; mes nerfs se détendirent, et des profonds abîmes de la terre je remontai à sa surface.

« C'est absurde ! m'écriai-je ; cela n'a pas le sens commun ! Ce n'est pas une proposition sérieuse à faire à un garçon sensé. Rien de tout cela n'existe. J'ai mal dormi, j'ai fait un mauvais rêve. »

Cependant j'avais suivi les bords de l'Elbe et tourné la ville. Après avoir remonté le port j'étais arrivé à la route d'Altona. Un pressentiment me conduisait, pressentiment justifié, car j'aperçus bientôt ma petite Graüben qui, de son pied leste, revenait bravement à Hambourg.

« Graüben ! » lui criai-je de loin.

La jeune fille s'arrêta, un peu troublée, j'imagine, de s'entendre appeler ainsi sur une grande route. En dix pas je fus près d'elle.

« Axel ! fit-elle surprise. Ah ! tu es venu à ma rencontre ! C'est bien cela, monsieur. »

Mais, me regardant, Graüben ne put se méprendre à mon air inquiet, bouleversé.

« Qu'as-tu donc ? dit-elle en me tendant la main.
— Ce que j'ai, Graüben ! » m'écriai-je.

En deux secondes et en trois phrases ma jolie Virlandaise était au courant de la situation. Pendant quelques instants elle garda le silence. Son cœur palpitait-il à l'égal du mien ? Je l'ignore, mais sa main ne tremblait pas dans la mienne. Nous fîmes une centaine de pas sans parler.

« Axel! me dit-elle enfin.

— Ma chère Graüben!

— Ce sera là un beau voyage. »

Je bondis à ces mots.

« Oui, Axel, un voyage digne du neveu d'un savant.
Il est bien qu'un homme se soit distingué par quelque
grande entreprise!

— Quoi! Graüben, tu ne me détournes pas de tenter
une pareille expédition ?

— Non, cher Axel, et ton oncle et toi, je vous
accompagnerais volontiers, si une pauvre fille ne devait
être un embarras pour vous.

— Dis-tu vrai ?

— Je dis vrai. »

Ah! femmes, jeunes filles, cœurs féminins toujours
incompréhensibles! Quand vous n'êtes pas les plus
timides des êtres, vous en êtes les plus braves! La raison n'a que faire auprès de vous. Quoi! cette enfant
m'encourageait à prendre part à cette expédition!
elle n'eût pas craint de tenter l'aventure! Elle m'y
poussait, moi qu'elle aimait cependant!

J'étais déconcerté, et, pourquoi ne pas le dire, honteux.

« Graüben, repris-je, nous verrons si demain tu
parleras de cette manière.

— Demain, cher Axel, je parlerai comme aujour-
d'hui. »

Graüben et moi, nous tenant par la main, mais gardant un profond silence, nous continuâmes notre chemin. J'étais brisé par les émotions de la journée.

« Après tout, pensai-je, les calendes de juillet sont
encore loin, et, d'ici là, bien des événements se pas-
seront qui guériront mon oncle de sa manie de voyager
sous terre. »

La nuit était venue quand nous arrivâmes à la
maison de Königstrasse. Je m'attendais à trouver la
demeure tranquille, mon oncle couché suivant son
habitude, et la bonne Marthe donnant à la salle à
manger le dernier coup de plumeau du soir.

Mais j'avais compté sans l'impatience du professeur.

Je le trouvai criant, s'agitant au milieu d'une troupe de porteurs qui déchargeaient certaines marchandises dans l'allée; la vieille servante ne savait où donner de la tête.

« Mais viens donc, Axel; hâte-toi donc, malheureux! s'écria mon oncle du plus loin qu'il m'aperçut. Et ta malle qui n'est pas faite, et mes papiers qui ne sont pas en ordre, et mon sac de voyage dont je ne trouve pas la clef, et mes guêtres qui n'arrivent pas! »

Je demeurai stupéfait. La voix me manquait. C'est à peine si mes lèvres purent articuler ces mots :

« Nous partons donc ?

— Oui, malheureux garçon, qui va te promener au lieu d'être là!

— Nous partons ? répétai-je d'une voix affaiblie.

— Oui, après-demain matin, à la première heure. »

Je ne pus en entendre davantage, et je m'enfuis dans ma petite chambre.

Il n'y avait plus à en douter. Mon oncle venait d'employer son après-midi à se procurer une partie des objets et ustensiles nécessaires à son voyage; l'allée était encombrée d'échelles de corde, de cordes à nœuds, de torches, de gourdes, de crampons de fer, de pics, de bâtons ferrés, de pioches, de quoi charger dix hommes au moins.

Je passai une nuit affreuse. Le lendemain, je m'entendis appeler de bonne heure. J'étais décidé à ne pas ouvrir ma porte. Mais le moyen de résister à la douce voix qui prononçait ces mots : « Mon cher Axel » ?

Je sortis de ma chambre. Je pensai que mon air défait, ma pâleur, mes yeux rougis par l'insomnie, allaient produire leur effet sur Graüben et changer ses idées.

« Ah! mon cher Axel, me dit-elle, je vois que tu te portes mieux et que la nuit t'a calmé.

— Calmé! » m'écriai-je.

Je me précipitai vers mon miroir. Eh bien! j'avais moins mauvaise mine que je ne le supposais. C'était à n'y pas croire.

« Axel, me dit Graüben, j'ai longtemps causé avec

mon tuteur. C'est un hardi savant, un homme de grand courage, et tu te souviendras que son sang coule dans tes veines. Il m'a raconté ses projets, ses espérances, pourquoi et comment il espère atteindre son but. Il y parviendra, je n'en doute pas. Ah! cher Axel, c'est beau de se dévouer ainsi à la science! Quelle gloire attend M. Lidenbrock et rejaillira sur son compagnon! Au retour, Axel, tu seras un homme, son égal, libre de parler, libre d'agir, libre enfin de... »

La jeune fille rougissante, n'acheva pas. Ses paroles me ranimaient. Cependant je ne voulais pas croire encore à notre départ. J'entraînai Graüben vers le cabinet du professeur.

« Mon oncle, dis-je, il est donc bien décidé que nous partons ?

— Comment! tu en doutes?

— Non, dis-je afin de ne pas le contrarier. Seulement je vous demanderai ce qui nous presse.

— Mais le temps! le temps qui fuit avec une vitesse irréparable!

— Cependant nous ne sommes qu'au 26 mai, et jusqu'à la fin de juin...

— Eh! crois-tu donc, ignorant, qu'on se rende si facilement en Islande? Si tu ne m'avais pas quitté comme un fou, je t'aurais emmené au Bureau-office de Copenhague, chez Liffender et Co. Là, tu aurais vu que de Copenhague à Reykjawik il n'y a qu'un service, le 22 de chaque mois.

— Eh bien ?

— Eh bien! si nous attendions au 22 juin, nous arriverions trop tard pour voir l'ombre du Scartaris caresser le cratère du Sneffels! Il faut donc gagner Copenhague au plus vite pour y chercher un moyen de transport. Va faire ta malle! »

Il n'y avait pas un mot à répondre. Je remontai dans ma chambre. Graüben me suivit. Ce fut elle qui se chargea de mettre en ordre, dans une petite valise, les objets nécessaires à mon voyage. Elle n'était pas plus émue que s'il se fût agi d'une promenade à Lübeck ou à Heligoland. Ses petites mains allaient et venaient

sans précipitation. Elle causait avec calme. Elle me
donnait les raisons les plus sensées en faveur de notre
expédition. Elle m'enchantait, et je me sentais une
grosse colère contre elle. Quelquefois je voulais
m'emporter, mais elle n'y prenait garde et continuait
méthodiquement sa tranquille besogne.

Enfin la dernière courroie de la valise fut bouclée.
Je descendis au rez-de-chaussée.

Pendant cette journée, les fournisseurs d'instruments de physique, d'armes, d'appareils électriques,
s'étaient multipliés. La bonne Marthe en perdait la
tête.

« Est-ce que monsieur est fou ? » me dit-elle.

Je fis un signe affirmatif.

« Et il vous emmène avec lui ? »

Même affirmation.

« Où cela ? » dit-elle.

J'indiquai du doigt le centre de la terre.

« A la cave ? s'écria la vieille servante.

— Non, dis-je enfin, plus bas! »

Le soir arriva. Je n'avais plus conscience du temps
écoulé.

« A demain matin, dit mon oncle, nous partons à
six heures précises. »

A dix heures, je tombai sur mon lit comme une
masse inerte.

Pendant la nuit mes terreurs me reprirent.

Je la passai à rêver de gouffres! J'étais en proie au
délire. Je me sentais étreint par la main vigoureuse du
professeur, entraîné, abîmé, enlisé! Je tombais au fond
d'insondables précipices avec cette vitesse croissante
des corps abandonnés dans l'espace. Ma vie n'était
plus qu'une chute interminable.

Je me réveillai à cinq heures, brisé de fatigue et
d'émotion. Je descendis à la salle à manger. Mon
oncle était à table. Il dévorait. Je le regardai avec un
sentiment d'horreur. Mais Graüben était là. Je ne dis
rien. Je ne pus manger.

A cinq heures et demie, un roulement se fit entendre
dans la rue. Une large voiture arrivait pour nous

conduire au chemin de fer d'Altona. Elle fut bientôt encombrée des colis de mon oncle.

« Et ta malle ? me dit-il.

— Elle est prête, répondis-je en défaillant.

— Dépêche-toi donc de la descendre, ou tu vas nous faire manquer le train! »

Lutter contre ma destinée me parut alors impossible. Je remontai dans ma chambre, et, laissant glisser ma valise sur les marches de l'escalier, je m'élançai à sa suite.

En ce moment mon oncle remettait solennellement entre les mains de Graüben « les rênes » de sa maison. Ma jolie Virlandaise conservait son calme habituel. Elle embrassa son tuteur, mais elle ne put retenir une larme en effleurant ma joue de ses douces lèvres.

« Graüben! m'écriai-je.

— Va, mon cher Axel, va, me dit-elle, tu quittes ta fiancée, mais tu trouveras ta femme au retour. »

Je serrai Graüben dans mes bras, et je pris place dans la voiture. Marthe et la jeune fille, du seuil de la porte, nous adressèrent un dernier adieu. Puis les deux chevaux, excités par le sifflement de leur conducteur, s'élancèrent au galop sur la route d'Altona.

VIII

Altona, véritable banlieue de Hambourg, est tête de ligne du chemin de fer de Kiel, qui devait nous conduire au rivage des Belt. En moins de vingt minutes, nous entrions sur le territoire du Holstein.

A six heures et demie la voiture s'arrêta devant la gare; les nombreux colis de mon oncle, ses volumineux articles de voyage furent déchargés, transportés, pesés, étiquetés, rechargés dans le wagon de bagages, et à sept heures nous étions assis l'un vis-à-vis de l'autre

dans le même compartiment. La vapeur siffla, la loco-
motive se mit en mouvement. Nous étions partis.

Etais-je résigné ? Pas encore. Cependant l'air frais
du matin, les détails de la route rapidement renou-
velés par la vitesse du train me distrayaient de ma
grande préoccupation.

Quant à la pensée du professeur, elle devançait évidemment ce convoi trop lent au gré de son impatience.
Nous étions seuls dans le wagon, mais sans parler.
Mon oncle revisitait ses poches et son sac de voyage
avec une minutieuse attention. Je vis bien que rien ne
lui manquait des pièces nécessaires à l'exécution de ses
projets.

Entre autres, une feuille de papier, pliée avec soin,
portait l'en-tête de la chancellerie danoise, avec la
signature de M. Christiensen, consul à Hambourg et
l'ami du professeur. Cela devait nous donner toute
facilité d'obtenir à Copenhague des recommandations
pour le gouverneur de l'Islande.

J'aperçus aussi le fameux document précieusement
enfoui dans la plus secrète poche du portefeuille. Je
le maudis du fond du cœur, et je me remis à examiner
le pays. C'était une vaste suite de plaines peu curieuses,
monotones, limoneuses et assez fécondes : une campagne très favorable à l'établissement d'un railway et
propice à ces lignes droites si chères aux compagnies
de chemin de fer.

Mais cette monotonie n'eut pas le temps de me
fatiguer, car, trois heures après notre départ, le train
s'arrêtait à Kiel, à deux pas de la mer.

Nos bagages étant enregistrés pour Copenhague,
il n'y eut pas à s'en occuper. Cependant le professeur
les suivit d'un œil inquiet pendant leur transport
au bateau à vapeur. Là ils disparurent à fond de
cale.

Mon oncle, dans sa précipitation, avait si bien cal-
culé les heures de correspondance du chemin de fer
et du bateau, qu'il nous restait une journée entière à
perdre. Le steamer l'*Ellenora* ne partait pas avant la
nuit. De là une fièvre de neuf heures, pendant laquelle

l'irascible voyageur envoya à tous les diables l'administration des bateaux et des railways et les gouvernements qui toléraient de pareils abus. Je dus faire chorus avec lui, quand il entreprit le capitaine de l'*Ellenora* à ce sujet. Il voulait l'obliger à chauffer sans perdre un instant. L'autre l'envoya promener.

A Kiel, comme ailleurs, il faut bien qu'une journée se passe. A force de nous promener sur les rivages verdoyants de la baie au fond de laquelle s'élève la petite ville, de parcourir les bois touffus qui lui donnent l'apparence d'un nid dans un faisceau de branches, d'admirer les villas pourvues chacune de leur petite maison de bains froids, enfin de courir et de maugréer, nous atteignîmes dix heures du soir.

Les tourbillons de la fumée de l'*Ellenora* se développaient dans le ciel; le pont tremblotait sous les frissonnements de la chaudière; nous étions à bord et propriétaires de deux couchettes étagées dans l'unique chambre du bateau.

A dix heures un quart les amarres furent larguées, et le steamer fila rapidement sur les sombres eaux du Grand-Belt.

La nuit était noire; il y avait belle brise et forte mer; quelques feux de la côte apparurent dans les ténèbres; plus tard, je ne sais où, un phare à éclats étincela au-dessus des flots; ce fut tout ce qui resta dans mon souvenir de cette première traversée.

A sept heures du matin nous débarquions à Korsör, petite ville située sur la côte occidentale du Seeland. Là, nous sautions du bateau dans un nouveau chemin de fer, qui nous emportait à travers un pays non moins plat que les campagnes du Holstein.

C'était encore trois heures de voyage avant d'atteindre la capitale du Danemark. Mon oncle n'avait pas fermé l'œil de la nuit. Dans son impatience, je crois qu'il poussait le wagon avec ses pieds.

Enfin il aperçut une échappée de mer.

« Le Sund! » s'écria-t-il.

Il y avait sur notre gauche une vaste construction qui ressemblait à un hôpital.

« C'est une maison de fous », dit un de nos compagnons de voyage.

« Bon, pensai-je, voilà un établissement où nous devrions finir nos jours! Et, si grand qu'il fût, cet hôpital serait encore trop petit pour contenir toute la folie du professeur Lidenbrock ! »

Enfin, à dix heures du matin, nous prenions pied à Copenhague; les bagages furent chargés sur une voiture et conduits avec nous à l'hôtel du Phœnix dans Bred-Gale. Ce fut l'affaire d'une demi-heure, car la gare est située en dehors de la ville. Puis mon oncle, faisant une toilette sommaire, m'entraîna à sa suite. Le portier de l'hôtel parlait l'allemand et l'anglais; mais le professeur, en sa qualité de polyglotte, l'interrogea en bon danois, et ce fut en bon danois que ce personnage lui indiqua la situation du Muséum des Antiquités du Nord.

Le directeur de ce curieux établissement, où sont entassées des merveilles qui permettraient de reconstruire l'histoire du pays avec ses vieilles armes de pierre, ses hanaps et ses bijoux, était un savant, l'ami du consul de Hambourg, M. le professeur Thomson.

Mon oncle avait pour lui une chaude lettre de recommandation. En général, un savant en reçoit assez mal un autre. Mais ici ce fut tout autrement. M. Thomson, en homme serviable, fit un cordial accueil au professeur Lidenbrock et même à son neveu. Dire que son secret fut gardé vis-à-vis de l'excellent directeur du Muséum, c'est à peine nécessaire. Nous voulions tout bonnement visiter l'Islande en amateurs désintéressés.

M. Thomson se mit entièrement à notre disposition, et nous courûmes les quais afin de chercher un navire en partance.

J'espérais que les moyens de transport manqueraient absolument; mais il n'en fut rien. Une petite goélette danoise, la *Valkyrie*, devait mettre à la voile le 2 juin pour Reykjawik. Le capitaine, M. Bjarne, se trouvait à bord. Son futur passager, dans sa joie, lui serra les mains à les briser. Ce brave homme fut un peu étonné d'une pareille étreinte. Il trouvait tout simple d'aller

en Islande, puisque c'était son métier. Mon oncle
trouvait cela sublime. Le digne capitaine profita de
cet enthousiasme pour nous faire payer double le
passage sur son bâtiment. Mais nous n'y regardions
pas de si près.

« Soyez à bord mardi à sept heures du matin », dit
M. Bjarne après avoir empoché un nombre respectable
de species-dollars.

Nous remerciâmes alors M. Thomson de ses bons
soins, et nous revînmes à l'hôtel du Phœnix.

« Cela va bien! cela va très bien! répétait mon oncle.
Quel heureux hasard d'avoir trouvé ce bâtiment prêt
à partir! Maintenant déjeunons, et allons visiter la
ville. »

Nous nous rendîmes à Kongens-Nye-Torw, place
irrégulière où se trouve un poste avec deux innocents
canons braqués qui ne font peur à personne. Tout
près, au n° 5, il y avait une « restauration » française,
tenue par un cuisinier nommé Vincent; nous y déjeu-
nâmes suffisamment pour le prix modéré de quatre
marks chacun [1].

Puis je pris un plaisir d'enfant à parcourir la ville;
mon oncle se laissait promener; d'ailleurs il ne vit
rien, ni l'insignifiant palais du roi, ni le joli pont du
XVIIe siècle, qui enjambe le canal devant le Muséum,
ni cet immense cénotaphe de Torwaldsen, orné de
peintures murales horribles et qui contient à l'intérieur les œuvres de ce statuaire, ni, dans un assez beau
parc, le château bonbonnière de Rosenborg, ni l'admirable édifice renaissance de la Bourse, ni son clocher fait avec les queues entrelacées de quatre dragons
de bronze, ni les grands moulins des remparts, dont
les vastes ailes s'enflaient comme les voiles d'un vaisseau au vent de la mer.

Quelles délicieuses promenades nous eussions faites,
ma jolie Virlandaise et moi, du côté du port où les
deux-ponts et les frégates dormaient paisiblement sous
leur toiture rouge, sur les bords verdoyants du détroit,

1. 2 francs 75 centimes environ. *Note de l'auteur.*

à travers ces ombrages touffus au sein desquels se
cache la citadelle, dont les canons allongent leur
gueule noirâtre entre les branches des sureaux et des
saules!

Mais, hélas! elle était loin, ma pauvre Graüben, et
pouvais-je espérer de la revoir jamais ?

Cependant, si mon oncle ne remarqua rien de ces
sites enchanteurs, il fut vivement frappé par la vue
d'un certain clocher situé dans l'île d'Amak, qui forme
le quartier sud-ouest de Copenhague.

Je reçus l'ordre de diriger nos pas de ce côté; je
montai dans une petite embarcation à vapeur qui faisait le service des canaux, et, en quelques instants, elle
accosta le quai de Dock-Yard.

Après avoir traversé quelques rues étroites où des
galériens, vêtus de pantalons mi-partie jaunes et gris,
travaillaient sous le bâton des argousins, nous arrivâmes devant Vor-Frelsers-Kirk. Cette église n'offrait
rien de remarquable. Mais voici pourquoi son clocher
assez élevé avait attiré l'attention du professeur : à
partir de la plate-forme, un escalier extérieur circulait
autour de sa flèche, et ses spirales se déroulaient en
plein ciel.

« Montons, dit mon oncle.

— Mais, le vertige ? répliquai-je.

— Raison de plus, il faut s'y habituer.

— Cependant...

— Viens, te dis-je, ne perdons pas de temps. »

Il fallut obéir. Un gardien, qui demeurait de l'autre
côté de la rue, nous remit une clef, et l'ascension commença.

Mon oncle me précédait d'un pas alerte. Je le suivais
non sans terreur, car la tête me tournait avec une
déplorable facilité. Je n'avais ni l'aplomb des aigles
ni l'insensibilité de leurs nerfs.

Tant que nous fûmes emprisonnés dans la vis intérieure, tout alla bien; mais après cent cinquante
marches l'air vint me frapper au visage, nous étions
parvenus à la plate-forme du clocher. Là commençait
l'escalier aérien, gardé par une frêle rampe, et dont les

marches, de plus en plus étroites, semblaient monter vers l'infini.

« Je ne pourrai jamais! m'écriai-je.

— Serais-tu poltron, par hasard ? Monte! » répondit impitoyablement le professeur.

Force fut de le suivre en me cramponnant. Le grand air m'étourdissait; je sentais le clocher osciller sous les rafales; mes jambes se dérobaient; je grimpai bientôt sur les genoux, puis sur le ventre; je fermais les yeux; j'éprouvais le mal de l'espace.

Enfin, mon oncle me tirant par le collet, j'arrivai près de la boule.

« Regarde, me dit-il, et regarde bien! il faut prendre *des leçons d'abîme!* »

J'ouvris les yeux. J'aperçus les maisons aplaties et comme écrasées par une chute, au milieu du brouillard des fumées. Au-dessus de ma tête passaient des nuages échevelés, et, par un renversement d'optique, ils me paraissaient immobiles, tandis que le clocher, la boule, moi, nous étions entraînés avec une fantastique vitesse. Au loin, d'un côté s'étendait la campagne verdoyante, de l'autre étincelait la mer sous un faisceau de rayons. Le Sund se déroulait à la pointe d'Elseneur, avec quelques voiles blanches, véritables ailes de goéland, et dans la brume de l'est ondulaient les côtes à peine estompées de la Suède. Toute cette immensité tourbillonnait à mes regards.

Néanmoins il fallut me lever, me tenir droit, regarder. Ma première leçon de vertige dura une heure. Quand enfin il me fut permis de redescendre et de toucher du pied le pavé solide des rues, j'étais courbaturé.

« Nous recommencerons demain », dit mon professeur.

Et en effet, pendant cinq jours, je repris cet exercice vertigineux, et, bon gré mal gré, je fis des progrès sensibles dans l'art « des hautes contemplations ».

IX

Le jour du départ arriva. La veille, le complaisant
M. Thomson nous avait apporté des lettres de recommandations pressantes pour le comte Trampe, gouverneur de l'Islande, M. Pictursson, le coadjuteur de
l'évêque, et M. Finsen, maire de Reykjawik. En retour,
mon oncle lui octroya les plus chaleureuses poignées
de main.

Le 2, à six heures du matin, nos précieux bagages
étaient rendus à bord de la *Valkyrie*. Le capitaine
nous conduisit à des cabines assez étroites et disposées
sous une espèce de rouffle.

« Avons-nous bon vent ? demanda mon oncle.

— Excellent, répondit le capitaine Bjarne ; un vent
de sud-est. Nous allons sortir du Sund grand largue et
toutes voiles dehors. »

Quelques instants plus tard, la goélette, sous sa
misaine, sa brigantine, son hunier et son perroquet,
appareilla et donna à pleine toile dans le détroit. Une
heure après, la capitale du Danemark semblait s'enfoncer dans les flots éloignés et la *Valkyrie* rasait la
côte d'Elseneur. Dans la disposition nerveuse où je
me trouvais, je m'attendais à voir l'ombre d'Hamlet
errant sur la terrasse légendaire.

« Sublime insensé ! disais-je, tu nous approuverais
sans doute ! Tu nous suivrais peut-être pour venir au
centre du globe chercher une solution à ton doute
éternel ! »

Mais rien ne parut sur les antiques murailles. Le
château est, d'ailleurs, beaucoup plus jeune que
l'héroïque prince de Danemark. Il sert maintenant de
loge somptueuse au portier de ce détroit du Sund, où
passent chaque année quinze mille navires de toutes
les nations.

Le château de Krongborg disparut bientôt dans la brume, ainsi que la tour d'Helsinborg, élevée sur la rive suédoise, et la goélette s'inclina légèrement sous les brises du Cattégat.

La *Valkyrie* était fine voilière, mais avec un navire à voiles on ne sait jamais trop sur quoi compter. Elle transportait à Reykjawik du charbon, des ustensiles de ménage, de la poterie, des vêtements de laine et une cargaison de blé. Cinq hommes d'équipage, tous Danois, suffisaient à la manœuvrer.

« Quelle sera la durée de la traversée ? demanda mon oncle au capitaine.

— Une dizaine de jours, répondit ce dernier, si nous ne rencontrons pas trop de grains de nord-ouest par le travers des Feroë.

— Mais enfin, vous n'êtes pas sujet à éprouver des retards considérables ?

— Non, monsieur Lidenbrock ; soyez tranquille, nous arriverons. »

Vers le soir la goélette doubla le cap Skagen à la pointe nord du Danemark, traversa pendant la nuit le Skager-Rak, rangea l'extrémité de la Norvège par le travers du cap Lindness et donna dans la mer du Nord.

Deux jours après, nous avions connaissance des côtes d'Ecosse à la hauteur de Peterheade, et la *Valkyrie* se dirigea vers les Feroë en passant entre les Orcades et les Seethland.

Bientôt notre goélette fut battue par les vagues de l'Atlantique ; elle dut louvoyer contre le vent du nord et n'atteignit pas sans peine les Feroë. Le 8, le capitaine reconnut Myganness, la plus orientale de ces îles, et, à partir de ce moment, il marcha droit au cap Portland, situé sur la côte méridionale de l'Islande.

La traversée n'offrit aucun incident remarquable. Je supportai assez bien les épreuves de la mer ; mon oncle, à son grand dépit, et à sa honte plus grande encore, ne cessa pas d'être malade.

Il ne put donc entreprendre le capitaine Bjarne sur la question du Sneffels, sur les moyens de communication, sur les facilités de transport ; il dut remettre ces explications à son arrivée et passa tout son temps étendu dans sa cabine, dont les cloisons craquaient par les grands coups de tangage. Il faut l'avouer, il méritait un peu son sort.

Le 11, nous relevâmes le cap Portland. Le temps, clair alors, permit d'apercevoir le Myrdals Yokul, qui le domine. Le cap se compose d'un gros morne, à pentes roides, et planté tout seul sur la plage.

La *Valkyrie* se tint à une distance raisonnable des côtes, en les prolongeant vers l'ouest, au milieu de nombreux troupeaux de baleines et de requins. Bientôt apparut un immense rocher percé à jour, au travers duquel la mer écumeuse donnait avec furie. Les îlots de Westman semblèrent sortir de l'Océan, comme une semée de rocs sur la plaine liquide. A partir de ce moment, la goélette prit du champ pour tourner à bonne distance le cap Reykjaness, qui forme l'angle occidental de l'Islande.

La mer, très forte, empêchait mon oncle de monter sur le pont pour admirer ces côtes déchiquetées et battues par les vents du sud-ouest.

Quarante-huit heures après, en sortant d'une tempête qui força la goélette de fuir à sec de toile, on releva dans l'est la balise de la pointe Skagen, dont les roches dangereuses se prolongent à une grande distance sous les flots. Un pilote islandais vint à bord, et, trois heures plus tard, la *Valkyrie* mouillait devant Reykjawik dans la baie de Faxa.

Le professeur sortit enfin de sa cabine, un peu pâle, un peu défait, mais toujours enthousiaste, et avec un regard de satisfaction dans les yeux.

La population de la ville, singulièrement intéressée par l'arrivée d'un navire dans lequel chacun a quelque chose à prendre, se groupait sur le quai.

Mon oncle avait hâte d'abandonner sa prison flottante, pour ne pas dire son hôpital. Mais avant de quitter le pont de la goélette, il m'entraîna à l'avant, et là, du doigt, il me montra, à la partie septentrionale de la baie, une haute montagne à deux pointes, un double cône couvert de neiges éternelles.

« Le Sneffels ! s'écria-t-il, le Sneffels ! »

Puis, après m'avoir recommandé du geste un silence absolu, il descendit dans le canot qui l'attendait. Je le suivis, et bientôt nous foulions du pied le sol de l'Islande.

Tout d'abord apparut un homme de bonne figure et revêtu d'un costume de général. Ce n'était cependant qu'un simple magistrat, le gouverneur de l'île, M. le baron Trampe en personne. Le professeur reconnut à qui il avait affaire. Il remit au gouverneur ses lettres de Copenhague, et il s'établit en danois une courte conversation à laquelle je demeurai absolument étranger, et pour cause. Mais de ce premier entretien il résulta ceci, que le baron Trampe se mettait entièrement à la disposition du professeur Lidenbrock.

Mon oncle reçut un accueil fort aimable du maire, M. Finsen, non moins militaire par le costume que le gouverneur, mais aussi pacifique par tempérament et par état.

Quant au coadjuteur, M. Pictursson, il faisait actuellement une tournée épiscopale dans le bailliage du Nord; nous devions renoncer provisoirement à lui être présentés. Mais un charmant homme, et dont le concours nous devint fort précieux, ce fut M. Fridriksson, professeur de sciences naturelles à l'école de Reykjawik. Ce savant modeste ne parlait que l'islandais et le latin; il vint m'offrir ses services dans la langue d'Horace, et je sentis que nous étions faits pour nous comprendre. Ce fut, en effet, le seul personnage avec lequel je pus m'entretenir pendant mon séjour en Islande.

Sur trois chambres dont se composait sa maison, cet excellent homme en mit deux à notre disposition, et bientôt nous y fûmes installés avec nos bagages, dont la quantité étonna un peu les habitants de Reykjawik.

« Eh bien, Axel, me dit mon oncle, cela va, et le plus difficile est fait.

— Comment, le plus difficile ? m'écriai-je.

— Sans doute, nous n'avons plus qu'à descendre !

— Si vous le prenez ainsi, vous avez raison; mais

enfin, après avoir descendu, il faudra remonter, j'imagine ?

— Oh ! cela ne m'inquiète guère ! Voyons ! il n'y a pas de temps à perdre. Je vais me rendre à la bibliothèque. Peut-être s'y trouve-t-il quelque manuscrit de Saknussemm, et je serais bien aise de le consulter.

— Alors, pendant ce temps, je vais visiter la ville. Est-ce que vous n'en ferez pas autant ?

— Oh ! cela m'intéresse médiocrement. Ce qui est curieux dans cette terre d'Islande n'est pas dessus, mais dessous. »

Je sortis, et j'errai au hasard.

S'égarer dans les deux rues de Reykjawik n'eût pas été chose facile. Je ne fus donc pas obligé de demander mon chemin, ce qui, dans la langue des gestes, expose à beaucoup de mécomptes.

La ville s'allonge sur un sol assez bas et marécageux, entre deux collines. Une immense coulée de laves la couvre d'un côté et descend en rampes assez douces vers la mer. De l'autre s'étend cette vaste baie de Faxa, bornée au nord par l'énorme glacier du Sneffels, et dans laquelle la *Valkyrie* se trouvait seule à l'ancre en ce moment. Ordinairement, les gardes-pêche anglais et français s'y tiennent mouillés au large; mais ils étaient alors en service sur les côtes orientales de l'île.

La plus longue des deux rues de Reykjawik est parallèle au rivage; là demeurent les marchands et les négociants, dans des cabanes de bois faites de poutres rouges horizontalement disposées; l'autre rue, située plus à l'ouest, court vers un petit lac, entre les maisons de l'évêque et des autres personnages étrangers au commerce.

J'eus bientôt arpenté ces voies mornes et tristes; j'entrevoyais parfois un bout de gazon décoloré, comme un vieux tapis de laine râpé par l'usage, ou bien quelque apparence de verger, dont les rares légumes, pommes de terre, choux et laitues, eussent figuré à l'aise sur une table lilliputienne; quelques giroflées maladives essayaient aussi de prendre un petit air de soleil.

Vers le milieu de la rue non commerçante, je trouvai le cimetière public enclos d'un mur en terre, et dans lequel la place ne manquait pas. Puis, en quelques enjambées, j'arrivai à la maison du gouverneur, une masure comparée à l'hôtel de ville de Hambourg, un palais auprès des huttes de la population islandaise.

Entre le petit lac et la ville s'élevait l'église, bâtie dans le goût protestant et construite en pierres calcinées dont les volcans font eux-mêmes les frais d'extraction ; par les grands vents d'ouest, son toit de tuiles rouges devait évidemment se disperser dans les airs, au grand dommage des fidèles.

Sur une éminence voisine, j'aperçus l'Ecole nationale, où, comme je l'appris plus tard de notre hôte, on professait l'hébreu, l'anglais, le français et le danois, quatre langues dont, à ma honte, je ne connaissais pas le premier mot. J'aurais été le dernier des quarante élèves que comptait ce petit collège, et indigne de coucher avec eux dans ces armoires à deux compartiments où de plus délicats étoufferaient dès la première nuit.

En trois heures j'eus visité non seulement la ville, mais ses environs. L'aspect général en était singulièrement triste. Pas d'arbres, pas de végétation, pour ainsi dire. Partout les arêtes vives des roches volcaniques. Les huttes des Islandais sont faites de terre et de tourbe, et leurs murs inclinés en dedans. Elles ressemblent à des toits posés sur le sol. Seulement ces toits sont des prairies relativement fécondes. Grâce à la chaleur de l'habitation, l'herbe y pousse avec assez de perfection, et on la fauche soigneusement à l'époque de la fenaison, sans quoi les animaux domestiques viendraient paître sur ces demeures verdoyantes.

Pendant mon excursion, je rencontrai peu d'habitants. En revenant à la rue commerçante, je vis la plus grande partie de la population occupée à sécher, saler et charger des morues, principal article d'exportation. Les hommes paraissaient robustes, mais lourds, des espèces d'Allemands blonds à l'œil pensif, qui se sentent un peu en dehors de l'humanité, pauvres exilés

relégués sur cette terre de glace, dont la nature aurait
bien dû faire des Esquimaux, puisqu'elle les condam-
nait à vivre sur la limite du cercle polaire! J'essayais
en vain de surprendre un sourire sur leur visage; ils
riaient quelquefois par une sorte de contraction involontaire des muscles, mais ne souriaient jamais.

Leur costume consistait en une grossière vareuse de
laine noire, connue dans les pays scandinaves sous le
nom de « vadmel », un chapeau à vastes bords, un
pantalon à liséré rouge et un morceau de cuir replié
en manière de chaussure.

Les femmes, à figure triste et résignée, d'un type
assez agréable, mais sans expression, étaient vêtues
d'un corsage et d'une jupe de « vadmel » sombre :
filles, elles portaient sur leurs cheveux tressés en guir-
landes un petit bonnet de tricot brun; mariées, elles
entouraient leur tête d'un mouchoir de couleur, sur-
monté d'un cimier de toile blanche.

Après une bonne promenade, lorsque je rentrai dans
la maison de M. Fridriksson, mon oncle s'y trouvait
déjà en compagnie de son hôte.

X

Le dîner était prêt; il fut dévoré avec avidité par le
professeur Lidenbrock, dont la diète forcée du bord
avait changé l'estomac en un gouffre profond. Ce
repas, plus danois qu'islandais, n'eut rien de remarquable en lui-même; mais notre hôte, plus islandais
que danois, me rappela les héros de l'antique hospitalité. Il me parut évident que nous étions chez lui
plus que lui-même.

La conversation se fit en langue indigène, que mon
oncle entremêlait d'allemand et M. Fridriksson de latin,
afin que je pusse la comprendre. Elle roula sur des
questions scientifiques, comme il convient à des savants;

mais le professeur Lidenbrock se tint sur la plus excessive réserve, et ses yeux me recommandaient, à chaque
phrase, un silence absolu touchant nos projets à venir.

Tout d'abord, M. Fridriksson s'enquit auprès de
mon oncle du résultat de ses recherches à la bibliothèque.

« Votre bibliothèque! s'écria ce dernier, elle ne se
compose que de livres dépareillés sur des rayons presque déserts.

— Comment! répondit M. Fridriksson, nous possé-
dons huit mille volumes, dont beaucoup sont précieux
et rares, des ouvrages en vieille langue scandinave et
toutes les nouveautés dont Copenhague nous appro-
visionne chaque année.

— Où prenez-vous ces huit mille volumes? Pour
mon compte...

— Oh! monsieur Lidenbrock, ils courent le pays.
On a le goût de l'étude dans notre vieille île de glace!
Pas un fermier, pas un pêcheur qui ne sache lire et qui
ne lise. Nous pensons que des livres, au lieu de moisir
derrière une grille de fer, loin des regards curieux, sont
destinés à s'user sous les yeux des lecteurs. Aussi ces
volumes passent-ils de main en main, feuilletés, lus et
relus, et souvent ils ne reviennent à leur rayon qu'après
un an ou deux d'absence.

— En attendant, répondit mon oncle avec un certain dépit, les étrangers...

— Que voulez-vous! les étrangers ont chez eux leurs
bibliothèques, et, avant tout, il faut que nos paysans
s'instruisent. Je vous le répète, l'amour de l'étude est
dans le sang islandais. Aussi, en 1816, nous avons
fondé une Société littéraire qui va bien; des savants
étrangers s'honorent d'en faire partie; elle publie des
livres destinés à l'éducation de nos compatriotes et
rend de véritables services au pays. Si vous voulez
être un de nos membres correspondants, monsieur
Lidenbrock, vous nous ferez le plus grand plaisir. »

Mon oncle, qui appartenait déjà à une centaine de
sociétés scientifiques, accepta avec une bonne grâce
dont fut touché M. Fridriksson.

« Maintenant, reprit celui-ci, veuillez m'indiquer les livres que vous espériez trouver à notre bibliothèque, et je pourrai peut-être vous renseigner à leur égard. »

Je regardai mon oncle. Il hésita à répondre. Cela touchait directement à ses projets. Cependant, après avoir réfléchi, il se décida à parler.

« Monsieur Fridriksson, dit-il, je voulais savoir si, parmi les ouvrages anciens, vous possédiez ceux d'Arne Saknussemm ?

— Arne Saknussemm! répondit le professeur de Reykjawik. Vous voulez parler de ce savant du XVIᵉ siècle, à la fois grand naturaliste, grand alchimiste et grand voyageur ?

— Précisément.

— Une des gloires de la littérature et de la science islandaises ?

— Comme vous dites.

— Un homme illustre entre tous ?

— Je vous l'accorde.

— Et dont l'audace égalait le génie ?

— Je vois que vous le connaissez bien. »

Mon oncle nageait dans la joie à entendre parler ainsi de son héros. Il dévorait des yeux M. Fridriksson.

« Eh bien! demanda-t-il, ses ouvrages ?

— Ah! ses ouvrages, nous ne les avons pas.

— Quoi! en Islande ?

— Ils n'existent ni en Islande ni ailleurs.

— Et pourquoi ?

— Parce que Arne Saknussemm fut persécuté pour cause d'hérésie, et qu'en 1573 ses ouvrages furent brûlés à Copenhague par la main du bourreau.

— Très bien! Parfait! s'écria mon oncle, au grand scandale du professeur de sciences naturelles.

— Hein ? fit ce dernier.

— Oui! tout s'explique, tout s'enchaîne, tout est clair, et je comprends pourquoi Saknussemm, mis à l'index et forcé de cacher les découvertes de son génie, a dû enfouir dans un incompréhensible cryptogramme le secret...

— Quel secret ? demanda vivement M. Fridriksson.

— Un secret qui... dont..., répondit mon oncle en balbutiant.

— Est-ce que vous auriez quelque document particulier ? reprit notre hôte.

— Non... Je faisais une pure supposition.

— Bien, répondit M. Fridriksson, qui eut la bonté de ne pas insister en voyant le trouble de son interlocuteur. J'espère, ajouta-t-il, que vous ne quitterez pas notre île sans avoir puisé à ses richesses minéralogiques ?

— Certes, répondit mon oncle; mais j'arrive un peu tard; des savants ont déjà passé par ici ?

— Oui, monsieur Lidenbrock; les travaux de MM. Olafsen et Povelsen exécutés par ordre du roi, les études de Troïl, la mission scientifique de MM. Gaimard et Robert, à bord de la corvette française *La Recherche*[1], et dernièrement, les observations de savants embarqués sur la frégate *La Reine-Hortense* ont puissamment contribué à la reconnaissance de l'Islande. Mais, croyez-moi, il y a encore à faire.

— Vous pensez ? demanda mon oncle d'un air bonhomme, en essayant de modérer l'éclair de ses yeux.

— Oui. Que de montagnes, de glaciers, de volcans à étudier, qui sont peu connus! Et tenez, sans aller plus loin, voyez ce mont qui s'élève à l'horizon. C'est le Sneffels.

— Ah! fit mon oncle, le Sneffels.

— Oui, l'un des volcans les plus curieux et dont on visite rarement le cratère.

— Eteint ?

— Oh! éteint depuis cinq cents ans.

— Eh bien! répondit mon oncle, qui se croisait frénétiquement les jambes pour ne pas sauter en l'air, j'ai envie de commencer mes études géologiques par ce Seffel... Fessel... comment dites-vous ?

— Sneffels », reprit l'excellent M. Fridriksson.

---

1. *La Recherche* fut envoyée en 1835 par l'amiral Duperré pour retrouver les traces d'une expédition perdue, celle de M. de Blosseville et de *La Lilloise*, dont on n'a jamais eu de nouvelles.

Cette partie de la conversation avait eu lieu en latin ; j'avais tout compris, et je gardais à peine mon sérieux à voir mon oncle contenir sa satisfaction qui débordait de toutes parts ; il essayait de prendre un petit air innocent qui ressemblait à la grimace d'un vieux diable.

« Oui, fit-il, vos paroles me décident ! Nous essaierons de gravir ce Sneffels, peut-être même d'étudier son cratère !

— Je regrette bien, répondit M. Fridriksson, que mes occupations ne me permettent pas de m'absenter ; je vous aurais accompagné avec plaisir et profit.

— Oh ! non, oh ! non, répondit vivement mon oncle ; nous ne voulons déranger personne, monsieur Fridriksson ; je vous remercie de tout mon cœur. La présence d'un savant tel que vous eût été très utile, mais les devoirs de votre profession... »

J'aime à penser que notre hôte, dans l'innocence de son âme islandaise, ne comprit pas les grosses malices de mon oncle.

« Je vous approuve fort, monsieur Lidenbrock, dit-il, de commencer par ce volcan. Vous ferez là une ample moisson d'observations curieuses. Mais, dites-moi, comment comptez-vous gagner la presqu'île du Sneffels ?

— Par mer, en traversant la baie. C'est la route la plus rapide.

— Sans doute ; mais elle est impossible à prendre.

— Pourquoi ?

— Parce que nous n'avons pas un seul canot à Reykjawik.

— Diable !

— Il faudra aller par terre, en suivant la côte. Ce sera plus long, mais plus intéressant.

— Bon. Je verrai à me procurer un guide.

— J'en ai précisément un à vous offrir.

— Un homme sûr, intelligent ?

— Oui, un habitant de la presqu'île. C'est un chasseur d'eider, fort habile, et dont vous serez content. Il parle parfaitement le danois.

— Et quand pourrai-je le voir ?

— Demain, si cela vous plaît.

— Pourquoi pas aujourd'hui ?

— C'est qu'il n'arrive que demain.

— A demain donc », répondit mon oncle avec un soupir.

Cette importante conversation se termina quelques instants plus tard par de chaleureux remerciements du professeur allemand au professeur islandais. Pendant ce d ner, mon oncle venait d'apprendre des choses importantes, entre autres l'histoire de Saknussemm, la raison de son document mystérieux, comme quoi son hôte ne l'accompagnerait pas dans son expédition, et que dès le lendemain un guide serait à ses ordres.

XI

Le soir, je fis une courte promenade sur les rivages de Reykjawik, et je revins de bonne heure me coucher dans mon lit de grosses planches, où je dormis d'un profond sommeil.

Quand je me réveillai, j'entendis mon oncle parler abondamment dans la salle voisine. Je me levai aussitôt et je me hâtai d'aller le rejoindre.

Il causait en danois avec un homme de haute taille, vigoureusement découplé. Ce grand gaillard devait être d'une force peu commune. Ses yeux, percés dans une tête très grosse et assez naïve, me parurent intelligents. Ils étaient d'un bleu rêveur. De longs cheveux, qui eussent passé pour roux, même en Angleterre, tombaient sur ses athlétiques épaules. Cet indigène avait les mouvements souples, mais il remuait peu les bras, en homme qui ignorait ou dédaignait la langue des gestes. Tout en lui révélait un tempérament d'un calme parfait, non pas indolent, mais tranquille. On sentait qu'il ne demandait rien à personne, qu'il travaillait à sa convenance, et que, dans ce monde, sa philosophie ne pouvait être ni étonnée ni troublée.

Je surpris les nuances de ce caractère, à la manière dont l'Islandais écouta le verbiage passionné de son interlocuteur. Il demeurait les bras croisés, immobile au milieu des gestes multipliés de mon oncle; pour nier, sa tête tournait de gauche à droite; elle s'inclinait pour affirmer, et cela si peu, que ses longs cheveux bougeaient à peine. C'était l'économie du mouvement poussée jusqu'à l'avarice.

Certes, à voir cet homme, je n'aurais jamais deviné sa profession de chasseur; celui-là ne devait pas effrayer le gibier, à coup sûr, mais comment pouvait-il l'atteindre?

Tout s'expliqua quand M. Fridriksson m'apprit que ce tranquille personnage n'était qu'un « chasseur d'eider », oiseau dont le duvet constitue la plus grande richesse de l'île. En effet, ce duvet s'appelle l'édredon, et il ne faut pas une grande dépense de mouvement pour le recueillir.

Aux premiers jours de l'été, la femelle de l'eider, sorte de joli canard, va bâtir son nid parmi les rochers des fjörds[1] dont la côte est toute frangée. Ce nid bâti, elle le tapisse avec de fines plumes qu'elle s'arrache du ventre. Aussitôt le chasseur, ou mieux le négociant, arrive, prend le nid, et la femelle de recommencer son travail. Cela dure ainsi tant qu'il lui reste quelque duvet. Quand elle s'est entièrement dépouillée, c'est au mâle de se plumer à son tour. Seulement, comme la dépouille dure et grossière de ce dernier n'a aucune valeur commerciale, le chasseur ne prend pas la peine de lui voler le lit de sa couvée; le nid s'achève donc; la femelle pond ses œufs; les petits éclosent, et, l'année suivante, la récolte de l'édredon recommence.

Or, comme l'eider ne choisit pas les rocs escarpés pour y bâtir son nid, mais plutôt ces roches faciles et horizontales qui vont se perdre en mer, le chasseur

---

1. Nom donné aux golfes étroits dans les pays scandinaves.

islandais pouvait exercer son métier sans grande agitation. C'était un fermier qui n'avait ni à semer ni à couper sa moisson, mais à la récolter seulement.

Ce personnage grave, flegmatique et silencieux, se nommait Hans Bjelke; il venait à la recommandation de M. Fridriksson. C'était notre futur guide. Ses manières contrastaient singulièrement avec celles de mon oncle.

Cependant ils s'entendirent facilement. Ni l'un ni l'autre ne regardaient au prix; l'un prêt à accepter ce qu'on lui offrait, l'autre prêt à donner ce qui lui serait demandé. Jamais marché ne fut plus facile à conclure.

Or, des conventions il résulta que Hans s'engageait à nous conduire au village de Stapi, situé sur la côte méridionale de la presqu'île du Sneffels, au pied même du volcan. Il fallait compter par terre vingt-deux milles environ, voyage à faire en deux jours, suivant l'opinion de mon oncle.

Mais quand il apprit qu'il s'agissait de milles danois de vingt-quatre mille pieds, il dut rabattre de son calcul et compter, vu l'insuffisance des chemins, sur sept ou huit jours de marche.

Quatre chevaux devaient être mis à sa disposition, deux pour le porter, lui et moi, deux autres destinés à nos bagages. Hans, suivant son habitude, irait à pied. Il connaissait parfaitement cette partie de la côte, et il promit de prendre par le plus court.

Son engagement avec mon oncle n'expirait pas à notre arrivée à Stapi; il demeurait à son service pendant tout le temps nécessaire à ses excursions scientifiques, au prix de trois rixdales par semaine [1]. Seulement, il fut expressément convenu que cette somme serait comptée au guide chaque samedi soir, condition *sine qua non* de son engagement.

Le départ fut fixé au 16 juin. Mon oncle voulut remettre au chasseur les arrhes du marché, mais celui-ci refusa d'un mot.

« Efter, dit-il.

1. 16 francs 98 centimes.

— Après », me dit le professeur pour mon édification.

Hans, le traité conclu, se retira tout d'une pièce.

« Un fameux homme, s'écria mon oncle, mais il ne s'attend guère au merveilleux rôle que l'avenir lui réserve de jouer.

— Il nous accompagne donc jusqu'au...

— Oui, Axel, jusqu'au centre de la terre. »

Quarante-huit heures restaient encore à passer; à mon grand regret, je dus les employer à nos préparatifs; toute notre intelligence fut employée à disposer chaque objet de la façon la plus avantageuse, les instruments d'un côté, les armes d'un autre, les outils dans ce paquet, les vivres dans celui-là. En tout quatre groupes.

Les instruments comprenaient :

1º Un thermomètre centigrade de Eigel, gradué jusqu'à cent cinquante degrés, ce qui me paraissait trop ou pas assez. Trop, si la chaleur ambiante devait monter là, auquel cas nous aurions cuit. Pas assez, s'il s'agissait de mesurer la température de sources ou toute autre matière en fusion;

2º Un manomètre à air comprimé, disposé de manière à indiquer les pressions supérieures à celles de l'atmosphère au niveau de l'Océan. En effet, le baromètre ordinaire n'eût pas suffi, la pression atmosphérique devant augmenter proportionnellement à notre descente au-dessous de la surface de la terre;

3º Un chronomètre de Boissonnas jeune de Genève, parfaitement réglé au méridien de Hambourg;

4º Deux boussoles d'inclinaison et de déclinaison;

5º Une lunette de nuit;

6º Deux appareils de Ruhmkorff, qui, au moyen d'un courant électrique, donnaient une lumière très portative, sûre et peu encombrante [1].

---

1. L'appareil de M. Ruhmkorff consiste en une pile de Bunzen, mise en activité au moyen du bichromate de potasse, qui ne donne aucune odeur; une bobine d'induction met l'électricité produite par la pile en communication avec une lanterne d'une disposition particulière; dans cette lanterne se trouve un serpentin de verre où le vide a été fait, et dans lequel reste seulement un résidu de gaz carbonique

Les armes consistaient en deux carabines de Purdley More et Co., et de deux revolvers Colt. Pourquoi des armes ? Nous n'avions ni sauvages ni bêtes féroces à redouter, je suppose. Mais mon oncle paraissait tenir à son arsenal comme à ses instruments, surtout à une notable quantité de fulmicoton inaltérable à l'humidité, et dont la force expansive est très supérieure à celle de la poudre ordinaire.

Les outils comprenaient deux pics, deux pioches, une échelle de soie, trois bâtons ferrés, une hache, un marteau, une douzaine de coins et pitons de fer, et de longues cordes à nœuds. Cela ne laissait pas de faire un fort colis, car l'échelle mesurait trois cents pieds de longueur.

Enfin il y avait des provisions; le paquet n'était pas gros, mais rassurant, car je savais qu'en viande concentrée et en biscuits secs il contenait pour six mois de vivres. Le genièvre en formait toute la partie liquide, et l'eau manquait totalement; mais nous avions des gourdes, et mon oncle comptait sur les sources pour les remplir; les objections que j'avais pu faire sur leur qualité, leur température et même leur absence, étaient restées sans succès.

Pour compléter la nomenclature exacte de nos articles de voyage, je noterai une pharmacie portative contenant des ciseaux à lames mousses, des attelles pour fracture, une pièce de ruban en fil écru, des bandes et compresses, du sparadrap, une palette pour saignée, toutes choses effrayantes; de plus, une série de flacons contenant de la dextrine, de l'alcool vulné-

ou d'azote. Quand l'appareil fonctionne, ce gaz devient lumineux en produisant une lumière blanchâtre et continue. La pile et la bobine sont placées dans un sac de cuir que le voyageur porte en bandoulière. La lanterne, placée extérieurement, éclaire très suffisamment dans les profondes obscurités; elle permet de s'aventurer, sans craindre aucune explosion, au milieu des gaz les plus inflammables, et ne s'éteint pas même au sein des plus profonds cours d'eau. M. Ruhmkorff est un savant et un habile physicien. Sa grande découverte, c'est sa bobine d'induction qui permet de produire de l'électricité à haute tension. Il vient d'obtenir, en 1864, le prix quinquennal de 50 000 fr. que la France réservait à la plus ingénieuse application de l'électricité.

raire, de l'acétate de plomb liquide, de l'éther, du vinaigre et de l'ammoniaque, toutes drogues d'un emploi peu rassurant; enfin les matières nécessaires aux appareils de Ruhmkorff.

Mon oncle n'avait eu garde d'oublier la provision de tabac, de poudre de chasse et d'amadou, non plus qu'une ceinture de cuir qu'il portait autour des reins et où se trouvait une suffisante quantité de monnaie d'or, d'argent et de papier. De bonnes chaussures, rendues imperméables par un enduit de goudron et de gomme élastique, se trouvaient au nombre de six paires dans le groupe des outils.

« Ainsi vêtus, chaussés, équipés, il n'y a aucune raison pour ne pas aller loin », me dit mon oncle.

La journée du 14 fut employée tout entière à disposer ces différents objets. Le soir, nous dînâmes chez le baron Trampe, en compagnie du maire de Reykjawik et du docteur Hyaltalin, le grand médecin du pays. M. Fridriksson n'était pas au nombre des convives; j'appris plus tard que le gouverneur et lui se trouvaient en désaccord sur une question d'administration et ne se voyaient pas. Je n'eus donc pas l'occasion de comprendre un mot de ce qui se dit pendant ce dîner semi-officiel. Je remarquai seulement que mon oncle parla tout le temps.

Le lendemain 15, les préparatifs furent achevés. Notre hôte fit un sensible plaisir au professeur en lui remettant une carte de l'Islande, incomparablement plus parfaite que celle d'Handerson, la carte de M. Olaf Nikolas Olsen, réduite au 1/480 000, et publiée par la Société littéraire islandaise, d'après les travaux géodésiques de M. Scheel Frisac, et le levé topographique de M. Bjorn Gumlaugsonn. C'était un précieux document pour un minéralogiste.

La dernière soirée se passa dans une intime causerie avec M. Fridriksson, pour lequel je me sentais pris d'une vive sympathie; puis, à la conversation, succéda un sommeil assez agité, de ma part du moins.

A cinq heures du matin, le hennissement de quatre chevaux qui piaffaient sous ma fenêtre me réveilla. Je m'habillai à la hâte, et je descendis dans la rue. Là, Hans achevait de charger nos bagages sans se remuer, pour ainsi dire. Cependant il opérait avec une adresse peu commune. Mon oncle faisait plus de bruit que de besogne, et le guide paraissait se soucier fort peu de ses recommandations.

Tout fut terminé à six heures. M. Fridriksson nous serra les mains. Mon oncle le remercia en islandais de sa bienveillante hospitalité, et avec beaucoup de cœur. Quant à moi, j'ébauchai dans mon meilleur latin quelque salut cordial; puis nous nous mîmes en selle, et M. Fridriksson me lança avec son dernier adieu ce vers que Virgile sembla avoir fait pour nous, voyageurs incertains de la route :

Et quacumque viam dederit fortuna sequamur.

XII

Nous étions partis par un temps couvert, mais fixe. Pas de fatigantes chaleurs à redouter, ni pluies désastreuses. Un temps de touristes.

Le plaisir de courir à cheval à travers un pays inconnu me rendait de facile composition sur le début de l'entreprise. J'étais tout entier au bonheur de l'excursionniste, fait de désirs et de liberté. Je commençais à prendre mon parti de l'affaire.

« D'ailleurs, me disais-je, qu'est-ce que je risque ? de voyager au milieu du pays le plus curieux! de gravir une montagne fort remarquable! au pis aller, de descendre au fond d'un cratère éteint! Il est bien évident que ce Saknussemm n'a pas fait autre chose. Quant à l'existence d'une galerie qui aboutisse au centre du globe, pure imagination! pure impossibilité! Donc, ce qu'il y a de bon à prendre de cette expédition, prenons-le, et sans marchander. »

Ce raisonnement à peine achevé, nous avions quitté Reykjawik.

Hans marchait en tête, d'un pas rapide, égal, continu. Les deux chevaux chargés de nos bagages le suivaient, sans qu'il fût nécessaire de les diriger. Mon oncle et moi, nous venions ensuite, et vraiment sans faire trop mauvaise figure sur nos bêtes petites, mais vigoureuses.

L'Islande est une des plus grandes îles de l'Europe. Elle mesure quatorze cents milles de surface, et ne compte que soixante mille habitants. Les géographes l'ont divisée en quatre quartiers, et nous avions à traverser presque obliquement celui qui porte le nom de Pays du quart du Sud-Ouest, « Sudvestr Fjord-ùngr ».

Hans, en laissant Reykjawik, avait immédiatement suivi les bords de la mer. Nous traversions de maigres pâturages qui se donnaient bien du mal pour être verts; le jaune réussissait mieux. Les sommets rugueux des masses trachytiques s'estompaient à l'horizon dans les brumes de l'est; par moments, quelques plaques de neige, concentrant la lumière diffuse, resplendissaient sur le versant des cimes éloignées; certains pics, plus hardiment dressés, trouaient les nuages gris et réapparaissaient au-dessus des vapeurs mouvantes, semblables à des écueils émergés en plein ciel.

Souvent ces chaînes de rocs arides faisaient une pointe vers la mer et mordaient sur le pâturage; mais il restait toujours une place suffisante pour passer. Nos chevaux, d'ailleurs, choisissaient d'instinct les endroits propices sans jamais ralentir leur marche. Mon oncle n'avait pas même la consolation d'exciter sa monture de la voix ou du fouet; il ne lui était pas permis d'être impatient. Je ne pouvais m'empêcher de sourire en le voyant si grand sur son petit cheval, et, comme ses longues jambes rasaient le sol, il ressemblait à un Centaure à six pieds.

« Bonne bête! bonne bête! disait-il. Tu verras, Axel, que pas un animal ne l'emporte en intelligence sur le cheval islandais. Neiges, tempêtes, chemins imprati-

cables, rochers, glaciers, rien ne l'arrête. Il est brave,
il est sobre, il est sûr. Jamais un faux pas, jamais une
réaction. Qu'il se présente quelque rivière, quelque
fjörd à traverser, et il s'en présentera, tu le verras
sans hésiter se jeter à l'eau comme un amphibie, et
gagner le bord opposé! Mais ne le brusquons pas,
laissons-le agir, et nous ferons, l'un portant l'autre,
nos dix lieues par jour.

— Nous, sans doute, répondis-je, mais le guide ?

— Oh! il ne m'inquiète guère. Ces gens-là, cela
marche sans s'en apercevoir. Celui-ci se remue si peu
qu'il ne doit pas se fatiguer. D'ailleurs, au besoin, je
lui céderai ma monture. Les crampes me prendraient
bientôt, si je ne me donnais pas quelque mouvement.
Les bras vont bien, mais il faut songer aux jambes. »

Cependant nous avancions d'un pas rapide. Le
pays était déjà à peu près désert. Çà et là une ferme
isolée, quelque boër [1] solitaire, bâti de bois, de terre,
de morceaux de lave, apparaissait comme un men-
diant au bord d'un chemin creux. Ces huttes délabrées
avaient l'air d'implorer la charité des passants, et,
pour un peu, on leur eût fait l'aumône. Dans ce pays,
les routes, les sentiers même manquaient absolument,
et la végétation, si lente qu'elle fût, avait vite fait
d'effacer le pas des rares voyageurs.

Pourtant, cette partie de la province, située à deux
pas de sa capitale, comptait parmi les portions habitées
et cultivées de l'Islande. Qu'étaient alors les contrées
plus désertes que ce désert ? Un demi-mille franchi,
nous n'avions encore rencontré ni un fermier sur la
porte de sa chaumière, ni un berger sauvage paissant
un troupeau moins sauvage que lui; seulement
quelques vaches et des moutons abandonnés à eux-
mêmes. Que seraient donc les régions convulsionnées,
bouleversées par les phénomènes éruptifs, nées des
explosions volcaniques et des commotions souterraines ?

Nous étions destinés à les connaître plus tard; mais,

1. Maison du paysan islandais.

en consultant la carte d'Olsen, je vis qu'on les évitait en longeant la sinueuse lisière du rivage. En effet, le grand mouvement plutonique s'est concentré surtout à l'intérieur de l'île; là les couches horizontales de roches superposées, appelées trapps en langue scandinave, les bandes trachytiques, les éruptions de basalte, de tufs, de tous les conglomérats volcaniques, les coulées de lave et de porphyre en fusion, ont fait un pays d'une surnaturelle horreur. Je ne me doutais guère alors du spectacle qui nous attendait à la presqu'île du Sneffels, où ces dégâts d'une nature fougueuse forment un formidable chaos.

Deux heures après avoir quitté Reykjawik, nous arrivions au bourg de Gufunes, appelé « Aoalkirkja » ou Eglise principale. Il n'offrait rien de remarquable. Quelques maisons seulement. A peine de quoi faire un hameau de l'Allemagne.

Hans s'y arrêta une demi-heure; il partagea notre frugal déjeuner, répondit par oui ou par non aux questions de mon oncle sur la nature de la route, et lorsqu'on lui demanda en quel endroit il comptait passer la nuit :

« Gardär », dit-il seulement.

Je consultai la carte pour savoir ce qu'était Gardär. Je vis une bourgade de ce nom sur les bords du Hvalfjörd, à quatre milles de Reykjawik. Je la montrai à mon oncle.

« Quatre milles seulement ! dit-il. Quatre milles sur vingt-deux ! Voilà une jolie promenade. »

Il voulut faire une observation au guide, qui, sans lui répondre, reprit la tête des chevaux et se remit en marche.

Trois heures plus tard, toujours en foulant le gazon décoloré des pâturages, il fallut contourner le Kollafjörd, détour plus facile et moins long qu'une traversée de ce golfe. Bientôt nous entrions dans un « pingstaœr », lieu de juridiction communale, nommé Ejulberg, et dont le clocher eût sonné midi, si les églises islandaises avaient été assez riches pour posséder une horloge; mais elles ressemblent fort à leurs paroissiens, qui n'ont pas de montres, et qui s'en passent.

Là, les chevaux furent rafraîchis ; puis, prenant par un rivage resserré entre une chaîne de collines et la mer, ils nous portèrent d'une traite à l' « aoalkirkja » de Brantär, et un mille plus loin à Saurböer « Annexia », église annexe, située sur la rive méridionale du Hvalfjörd.

Il était alors quatre heures du soir ; nous avions franchi quatre milles [1].

Le fjörd était large en cet endroit d'un demi-mille au moins ; les vagues déferlaient avec bruit sur les rocs aigus ; ce golfe s'évasait entre des murailles de rochers, sorte d'escarpe à pic haute de trois mille pieds et remarquable par ses couches brunes que séparaient des lits de tuf d'une nuance rougeâtre. Quelle que fût l'intelligence de nos chevaux, je n'augurais pas bien de la traversée d'un véritable bras de mer opérée sur le dos d'un quadrupède.

« S'ils sont intelligents, dis-je, ils n'essaieront point de passer. En tout cas, je me charge d'être intelligent pour eux. »

Mais mon oncle ne voulait pas attendre. Il piqua des deux vers le rivage. Sa monture vint flairer la dernière ondulation des vagues et s'arrêta. Mon oncle, qui avait son instinct à lui, la pressa davantage. Nouveau refus de l'animal, qui secoua la tête. Alors jurons et coups de fouet, mais ruades de la bête, qui commença à désarçonner son cavalier. Enfin le petit cheval, ployant ses jarrets, se retira des jambes du professeur et le laissa tout droit planté sur deux pierres du rivage, comme le colosse de Rhodes.

« Ah ! maudit animal ! s'écria le cavalier, subitement transformé en piéton, et honteux comme un officier de cavalerie qui passerait fantassin.

— Färja, fit le guide en lui touchant l'épaule.

— Quoi ! un bac ?

— Der, répondit Hans en montrant un bateau.

— Oui, m'écriai-je, il y a un bac.

1. Huit lieues.

— Il fallait donc le dire ! Eh bien, en route !

— Tidvatten, reprit le guide.

— Que dit-il ?

— Il dit marée, répondit mon oncle en me traduisant le mot danois.

— Sans doute, il faut attendre la marée ?

— Förbida ? demanda mon oncle.

— Ja », répondit Hans.

Mon oncle frappa du pied, tandis que les chevaux se dirigeaient vers le bac.

Je compris parfaitement la nécessité d'attendre un certain instant de la marée pour entreprendre la traversée du fjörd, celui où la mer, arrivée à sa plus grande hauteur, est étale. Alors le flux et le reflux n'ont aucune action sensible, et le bac ne risque pas d'être entraîné, soit au fond du golfe, soit en plein Océan.

L'instant favorable n'arriva qu'à six heures du soir ; mon oncle, moi, le guide, deux passeurs et les quatre chevaux, nous avions pris place dans une sorte de barque plate assez fragile. Habitué que j'étais aux bacs à vapeur de l'Elbe, je trouvai les rames des bateliers un triste engin mécanique. Il fallut plus d'une heure pour traverser le fjörd ; mais enfin le passage se fit sans accident.

Une demi-heure après, nous atteignions l' « aoal-kirkja » de Gardär.

XIII

Il aurait dû faire nuit, mais sous le soixante-cinquième parallèle, la clarté nocturne des régions polaires ne devait pas m'étonner ; en Islande, pendant les mois de juin et juillet, le soleil ne se couche pas.

Néanmoins la température s'était abaissée. J'avais froid, et surtout faim. Bienvenu fut le « boër » qui s'ouvrit hospitalièrement pour nous recevoir.

C'était la maison d'un paysan, mais, en fait d'hospitalité, elle valait celle d'un roi. A notre arrivée, le maître vint nous tendre la main, et, sans plus de cérémonie, il nous fit signe de le suivre.

Le suivre en effet, car l'accompagner eût été impossible. Un passage long, étroit, obscur, donnait accès dans cette habitation construite en poutres à peine équarries et permettait d'arriver à chacune des chambres; celles-ci étaient au nombre de quatre : la cuisine, l'atelier de tissage, la « badstofa », chambre à coucher de la famille, et, la meilleure entre toutes, la chambre des étrangers. Mon oncle, à la taille duquel on n'avait pas songé en bâtissant la maison, ne manqua pas de donner trois ou quatre fois de la tête contre les saillies du plafond.

On nous introduisit dans notre chambre, sorte de grande salle avec un sol de terre battue et éclairée d'une fenêtre dont les vitres étaient faites de membranes de mouton assez peu transparentes. La literie se composait de fourrage sec jeté dans deux cadres de bois peints en rouge et ornés de sentences islandaises. Je ne m'attendais pas à ce confortable; seulement il régnait dans cette maison une forte odeur de poisson sec, de viande macérée et de lait aigre dont mon odorat se trouvait assez mal.

Lorsque nous eûmes mis de côté notre harnachement de voyageurs, la voix de l'hôte se fit entendre, qui nous conviait à passer dans la cuisine, seule pièce où l'on fît du feu, même par les plus grands froids.

Mon oncle se hâta d'obéir à cette amicale injonction. Je le suivis.

La cheminée de la cuisine était d'un modèle antique; au milieu de la chambre, une pierre pour tout foyer; au toit, un trou par lequel s'échappait la fumée. Cette cuisine servait aussi de salle à manger.

A notre entrée, l'hôte, comme s'il ne nous avait pas encore vus, nous salua du mot « sællvertu », qui signifie « soyez heureux », et il vint nous baiser sur la joue.

Sa femme, après lui, prononça les mêmes paroles, accompagnées du même cérémonial; puis les deux

époux, plaçant la main droite sur leur cœur, s'incli-
nèrent profondément.

Je me hâte de dire que l'Islandaise était mère de
dix-neuf enfants, tous, grands et petits, grouillant
pêle-mêle au milieu des volutes de fumée dont le foyer
remplissait la chambre. A chaque instant j'apercevais
une petite tête blonde et un peu mélancolique sortir de
ce brouillard. On eût dit une guirlande d'anges insuf-
fisamment débarbouillés.

Mon oncle et moi, nous fîmes très bon accueil à
cette « couvée »; bientôt il y eut trois ou quatre de ces
marmots sur nos épaules, autant sur nos genoux et le
reste entre nos jambes. Ceux qui parlaient répétaient
« sællvertu » dans tous les tons imaginables. Ceux qui
ne parlaient pas n'en criaient que mieux.

Ce concert fut interrompu par l'annonce du repas.
En ce moment rentra le chasseur, qui venait de pour-
voir à la nourriture des chevaux, c'est-à-dire qu'il les
avait économiquement lâchés à travers champs; les
pauvres bêtes devaient se contenter de brouter la
mousse rare des rochers, quelques fucus peu nourris-
sants, et le lendemain elles ne manqueraient pas de
venir d'elles-mêmes reprendre le travail de la veille.

« Sællvertu », fit Hans.

Puis tranquillement, automatiquement, sans qu'un
baiser fût plus accentué que l'autre, il embrassa l'hôte,
l'hôtesse et leurs dix-neuf enfants.

La cérémonie terminée, on se mit à table, au nombre
de vingt-quatre, et par conséquent les uns sur les autres,
dans le véritable sens de l'expression. Les plus favorisés
n'avaient que deux marmots sur les genoux.

Cependant le silence se fit dans ce petit monde à
l'arrivée de la soupe, et la taciturnité naturelle, même
aux gamins islandais, reprit son empire. L'hôte nous
servit une soupe au lichen et point désagréable, puis
une énorme portion de poisson sec nageant dans du
beurre aigri depuis vingt ans, et par conséquent bien
préférable au beurre frais, d'après les idées gastrono-
miques de l'Islande. Il y avait avec cela du « skyr »,
sorte de lait caillé, accompagné de biscuit et relevé

par du jus de baies de genièvre; enfin, pour boisson, du petit-lait mêlé d'eau, nommé « blanda » dans le pays. Si cette singulière nourriture était bonne ou non, c'est ce dont je ne pus juger. J'avais faim, et, au dessert, j'avalai jusqu'à la dernière bouchée une épaisse bouillie de sarrasin.

Le repas terminé, les enfants disparurent; les grandes personnes entourèrent le foyer où brûlaient de la tourbe, des bruyères, du fumier de vache et des os de poissons desséchés. Puis, après cette « prise de chaleur », les divers groupes regagnèrent leurs chambres respectives. L'hôtesse offrit de nous retirer, suivant la coutume, nos bas et nos pantalons; mais, sur un refus des plus gracieux de notre part, elle n'insista pas, et je pus enfin me blottir dans ma couche de fourrage.

Le lendemain, à cinq heures, nous faisions nos adieux au paysan islandais; mon oncle eut beaucoup de peine à lui faire accepter une rémunération convenable, et Hans donna le signal du départ.

A cent pas de Gardär, le terrain commença à changer d'aspect; le sol devint marécageux et moins favorable à la marche. Sur la droite, la série des montagnes se prolongeait indéfiniment comme un immense système de fortifications naturelles, dont nous suivions la contrescarpe; souvent des ruisseaux se présentaient à franchir qu'il fallait nécessairement passer à gué et sans trop mouiller les bagages.

Le désert se faisait de plus en plus profond; quelquefois, cependant, une ombre humaine semblait fuir au loin; si les détours de la route nous rapprochaient inopinément de l'un de ces spectres, j'éprouvais un dégoût soudain à la vue d'une tête gonflée, à peau luisante, dépourvue de cheveux, et de plaies repoussantes que trahissaient les déchirures de misérables haillons.

La malheureuse créature ne venait pas tendre sa main déformée; elle se sauvait, au contraire, mais pas si vite que Hans ne l'eût saluée du « sællvertu » habituel.

« Spetelsk, disait-il.

— Un lépreux ! » répétait mon oncle.

Et ce mot seul produisait son effet répulsif. Cette horrible affection de la lèpre est assez commune en Islande ; elle n'est pas contagieuse, mais héréditaire ; aussi le mariage est-il interdit à ces misérables.

Ces apparitions n'étaient pas de nature à égayer le paysage qui devenait profondément triste ; les dernières touffes d'herbes venaient mourir sous nos pieds. Pas un arbre, si ce n'est quelques bouquets de bouleaux nains semblables à des broussailles. Pas un animal, sinon quelques chevaux, de ceux que leur maître ne pouvait nourrir, et qui erraient sur les mornes plaines. Parfois un faucon planait dans les nuages gris et s'enfuyait à tire-d'aile vers les contrées du sud ; je me laissais aller à la mélancolie de cette nature sauvage, et mes souvenirs me ramenaient à mon pays natal.

Il fallut bientôt traverser plusieurs petits fjörds sans importance, et enfin un véritable golfe ; la marée, étale alors, nous permit de passer sans attendre et de gagner le hameau d'Alftanes, situé un mille au-delà.

Le soir, après avoir coupé à gué deux rivières riches en truites et en brochets, l'Alfa et l'Heta, nous fûmes obligés de passer la nuit dans une masure abandonnée, digne d'être hantée par tous les lutins de la mythologie scandinave ; à coup sûr le génie du froid y avait élu domicile, et il fit des siennes pendant toute la nuit.

La journée suivante ne présenta aucun incident particulier. Toujours même sol marécageux, même uniformité, même physionomie triste. Le soir, nous avions franchi la moitié de la distance à parcourir, et nous couchions à « l'annexia » de Krösolbt.

Le 19 juin, pendant un mille environ, un terrain de lave s'étendit sous nos pieds ; cette disposition du sol est appelée « hraun » dans le pays ; la lave ridée à la surface affectait des formes de câbles tantôt allongés, tantôt roulés sur eux-mêmes ; une immense coulée descendait des montagnes voisines, volcans

actuellement éteints, mais dont ces débris attestaient
la violence passée. Cependant quelques fumées de
sources chaudes rampaient çà et là.

Le temps nous manquait pour observer ces phénomènes; il fallait marcher. Bientôt le sol marécageux
reparut sous le pied de nos montures; de petits lacs
l'entrecoupaient. Notre direction était alors à l'ouest;
nous avions en effet tourné la grande baie de Faxa,
et la double cime blanche du Sneffels se dressait dans
les nuages à moins de cinq milles.

Les chevaux marchaient bien; les difficultés du
sol ne les arrêtaient pas; pour mon compte, je commençais à être très fatigué; mon oncle demeurait
ferme et droit comme au premier jour; je ne pouvais
m'empêcher de l'admirer à l'égal du chasseur, qui
regardait cette expédition comme une simple promenade.

Le samedi 20 juin, à six heures du soir, nous atteignions Büdir, bourgade située sur le bord de la mer,
et le guide réclamait sa paie convenue. Mon oncle
régla avec lui. Ce fut la famille même de Hans, c'est-à-
dire ses oncles et cousins germains, qui nous offrit
l'hospitalité; nous fûmes bien reçus, et sans abuser des
bontés de ces braves gens, je me serais volontiers
refait chez eux des fatigues du voyage. Mais mon
oncle, qui n'avait rien à refaire, ne l'entendait pas
ainsi, et le lendemain il fallut enfourcher de nouveau
nos bonnes bêtes.

Le sol se ressentait du voisinage de la montagne
dont les racines de granit sortaient de terre, comme
celles d'un vieux chêne. Nous contournions l'immense
base du volcan. Le professeur ne le perdait pas des
yeux; il gesticulait, il semblait le prendre au défi et
dire : « Voilà donc le géant que je vais dompter! »
Enfin, après quatre heures de marche, les chevaux
s'arrêtèrent d'eux-mêmes à la porte du presbytère de
Stapi.

XIV

Stapi est une bourgade formée d'une trentaine de huttes, et bâtie en pleine lave sous les rayons du soleil réfléchis par le volcan. Elle s'étend au fond d'un petit fjörd encaissé dans une muraille basaltique du plus étrange effet.

On sait que le basalte est une roche brune d'origine ignée. Elle affecte des formes régulières qui surprennent par leur disposition. Ici la nature procède géométriquement et travaille à la manière humaine, comme si elle eût manié l'équerre, le compas et le fil à plomb. Si partout ailleurs elle fait de l'art avec ses grandes masses jetées sans ordre, ses cônes à peine ébauchés, ses pyramides imparfaites, avec la bizarre succession de ses lignes, ici, voulant donner l'exemple de la régularité, et précédant les architectes des premiers âges, elle a créé un ordre sévère, que ni les splendeurs de Babylone ni les merveilles de la Grèce n'ont jamais dépassé.

J'avais bien entendu parler de la Chaussée des Géants en Irlande, et de la Grotte de Fingal dans l'une des Hébrides, mais le spectacle d'une substruction basaltique ne s'était pas encore offert à mes regards.

Or, à Stapi, ce phénomène apparaissait dans toute sa beauté.

La muraille du fjörd, comme toute la côte de la presqu'île, se composait d'une suite de colonnes verticales, hautes de trente pieds. Ces fûts droits et d'une proportion pure supportaient une archivolte, faite de colonnes horizontales dont le surplombement formait demi-voûte au-dessus de la mer. A de certains intervalles, et sous cet impluvium naturel, l'œil surprenait des ouvertures ogivales d'un dessin admirable, à travers lesquelles les flots du large venaient se précipiter en écumant. Quelques tronçons de basalte arrachés par les fureurs de l'Océan, s'allongeaient sur le sol comme les débris d'un temple antique, ruines éternellement jeunes, sur lesquelles passaient les siècles sans les entamer.

Telle était la dernière étape de notre voyage terrestre. Hans nous y avait conduits avec intelligence, et je me rassurais un peu en songeant qu'il devait nous accompagner encore.

En arrivant à la porte de la maison du recteur, simple cabane basse, ni plus belle, ni plus confortable que ses voisines, je vis un homme en train de ferrer un cheval, le marteau à la main, et le tablier de cuir aux reins.

« Sællvertu, lui dit le chasseur.

— « God dag », répondit le maréchal ferrant en parfait danois.

— « Kyrkoherde », fit Hans en se retournant vers mon oncle.

— Le recteur! répéta ce dernier. Il paraît, Axel, que ce brave homme est le recteur. »

Pendant ce temps, le guide mettait le « kyrkoherde » au courant de la situation; celui-ci, suspendant son travail, poussa une sorte de cri en usage sans doute entre chevaux et maquignons, et aussitôt une grande mégère sortit de la cabane. Si elle ne mesurait pas six pieds de haut, il ne s'en fallait guère.

Je craignais qu'elle ne vînt offrir aux voyageurs le baiser islandais; mais il n'en fut rien, et même elle mit assez peu de bonne grâce à nous introduire dans sa maison.

La chambre des étrangers me parut être la plus mauvaise du presbytère, étroite, sale et infecte. Il fallut s'en contenter. Le recteur ne semblait pas pratiquer l'hospitalité antique. Loin de là. Avant la fin du jour, je vis que nous avions affaire à un forgeron, à un pêcheur, à un chasseur, à un charpentier, et pas du tout à un ministre du Seigneur. Nous étions en semaine, il est vrai. Peut-être se rattrapait-il le dimanche.

Je ne veux pas dire du mal de ces pauvres prêtres qui, après tout, sont fort misérables; ils reçoivent du

gouvernement danois un traitement ridicule et per-
çoivent le quart de la dîme de leur paroisse, ce qui ne
fait pas une somme de soixante marks courants [1].
De là, nécessité de travailler pour vivre; mais à
pêcher, à chasser, à ferrer des chevaux, on finit par
prendre les manières, le ton et les mœurs des chasseurs,
des pêcheurs et autres gens un peu rudes; le soir
même, je m'aperçus que notre hôte ne comptait pas
la sobriété au nombre de ses vertus.

Mon oncle comprit vite à quel genre d'homme il
avait affaire; au lieu d'un brave et digne savant, il
trouvait un paysan lourd et grossier. Il résolut donc
de commencer au plus tôt sa grande expédition et de
quitter cette cure peu hospitalière. Il ne regardait pas
à ses fatigues et résolut d'aller passer quelques jours
dans la montagne.

Les préparatifs de départ furent donc faits dès le
lendemain de notre arrivée à Stapi. Hans loua les
services de trois Islandais pour remplacer les chevaux
dans le transport des bagages; mais, une fois arrivés
au fond du cratère, ces indigènes devaient rebrousser
chemin et nous abandonner à nous-mêmes. Ce point
fut parfaitement arrêté.

A cette occasion, mon oncle dut apprendre au chasseur que son intention était de poursuivre la reconnaissance du volcan jusqu'à ses dernières limites.

Hans se contenta d'incliner la tête. Aller là ou
ailleurs, s'enfoncer dans les entrailles de son île ou la
parcourir, il n'y voyait aucune différence. Quant à
moi, distrait jusqu'alors par les incidents du voyage,
j'avais un peu oublié l'avenir, mais maintenant je
sentais l'émotion me reprendre de plus belle. Qu'y
faire? Si j'avais pu tenter de résister au professeur
Lidenbrock, c'était à Hambourg et non au pied du
Sneffels.

Une idée, entre toutes, me tracassait fort, idée
effrayante et faite pour ébranler des nerfs moins
sensibles que les miens.

1. Monnaie de Hambourg, 90 francs environ.

« Voyons, me disais-je, nous allons gravir le Sneffels. Bien. Nous allons visiter son cratère. Bon. D'autres l'ont fait qui n'en sont pas morts. Mais ce n'est pas tout. S'il se présente un chemin pour descendre dans les entrailles du sol, si ce malencontreux Saknussemm a dit vrai, nous allons nous perdre au milieu des galeries souterraines du volcan. Or, rien n'affirme que le Sneffels soit éteint! Qui prouve qu'une éruption ne se prépare pas? De ce que le monstre dort depuis 1229, s'ensuit-il qu'il ne puisse se réveiller? Et s'il se réveille, qu'est-ce que nous deviendrons? »

Cela demandait la peine d'y réfléchir, et j'y réfléchissais. Je ne pouvais dormir sans rêver d'éruption. Or, le rôle de scorie me paraissait assez brutal à jouer.

Enfin je n'y tins plus; je résolus de soumettre le cas à mon oncle le plus adroitement possible, et sous forme d'une hypothèse parfaitement irréalisable.

J'allai le trouver. Je lui fis part de mes craintes, et je me reculai pour le laisser éclater à son aise.

« J'y pensais », répondit-il simplement.

Que signifiaient ces paroles? Allait-il donc entendre la voix de la raison? Songeait-il à suspendre ses projets? C'était trop beau pour être possible.

Après quelques instants de silence, pendant lesquels je n'osais l'interroger, il reprit en disant :

« J'y pensais. Depuis notre arrivée à Stapi, je me suis préoccupé de la grave question que tu viens de me soumettre, car il ne faut pas agir en imprudents.

— Non, répondis-je avec force.

— Il y a six cents ans que le Sneffels est muet, mais il peut parler. Or, les éruptions sont toujours précédées de phénomènes parfaitement connus. J'ai donc interrogé les habitants du pays, j'ai étudié le sol, et je puis te le dire, Axel, il n'y aura pas d'éruption. »

A cette affirmation je restai stupéfait, et je ne pus répliquer.

« Tu doutes de mes paroles? dit mon oncle, eh bien! suis-moi. »

J'obéis machinalement. En sortant du presbytère, le professeur prit un chemin direct qui, par une ouver-

ture de la muraille basaltique, s'éloignait de la mer.
Bientôt nous étions en rase campagne, si l'on peut
donner ce nom à un amoncellement immense de déjections volcaniques. Le pays paraissait comme écrasé
sous une pluie de pierres énormes, de trapp, de basalte,
de granit et de toutes les roches pyroxéniques.

Je voyais çà et là des fumerolles monter dans les
airs; ces vapeurs blanches, nommées « reykir » en
langue islandaise, venaient des sources thermales, et
elles indiquaient, par leur violence, l'activité volcanique du sol. Cela me paraissait justifier mes craintes.
Aussi je tombai de mon haut quand mon oncle me dit :

« Tu vois toutes ces fumées, Axel; eh bien, elles
prouvent que nous n'avons rien à redouter des fureurs
du volcan!

— Par exemple! m'écriai-je.

— Retiens bien ceci, reprit le professeur : aux
approches d'une éruption, ces fumerolles redoublent
d'activité pour disparaître complètement pendant la
durée du phénomène, car les fluides élastiques,
n'ayant plus la tension nécessaire, prennent le chemin
des cratères au lieu de s'échapper à travers les fissures
du globe. Si donc ces vapeurs se maintiennent dans leur
état habituel, si leur énergie ne s'accroît pas, si tu
ajoutes à cette observation que le vent, la pluie ne sont
pas remplacés par un air lourd et calme, tu peux
affirmer qu'il n'y aura pas d'éruption prochaine.

— Mais...

— Assez. Quand la science a prononcé, il n'y a
plus qu'à se taire. »

Je revins à la cure l'oreille basse. Mon oncle m'avait
battu avec des arguments scientifiques. Cependant
j'avais encore un espoir, c'est qu'une fois arrivés au
fond du cratère, il serait impossible, faute de galerie,
de descendre plus profondément, et cela en dépit de
tous les Saknussemm du monde.

Je passai la nuit suivante en plein cauchemar au
milieu d'un volcan et des profondeurs de la terre,
je me sentis lancé dans les espaces planétaires sous la
forme de roche éruptive.

Le lendemain, 23 juin, Hans nous attendait avec ses
compagnons chargés de vivres, des outils et des instruments. Deux bâtons ferrés, deux fusils, deux car-
touchières, étaient réservés à mon oncle et à moi.
Hans, en homme de précaution, avait ajouté à nos
bagages une outre pleine qui, jointe à nos gourdes,
nous assurait de l'eau pour huit jours.

Il était neuf heures du matin. Le recteur et sa haute
mégère attendaient devant leur porte. Ils voulaient
sans doute nous adresser l'adieu suprême de l'hôte au
voyageur. Mais cet adieu prit la forme inattendue
d'une note formidable, où l'on comptait jusqu'à
l'air de la maison pastorale, air infect, j'ose le dire.
Ce digne couple nous rançonnait comme un aubergiste
suisse et portait à un beau prix son hospitalité sur-
faite.

Mon oncle paya sans marchander. Un homme
qui partait pour le centre de la terre ne regardait pas
à quelques rixdales.

Ce point réglé, Hans donna le signal du départ, et
quelques instants après nous avions quitté Stapi.

XV

Le Sneffels est haut de cinq mille pieds. Il termine,
par son double cône, une bande trachytique qui se
détache du système orographique de l'île. De notre
point de départ on ne pouvait voir ses deux pics se
profiler sur le fond grisâtre du ciel. J'apercevais seulement une énorme calotte de neige abaissée sur le front
du géant.

Nous marchions en file, précédés du chasseur;
celui-ci remontait d'étroits sentiers où deux personnes

n'auraient pu aller de front. Toute conversation devenait donc à peu près impossible.

Au-delà de la muraille basaltique du fjörd de Stapi se présenta d'abord un sol de tourbe herbacée et fibreuse, résidu de l'antique végétation des marécages de la presqu'île; la masse de ce combustible encore inexploité suffirait à chauffer pendant un siècle toute la population de l'Islande; cette vaste tourbière, mesurée du fond de certains ravins, avait souvent soixante-dix pieds de haut et présentait des couches successives de détritus carbonisés, séparées par des feuillets de tuf ponceux.

En véritable neveu du professeur Lidenbrock et malgré mes préoccupations, j'observais avec intérêt les curiosités minéralogiques étalées dans ce vaste cabinet d'histoire naturelle; en même temps je refaisais dans mon esprit toute l'histoire géologique de l'Islande.

Cette île, si curieuse, est évidemment sortie du fond des eaux à une époque relativement moderne. Peut-être même s'élève-t-elle encore par un mouvement insensible. S'il en est ainsi, on ne peut attribuer son origine qu'à l'action des feux souterrains. Donc, dans ce cas, la théorie de Humphry Davy, le document de Saknussemm, les prétentions de mon oncle, tout s'en allait en fumée. Cette hypothèse me conduisit à examiner attentivement la nature du sol, et je me rendis bientôt compte de la succession des phénomènes qui présidèrent à sa formation.

L'Islande, absolument privée de terrain sédimentaire, se compose uniquement de tuf volcanique, c'est-à-dire d'un agglomérat de pierres et de roches d'une texture poreuse. Avant l'existence des volcans, elle était faite d'un massif trappéen, lentement soulevé au-dessus des flots par la poussée des forces centrales. Les feux intérieurs n'avaient pas encore fait irruption au-dehors.

Mais, plus tard, une large fente se creusa diagonalement du sud-ouest au nord-est de l'île, par laquelle s'épancha peu à peu toute la pâte trachytique. Le phénomène s'accomplissait alors sans violence; l'issue

était énorme, et les matières fondues, rejetées des
entrailles du globe, s'étendirent tranquillement en
vastes nappes ou en masses mamelonnées. A cette
époque apparurent les feldspaths, les syénites et les
porphyres.

Mais, grâce à cet épanchement, l'épaisseur de l'île
s'accrut considérablement, et, par suite, sa force de
résistance. On conçoit quelle quantité de fluides élastiques s'emmagasina dans son sein, lorsqu'elle n'offrit
plus aucune issue, après le refroidissement de la
croûte trachytique. Il arriva donc un moment où la
puissance mécanique de ces gaz fut telle qu'ils soule-
vèrent la lourde écorce et se creusèrent de hautes
cheminées. De là le volcan fait du soulèvement de la
croûte, puis le cratère subitement troué au sommet du
volcan.

Alors aux phénomènes éruptifs succédèrent les
phénomènes volcaniques. Par les ouvertures nouvelle-
ment formées s'échappèrent d'abord les déjections
basaltiques, dont la plaine que nous traversions en
ce moment offrait à nos regards les plus merveilleux
spécimens. Nous marchions sur ces roches pesantes
d'un gris foncé que le refroidissement avait moulées
en prismes à base hexagone. Au loin se voyaient un
grand nombre de cônes aplatis, qui furent jadis autant
de bouches ignivomes.

Puis, l'éruption basaltique épuisée, le volcan, dont
la force s'accrut de celle des cratères éteints, donna
passage aux laves et à ces tufs de cendres et de scories
dont j'apercevais les longues coulées éparpillées sur ses
flancs comme une chevelure opulente.

Telle fut la succession des phénomènes qui consti-
tuèrent l'Islande; tous provenaient de l'action des
feux intérieurs, et supposer que la masse interne ne
demeurait pas dans un état permanent d'incandescente
liquidité, c'était folie. Folie surtout de prétendre
atteindre le centre du globe!

Je me rassurais donc sur l'issue de notre entreprise,
tout en marchant à l'assaut du Sneffels.

La route devenait de plus en plus difficile; le sol

montait; les éclats de roches s'ébranlaient, et il fallait la plus scrupuleuse attention pour éviter des chutes dangereuses.

Hans s'avançait tranquillement comme sur un terrain uni; parfois il disparaissait derrière les grands blocs, et nous le perdions de vue momentanément; alors un sifflement aigu, échappé de ses lèvres, indiquait la direction à suivre. Souvent aussi il s'arrêtait, ramassait quelques débris de rocs, les disposait d'une façon reconnaissable et formait ainsi des amers destinés à indiquer la route du retour. Précaution bonne en soi, mais que les événements futurs rendirent inutile.

Trois fatigantes heures de marche nous avaient amenés seulement à la base de la montagne. Là, Hans fit signe de s'arrêter, et un déjeuner sommaire fut partagé entre tous. Mon oncle mangeait les morceaux doubles pour aller plus vite. Seulement, cette halte de réfection étant aussi une halte de repos, il dut attendre le bon plaisir du guide, qui donna le signal du départ une heure après. Les trois Islandais, aussi taciturnes que leur camarade le chasseur, ne prononcèrent pas un seul mot et mangèrent sobrement.

Nous commencions maintenant à gravir les pentes du Sneffels. Son neigeux sommet, par une illusion d'optique fréquente dans les montagnes, me paraissait fort rapproché, et cependant, que de longues heures avant de l'atteindre! Quelle fatigue surtout! Les pierres qu'aucun ciment de terre, aucune herbe ne liaient entre elles, s'éboulaient sous nos pieds et allaient se perdre dans la plaine avec la rapidité d'une avalanche.

En de certains endroits, les flancs du mont faisaient avec l'horizon un angle de trente-six degrés au moins; il était impossible de les gravir, et ces raidillons pierreux devaient être tournés non sans difficulté. Nous nous prêtions alors un mutuel secours à l'aide de nos bâtons.

Je dois dire que mon oncle se tenait près de moi le plus possible; il ne me perdait pas de vue, et, en mainte occasion, son bras me fournit un solide appui. Pour son compte, il avait sans doute le sentiment inné de l'équilibre, car il ne bronchait pas. Les Islandais, quoique chargés, grimpaient avec une agilité de montagnards.

A voir la hauteur de la cime du Sneffels, il me semblait impossible qu'on pût l'atteindre de ce côté, si l'angle d'inclinaison des pentes ne se fermait pas. Heureusement, après une heure de fatigues et de tours de force, au milieu du vaste tapis de neige développé sur la croupe du volcan, une sorte d'escalier se présenta inopinément, qui simplifia notre ascension. Il était formé par l'un de ces torrents de pierres rejetées par les éruptions, et dont le nom islandais est « stinâ ». Si ce torrent n'eût pas été arrêté dans sa chute par la disposition des flancs de la montagne, il serait allé se précipiter dans la mer et former des îles nouvelles.

Tel il était, tel il nous servit fort. La roideur des pentes s'accroissait, mais ces marches de pierre permettaient de les gravir aisément, et si rapidement même, qu'étant resté un moment en arrière pendant que mes compagnons continuaient leur ascension, je les aperçus déjà réduits, par l'éloignement, à une apparence microscopique.

A sept heures du soir, nous avions monté les deux mille marches de l'escalier, et nous dominions une extumescence de la montagne, sorte d'assise sur laquelle s'appuyait le cône proprement dit du cratère.

La mer s'étendait à une profondeur de trois mille deux cents pieds. Nous avions dépassé la limite des neiges perpétuelles, assez peu élevées en Islande par suite de l'humidité constante du climat. Il faisait un froid violent. Le vent soufflait avec force. J'étais épuisé. Le professeur vit bien que mes jambes me refusaient tout service, et, malgré son impatience, il se décida à s'arrêter. Il fit donc signe au chasseur, qui secoua la tête en disant :

« Ofvanför.

— Il paraît qu'il faut aller plus haut », dit mon oncle.

Puis il demanda à Hans le motif de sa réponse.

« Mistour, répondit le guide.

— « Ja, mistour », répéta l'un des Islandais d'un ton assez effrayé.

— Que signifie ce mot ? demandai-je avec inquiétude.

— Vois », dit mon oncle.

Je portai mes regards vers la plaine. Une immense colonne de pierre ponce pulvérisée, de sable et de poussière s'élevait en tournoyant comme une trombe ; le vent la rabattait sur le flanc du Sneffels, auquel nous étions accrochés ; ce rideau opaque étendu devant le soleil produisait une grande ombre jetée sur la montagne. Si cette trombe s'inclinait, elle devait inévitablement nous enlacer dans ses tourbillons. Ce phénomène, assez fréquent lorsque le vent souffle des glaciers, prend le nom de « mistour » en langue islandaise.

« Hastigt, hastigt », s'écria notre guide.

Sans savoir le danois, je compris qu'il nous fallait suivre Hans au plus vite. Celui-ci commença à tourner le cône du cratère mais en biaisant, de manière à faciliter la marche. Bientôt la trombe s'abattit sur la montagne, qui tressaillit à son choc ; les pierres saisies dans les remous du vent volèrent en pluie comme dans une éruption. Nous étions, heureusement, sur le versant opposé et à l'abri de tout danger. Sans la précaution du guide, nos corps déchiquetés, réduits en poussière, fussent retombés au loin comme le produit de quelque météore inconnu.

Cependant Hans ne jugea pas prudent de passer la nuit sur les flancs du cône. Nous continuâmes notre ascension en zigzag ; les quinze cents pieds qui restaient à franchir prirent près de cinq heures ; les détours, les biais et contremarches mesuraient trois lieues au moins. Je n'en pouvais plus ; je succombais au froid et à la faim. L'air, un peu raréfié, ne suffisait pas au jeu de mes poumons.

Enfin, à onze heures du soir, en pleine obscurité, le sommet du Sneffels fut atteint, et, avant d'aller m'abriter à l'intérieur du cratère, j'eus le temps d'apercevoir « le soleil de minuit » au plus bas de sa carrière, projetant ses pâles rayons sur l'île endormie à mes pieds.

XVI

Le souper fut rapidement dévoré et la petite troupe
se casa de son mieux. La couche était dure, l'abri peu
solide, la situation fort pénible, à cinq mille pieds
au-dessus du niveau de la mer. Cependant mon sommeil fut particulièrement paisible pendant cette nuit,
l'une des meilleures que j'eusse passées depuis longtemps. Je ne rêvai même pas.

Le lendemain, on se réveilla à demi gelé par un air
très vif, aux rayons d'un beau soleil. Je quittai ma
couche de granit et j'allai jouir du magnifique spectacle qui se développait à mes regards.

J'occupais le sommet de l'un des deux pics du
Sneffels, celui du sud. De là, ma vue s'étendait sur la
plus grande partie de l'île. L'optique, commune à
toutes les grandes hauteurs, en relevait les rivages,
tandis que les parties centrales paraissaient s'enfoncer.
On eût dit qu'une de ces cartes en relief d'Helbesmer
s'étalait sous mes pieds. Je voyais les vallées profondes
se croiser en tous sens, les précipices se creuser comme
des puits, les lacs se changer en étangs, les rivières se
faire ruisseaux. Sur ma droite se succédaient les glaciers sans nombre et les pics multipliés, dont quelques-
uns s'empanachaient de fumées légères. Les ondulations de ces montagnes infinies, que leurs couches de
neige semblaient rendre écumantes, rappelaient à mon
souvenir la surface d'une mer agitée. Si je me retour-
nais vers l'ouest, l'Océan s'y développait dans sa
majestueuse étendue, comme une continuation de ces
sommets moutonneux. Où finissait la terre, où commençaient les flots, mon œil le distinguait à peine.

Je me plongeais ainsi dans cette prestigieuse extase
que donnent les hautes cimes, et cette fois sans vertige,
car je m'accoutumais enfin à ces sublimes contempla-

tions. Mes regards éblouis se baignaient dans la transparente irradiation des rayons solaires. J'oubliais qui j'étais, où j'étais, pour vivre de la vie des elfes ou des sylphes, imaginaires habitants de la mythologie scandinave. Je m'enivrais de la volupté des hauteurs, sans songer aux abîmes dans lesquels ma destinée allait me plonger avant peu. Mais je fus ramené au sentiment de la réalité par l'arrivée du professeur et de Hans, qui me rejoignirent au sommet du pic.

Mon oncle, se tournant vers l'ouest, m'indiqua de la main une légère vapeur, une brume, une apparence de terre qui dominait la ligne des flots.

« Le Groënland, dit-il.

— Le Groënland ? m'écriai-je.

— Oui, nous n'en sommes pas à trente-cinq lieues, et pendant les dégels les ours blancs arrivent jusqu'à l'Islande, portés sur les glaçons du nord. Mais cela importe peu. Nous sommes au sommet du Sneffels, et voici deux pics, l'un au sud, l'autre au nord. Hans va nous dire de quel nom les Islandais appellent celui qui nous porte en ce moment. »

La demande formulée, le chasseur répondit :

« Scartaris. »

Mon oncle me jeta un coup d'œil triomphant.

« Au cratère! » dit-il.

Le cratère du Sneffels représentait un cône renversé dont l'orifice pouvait avoir une demi-lieue de diamètre. Sa profondeur, je l'estimais à deux mille pieds environ. Que l'on juge de l'état d'un pareil récipient, lorsqu'il s'emplissait de tonnerres et de flammes. Le fond de l'entonnoir ne devait pas mesurer plus de cinq cents pieds de tour, de telle sorte que ses pentes assez douces permettaient d'arriver facilement à sa partie inférieure. Involontairement je comparais ce cratère à un énorme tromblon évasé, et la comparaison m'épouvantait.

« Descendre dans un tromblon, pensai-je, quand il est peut-être chargé et qu'il peut partir au moindre choc, c'est œuvre de fous. »

Mais je n'avais pas à reculer. Hans, d'un air indifférent, reprit la tête de la troupe. Je le suivis sans mot dire.

Afin de faciliter la descente, Hans décrivait à l'intérieur du cône des ellipses très allongées. Il fallait marcher au milieu des roches éruptives, dont quelques-unes, ébranlées dans leurs alvéoles, se précipitaient en rebondissant jusqu'au fond de l'abîme. Leur chute déterminait des répercussions d'échos d'une étrange sonorité.

Certaines parties du cône formaient des glaciers intérieurs. Hans ne s'avançait alors qu'avec une extrême précaution, sondant le sol de son bâton ferré pour y découvrir les crevasses. A de certains passages douteux, il devint nécessaire de nous lier par une longue corde, afin que celui auquel le pied viendrait à manquer inopinément se trouvât soutenu par ses compagnons. Cette solidarité était chose prudente, mais elle n'excluait pas tout danger.

Cependant, et malgré les difficultés de la descente sur des pentes que le guide ne connaissait pas, la route se fit sans accident, sauf la chute d'un ballot de cordes qui s'échappa des mains d'un Islandais et alla par le plus court jusqu'au fond de l'abîme.

A midi nous étions arrivés. Je relevai la tête, et j'aperçus l'orifice supérieur du cône, dans lequel s'encadrait un morceau de ciel d'une circonférence singulièrement réduite, mais presque parfaite. Sur un point seulement se détachait le pic du Scartaris, qui s'enfonçait dans l'immensité.

Au fond du cratère s'ouvraient trois cheminées par lesquelles, au temps des éruptions du Sneffels, le foyer central chassait ses laves et ses vapeurs. Chacune de ces cheminées avait environ cent pieds de diamètre. Elles étaient là béantes sous nos pas. Je n'eus pas le courage d'y plonger mes regards. Le professeur Lidenbrock, lui, avait fait un examen rapide de leur disposition; il était haletant; il courait de l'une à l'autre, gesticulant et lançant des paroles incompréhensibles. Hans et ses compagnons, assis sur des morceaux de lave, le regardaient faire; ils le prenaient évidemment pour un fou.

Tout à coup mon oncle poussa un cri. Je crus qu'il

venait de perdre pied et de tomber dans l'un des trois
gouffres. Mais non. Je l'aperçus, les bras étendus, les
jambes écartées, debout devant un roc de granit posé
au centre du cratère, comme un énorme piédestal fait
pour la statue d'un Pluton. Il était dans la pose d'un
homme stupéfait, mais dont la stupéfaction fit bientôt
place à une joie insensée.

« Axel, Axel! s'écria-t-il, viens! viens! »

J'accourus. Ni Hans ni les Islandais ne bougèrent.

« Regarde », me dit le professeur.

Et, partageant sa stupéfaction, sinon sa joie, je lus
sur la face occidentale du bloc, en caractères runiques
à demi rongés par le temps, ce nom mille fois maudit :

$$\text{ᛏᛆᚵᛏ ᛌᛏᛈᚵᚦᛌᛌᛏᚷ}$$

« Arne Saknussemm! s'écria mon oncle, douteras-
tu encore ? »

Je ne répondis pas, et je revins consterné à mon banc
de lave. L'évidence m'écrasait.

Combien de temps demeurai-je ainsi plongé dans
mes réflexions, je l'ignore. Tout ce que je sais, c'est
qu'en relevant la tête je vis mon oncle et Hans seuls
au fond du cratère. Les Islandais avaient été congédiés,
et maintenant ils redescendaient les pentes extérieures
du Sneffels pour regagner Stapi.

Hans dormait tranquillement au pied d'un roc, dans
une coulée de lave où il s'était fait un lit impro-
visé; mon oncle tournait au fond du cratère, comme
une bête sauvage dans la fosse d'un trappeur. Je n'eus
ni l'envie ni la force de me lever, et prenant exemple
sur le guide, je me laissai aller à un douloureux assoupissement, croyant entendre des bruits ou sentir des
frissonnements dans les flancs de la montagne.

Ainsi se passa cette première nuit au fond du cratère.

Le lendemain, un ciel gris, nuageux, lourd, s'abaissa
sur le sommet du cône. Je ne m'en aperçus pas tant à
l'obscurité du gouffre qu'à la colère dont mon oncle
fut pris.

J'en compris la raison, et un reste d'espoir me revint au cœur. Voici pourquoi.

Des trois routes ouvertes sous nos pas une seule avait été suivie par Saknussemm. Au dire du savant islandais, on devait la reconnaître à cette particularité signalée dans le cryptogramme, que l'ombre du Scartaris venait en caresser les bords pendant les derniers jours du mois de juin.

On pouvait en effet considérer ce pic aigu comme le style d'un immense cadran solaire, dont l'ombre à un jour donné marquait le chemin du centre du globe.

Or, si le soleil venait à manquer, pas d'ombre. Conséquemment, pas d'indication. Nous étions au 25 juin. Que le ciel demeurât couvert pendant six jours, et il faudrait remettre l'observation à une autre année.

Je renonce à peindre l'impuissante colère du professeur Lidenbrock. La journée se passa, et aucune ombre ne vint s'allonger sur le fond du cratère. Hans ne bougea pas de sa place; il devait pourtant se demander ce que nous attendions, s'il se demandait quelque chose! Mon oncle ne m'adressa pas une seule fois la parole. Ses regards, invariablement tournés vers le ciel, se perdaient dans sa teinte grise et brumeuse.

Le 26, rien encore. Une pluie mêlée de neige tomba pendant toute la journée. Hans construisit une hutte avec des morceaux de lave. Je pris un certain plaisir à suivre de l'œil les milliers de cascades improvisées sur les flancs du cône, et dont chaque pierre accroissait l'assourdissant murmure.

Mon oncle ne se contenait plus. Il y avait de quoi irriter un homme plus patient, car c'était véritablement échouer au port.

Mais aux grandes douleurs, le Ciel mêle incessamment les grandes joies, et il réservait au professeur Lidenbrock une satisfaction égale à ses désespérants ennuis.

Le lendemain le ciel fut encore couvert; mais le dimanche, 28 juin, l'antépénultième jour du mois, avec le changement de lune vint le changement de

temps. Le soleil versa ses rayons à flots dans le cratère. Chaque monticule, chaque roc, chaque pierre,
chaque aspérité eut part à son lumineux effluve et
projeta instantanément son ombre sur le sol. Entre
toutes, celle du Scartaris se dessina comme une vive
arête et se mit à tourner insensiblement avec l'astre
radieux.

Mon oncle tournait avec elle.

A midi, dans sa période la plus courte, elle vint
lécher doucement le bord de la cheminée centrale.

« C'est là! s'écria le professeur, c'est là! Au centre
du globe! » ajouta-t-il en danois.

Je regardai Hans.

« Forüt! fit tranquillement le guide.

— En avant! » répondit mon oncle.

Il était une heure et treize minutes du soir.

XVII

Le véritable voyage commençait. Jusqu'alors les
fatigues l'avaient emporté sur les difficultés; maintenant celles-ci allaient véritablement naître sous nos pas.

Je n'avais point encore plongé mon regard dans ce
puits insondable où j'allais m'engouffrer. Le moment
était venu. Je pouvais encore ou prendre mon parti
de l'entreprise ou refuser de la tenter. Mais j'eus honte
de reculer devant le chasseur. Hans acceptait si tranquillement l'aventure, avec une telle indifférence, une
si parfaite insouciance de tout danger, que je rougis à
l'idée d'être moins brave qui lui. Seul, j'aurais entamé
la série des grands arguments; mais en présence du
guide je me tus; un de mes souvenirs s'envola vers ma
jolie Virlandaise, et je m'approchai de la cheminée
centrale.

J'ai dit qu'elle mesurait cent pieds de diamètre, ou

trois cents pieds de tour. Je me penchai au-dessus d'un roc qui surplombait, et je regardai. Mes cheveux se hérissèrent. Le sentiment du vide s'empara de mon être. Je sentis le centre de gravité se déplacer en moi et le vertige monter à ma tête comme une ivresse. Rien de plus capiteux que cette attraction de l'abîme. J'allais tomber. Une main me retint. Celle de Hans. Décidément je n'avais pas pris assez de « leçons de gouffre » à la Frelsers-Kirk de Copenhague.

Cependant, si peu que j'eusse hasardé mes regards dans ce puits, je m'étais rendu compte de sa conformation. Ses parois, presque à pic, présentaient de nombreuses saillies qui devaient faciliter la descente. Mais si l'escalier ne manquait pas, la rampe faisait défaut. Une corde attachée à l'orifice aurait suffi pour nous soutenir, mais comment la détacher, lorsqu'on serait parvenu à son extrémité inférieure ?

Mon oncle employa un moyen fort simple pour obvier à cette difficulté. Il déroula une corde de la grosseur du pouce et longue de quatre cents pieds; il en laissa filer d'abord la moitié, puis il l'enroula autour d'un bloc de lave qui faisait saillie et rejeta l'autre moitié dans la cheminée. Chacun de nous pouvait alors descendre en réunissant dans sa main les deux moitiés de la corde qui ne pouvait se défiler; une fois descendus de deux cents pieds, rien ne nous serait plus aisé que de la ramener en lâchant un bout et en halant de l'autre. Puis on recommencerait cet exercice *ad infinitum*.

« Maintenant, dit mon oncle, après avoir achevé ces préparatifs, occupons-nous des bagages; ils vont être divisés en trois paquets, et chacun de nous en attachera un sur son dos; j'entends parler seulement des objets fragiles. »

L'audacieux professeur ne nous comprenait évidemment pas dans cette dernière catégorie.

« Hans, reprit-il, va se charger des outils et d'une partie des vivres; toi, Axel, d'un second tiers des vivres et des armes; moi, du reste des vivres et des instruments délicats.

— Mais, dis-je, et les vêtements, et cette masse de cordes et d'échelles, qui se chargera de les descendre ?

— Ils descendront tout seuls.

— Comment cela ? demandai-je.

— Tu vas le voir. »

Mon oncle employait volontiers les grands moyens et sans hésiter. Sur son ordre, Hans réunit en un seul colis les objets non fragiles, et ce paquet, solidement cordé, fut tout bonnement précipité dans le gouffre.

J'entendis ce mugissement sonore produit par le déplacement des couches d'air. Mon oncle, penché sur l'abîme, suivait d'un œil satisfait la descente de ses bagages, et ne se releva qu'après les avoir perdus de vue.

« Bon, fit-il. A nous maintenant. »

Je demande à tout homme de bonne foi s'il était possible d'entendre sans frissonner de telles paroles!

Le professeur attacha sur son dos le paquet des instruments; Hans prit celui des outils, moi celui des armes. La descente commença dans l'ordre suivant : Hans, mon oncle et moi. Elle se fit dans un profond silence, troublé seulement par la chute des débris de roc qui se précipitaient dans l'abîme.

Je me laissai couler, pour ainsi dire, serrant frénétiquement la double corde d'une main, de l'autre m'arc-boutant au moyen de mon bâton ferré. Une idée unique me dominait : je craignais que le point d'appui ne vînt à manquer. Cette corde me paraissait bien fragile pour supporter le poids de trois personnes. Je m'en servais le moins possible, opérant des miracles d'équilibre sur les saillies de lave que mon pied cherchait à saisir comme une main.

Lorsqu'une de ces marches glissantes venait à s'ébranler sous les pas de Hans, il disait de sa voix tranquille :

« Gif akt!

— Attention! » répétait mon oncle.

Après une demi-heure, nous étions arrivés sur la surface d'un roc fortement engagé dans la paroi de la cheminée.

Hans tira la corde par l'un de ses bouts; l'autre s'éleva dans l'air; après avoir dépassé le rocher supérieur, il retomba en raclant les morceaux de pierre et de lave, sorte de pluie, ou mieux, de grêle fort dangereuse.

En me penchant au-dessus de notre étroit plateau, je remarquai que le fond du trou était encore invisible.

La manœuvre de la corde recommença, et, une demi-heure après, nous avions gagné une nouvelle profondeur de deux cents pieds.

Je ne sais si le plus enragé géologue eût essayé d'étudier, pendant cette descente, la nature des terrains qui l'environnaient. Pour mon compte, je ne m'en inquiétai guère; qu'ils fussent pliocènes, miocènes, éocènes, crétacés, jurassiques, triasiques, perniens, carbonifères, dévoniens, siluriens ou primitifs, cela me préoccupa peu. Mais le professeur, sans doute, fit ses observations ou prit ses notes, car, à l'une des haltes, il me dit :

« Plus je vais, plus j'ai confiance. La disposition de ces terrains volcaniques donne absolument raison à la théorie de Davy. Nous sommes en plein sol primordial, sol dans lequel s'est produite l'opération chimique des métaux enflammés au contact de l'air et de l'eau. Je repousse absolument le système d'une chaleur centrale. D'ailleurs, nous verrons bien. »

Toujours la même conclusion. On comprend que je ne m'amusai pas à discuter. Mon silence fut pris pour un assentiment, et la descente recommença.

Au bout de trois heures, je n'entrevoyais pas encore le fond de la cheminée. Lorsque je relevais la tête, j'apercevais son orifice qui décroissait sensiblement. Ses parois, par suite de leur légère inclinaison, tendaient à se rapprocher. L'obscurité se faisait peu à peu.

Cependant nous descendions toujours; il me semblait que les pierres détachées des parois s'engloutissaient avec une répercussion plus mate et qu'elles devaient rencontrer promptement le fond de l'abîme.

Comme j'avais eu soin de noter exactement nos

manœuvres de corde, je pus me rendre un compte exact de la profondeur atteinte et du temps écoulé.

Nous avions alors répété quatorze fois cette manœuvre qui durait une demi-heure. C'était donc sept heures, plus quatorze quarts d'heure de repos ou trois heures et demie. En tout, dix heures et demie. Nous étions partis à une heure, il devait être onze heures en ce moment.

Quant à la profondeur à laquelle nous étions parvenus, ces quatorze manœuvres d'une corde de deux cents pieds donnaient deux mille huit cents pieds.

En ce moment la voix de Hans se fit entendre :

« Halt! » dit-il.

Je m'arrêtai court au moment où j'allais heurter de mes pieds la tête de mon oncle.

« Nous sommes arrivés, dit celui-ci.

— Où ? demandai-je en me laissant glisser près de lui.

— Au fond de la cheminée perpendiculaire.

— Il n'y a donc pas d'autre issue ?

— Si, une sorte de couloir que j'entrevois et qui oblique vers la droite. Nous verrons cela demain. Soupons d'abord, nous dormirons après. »

L'obscurité n'était pas encore complète. On ouvrit le sac aux provisions, on mangea et chacun se coucha de son mieux sur un lit de pierres et de débris de lave.

Et quand, étendu sur le dos, j'ouvris les yeux, j'aperçus un point brillant à l'extrémité de ce tube long de trois mille pieds, qui se transformait en une gigantesque lunette.

C'était une étoile dépouillée de toute scintillation, et qui, d'après mes calculs, devait être β de la Petite Ourse.

Puis je m'endormis d'un profond sommeil.

XVIII

A huit heures du matin, un rayon du jour vint nous réveiller. Les milles facettes de la lave des parois le recueillaient à son passage et l'éparpillaient comme une pluie d'étincelles.

Cette lueur était assez forte pour permettre de distinguer les objets environnants.

« Eh bien, Axel, qu'en dis-tu ? s'écria mon oncle en se frottant les mains. As-tu jamais passé une nuit plus paisible dans notre maison de Königstrasse ? Plus de bruit de charrettes, plus de cris de marchands, plus de vociférations de bateliers !

— Sans doute, nous sommes fort tranquilles au fond de ce puits, mais ce calme même a quelque chose d'effrayant.

— Allons donc, s'écria mon oncle, si tu t'effraies déjà, que sera-ce plus tard ? Nous ne sommes pas encore entrés d'un pouce dans les entrailles de la terre !

— Que voulez-vous dire ?

— Je veux dire que nous avons atteint seulement le sol de l'île ! Ce long tube vertical, qui aboutit au cratère du Sneffels, s'arrête à peu près au niveau de la mer.

— En êtes-vous certain ?

— Très certain. Consulte le baromètre. »

En effet, le mercure, après avoir peu à peu remonté dans l'instrument à mesure que notre descente s'effectuait, s'était arrêté à vingt-neuf pouces.

« Tu le vois, reprit le professeur, nous n'avons encore que la pression d'une atmosphère, et il me tarde que le manomètre vienne remplacer ce baromètre. »

Cet instrument allait, en effet, devenir inutile, du moment que le poids de l'air dépasserait sa pression calculée au niveau de l'Océan.

« Mais, dis-je, n'est-il pas à craindre que cette pression toujours croissante ne soit très pénible ?

— Non. Nous descendrons lentement, et nos poumons s'habitueront à respirer une atmosphère plus comprimée. Les aéronautes finissent par manquer d'air en s'élevant dans les couches supérieures, et nous, nous en aurons trop peut-être. Mais j'aime mieux cela. Ne perdons pas un instant. Où est le paquet qui nous a précédés dans l'intérieur de la montagne ? »

Je me souvins alors que nous l'avions vainement cherché la veille au soir. Mon oncle interrogea Hans, qui, après avoir regardé attentivement avec ses yeux de chasseur, répondit :

« Der huppe! »

— Là-haut. »

En effet, ce paquet était accroché à une saillie de roc, à une centaine de pieds au-dessus de notre tête. Aussitôt l'agile Islandais grimpa comme un chat, et, en quelques minutes, le paquet nous rejoignit.

« Maintenant, dit mon oncle, déjeunons, mais déjeunons comme des gens qui peuvent avoir une longue course à faire. »

Le biscuit et la viande sèche furent arrosés de quelques gorgées d'eau mêlée de genièvre.

Le déjeuner terminé, mon oncle tira de sa poche un carnet destiné aux observations; il prit successivement ses divers instruments et nota les données suivantes :

Lundi 1ᵉʳ juillet

Chronomètre : 8 h 17 m du matin.
Baromètre : 29 p. 7 l.
Thermomètre : 6°.
Direction : E.-S.-E.

Cette dernière observation s'appliquait à la galerie obscure et fut indiquée par la boussole.

« Maintenant, Axel, s'écria le professeur d'une voix enthousiaste, nous allons nous enfoncer véritablement

dans les entrailles du globe. Voici donc le moment précis
auquel notre voyage commence. »

Cela dit, mon oncle prit d'une main l'appareil de
Ruhmkorff suspendu à son cou; de l'autre, il mit en
communication le courant électrique avec le serpentin
de la lanterne, et une assez vive lumière dissipa les
ténèbres de la galerie.

Hans portait le second appareil, qui fut également mis
en activité. Cette ingénieuse application de l'électricité
nous permettait d'aller longtemps en créant un jour
artificiel, même au milieu des gaz les plus inflammables.

« En route! » fit mon oncle.

Chacun reprit son ballot. Hans se chargea de pousser
devant lui le paquet des cordages et des habits, et, moi
troisième, nous entrâmes dans la galerie.

Au moment de m'engouffrer dans ce couloir obscur,
je relevai la tête, et j'aperçus une dernière fois, par le
champ de l'immense tube, ce ciel de l'Islande « que je ne
devais plus revoir ».

La lave, à la dernière éruption de 1229, s'était frayé
un passage à travers ce tunnel. Elle tapissait l'intérieur
d'un enduit épais et brillant; la lumière électrique s'y
réfléchissait en centuplant son intensité.

Toute la difficulté de la route consistait à ne pas glisser
trop rapidement sur une pente inclinée à quarante-
cinq degrés environ; heureusement certaines érosions,
quelques boursouflures tenaient lieu de marches, et
nous n'avions qu'à descendre en laissant filer nos
bagages retenus par une longue corde.

Mais ce qui se faisait marche sous nos pieds devenait
stalactite sur les autres parois. La lave, poreuse en de
certains endroits, présentait de petites ampoules
arrondies : des cristaux de quartz opaque, ornés de
limpides gouttes de verre et suspendus à la voûte
comme les lustres, semblaient s'allumer à notre passage.
On eût dit que les génies du gouffre illuminaient leur
palais pour recevoir les hôtes de la terre.

« C'est magnifique! m'écriai-je involontairement.
Quel spectacle, mon oncle! Admirez-vous ces nuances
de la lave qui vont du rouge brun au jaune éclatant par

dégradations insensibles? Et ces cristaux qui nous
apparaissent comme des globes lumineux?

— Ah! tu y viens, Axel! répondit mon oncle. Ah! tu
trouves cela splendide, mon garçon! Tu en verras bien
d'autres, je l'espère. Marchons! marchons! »

Il aurait dit plus justement « glissons», car nous nous
laissions aller sans fatigue sur des pentes inclinées.
C'était le *facilis descensus Averni* de Virgile. La boussole, que je consultais fréquemment, indiquait la
direction du sud-est avec une imperturbable rigueur.
Cette coulée de lave n'obliquait ni d'un côté ni de
l'autre. Elle avait l'inflexibilité de la ligne droite.

Cependant la chaleur n'augmentait pas d'une façon
sensible. Ce qui donnait raison aux théories de Davy, et
plus d'une fois je consultai le thermomètre avec
étonnement. Deux heures après le départ, il ne marquait
encore que 10°, c'est-à-dire un accroissement de 4°. Cela
m'autorisait à penser que notre descente était plus
horizontale que verticale. Quant à connaître exactement
la profondeur atteinte, rien de plus facile. Le professeur
mesurait exactement les angles de déviation et d'inclinaison de la route, mais il gardait pour lui le résultat de
ses observations.

Le soir, vers huit heures, il donna le signal d'arrêt.
Hans aussitôt s'assit. Les lampes furent accrochées à
une saillie de lave. Nous étions dans une sorte de
caverne où l'air ne manquait pas. Au contraire. Certains
souffles arrivaient jusqu'à nous. Quelle cause les
produisait ? A quelle agitation atmosphérique attribuer
leur origine ? C'est une question que je ne cherchai pas
à résoudre en ce moment. La faim et la fatigue me
rendaient incapable de raisonner. Une descente de
sept heures consécutives ne se fait pas sans une grande
dépense de forces. J'étais épuisé. Le mot « halte » me
fit donc plaisir à entendre. Hans étala quelques provisions sur un bloc de lave, et chacun mangea avec
appétit. Cependant une chose m'inquiétait; notre
réserve d'eau était à demi consommée. Mon oncle
comptait la refaire aux sources souterraines, mais
jusqu'alors celles-ci manquaient absolument. Je ne

pus m'empêcher d'attirer son attention sur ce sujet.

« Cette absence de sources te surprend ? dit-il.

— Sans doute, et même elle m'inquiète. Nous n'avons plus d'eau que pour cinq jours.

— Sois tranquille, Axel, je te réponds que nous trouverons de l'eau, et plus que nous n'en voudrons.

— Quand cela ?

— Quand nous aurons quitté cette enveloppe de lave. Comment veux-tu que des sources jaillissent à travers ces parois ?

— Mais peut-être cette coulée se prolonge-t-elle à de grandes profondeurs. Il me semble que nous n'avons pas encore fait beaucoup de chemin verticalement.

— Qui te fait supposer cela ?

— C'est que, si nous étions très avancés dans l'intérieur de l'écorce terrestre, la chaleur serait plus forte.

— D'après ton système, répondit mon oncle. Qu'indique le thermomètre ?

— Quinze degrés à peine, ce qui ne fait qu'un accroissement de neuf degrés depuis notre départ.

— Eh bien, conclus.

— Voici ma conclusion. D'après les observations les plus exactes, l'augmentation de la température à l'intérieur du globe est d'un degré par cent pieds. Mais certaines conditions de localité peuvent modifier ce chiffre. Ainsi, à Yakoust en Sibérie, on a remarqué que l'accroissement d'un degré avait lieu par trente-six pieds. Cette différence dépend évidemment de la conductibilité des roches. J'ajouterai aussi que, dans le voisinage d'un volcan éteint, et à travers les gneiss, on a remarqué que l'élévation de la température était d'un degré seulement pour cent vingt-cinq pieds. Prenons donc cette dernière hypothèse, qui est la plus favorable, et calculons.

— Calcule, mon garçon.

— Rien n'est plus facile, dis-je en disposant des chiffres sur mon carnet. Neuf fois cent vingt-cinq pieds donnent onze cent vingt-cinq pieds de profondeur.

— Rien de plus exact.

— Eh bien ?

— Eh bien, d'après mes observations, nous sommes arrivés à dix mille pieds au-dessous du niveau de la mer.

— Est-il possible ?

— Oui, ou les chiffres ne sont plus les chiffres! »

Les calculs du professeur étaient exacts. Nous avions déjà dépassé de six mille pieds les plus grandes profondeurs atteintes par l'homme, telles que les mines de Kitz-Bahl dans le Tyrol, et celles de Wuttemberg en Bohême.

La température, qui aurait dû être de quatre-vingt-un degrés en cet endroit, était de quinze à peine. Cela donnait singulièrement à réfléchir.

XIX

Le lendemain mardi, 30 juin, à six heures, la descente fut reprise.

Nous suivions toujours la galerie de lave, véritable rampe naturelle, douce comme ces plans inclinés qui remplacent encore l'escalier dans les vieilles maisons. Ce fut ainsi jusqu'à midi dix-sept minutes, instant précis où nous rejoignîmes Hans, qui venait de s'arrêter.

« Ah! s'écria mon oncle, nous sommes parvenus à l'extrémité de la cheminée. »

Je regardai autour de moi. Nous étions au centre d'un carrefour, auquel deux routes venaient aboutir, toutes deux sombres et étroites. Laquelle convenait-il de prendre ? Il y avait là une difficulté.

Cependant mon oncle ne voulut paraître hésiter ni devant moi ni devant le guide; il désigna le tunnel de l'est, et bientôt nous y étions enfoncés tous les trois.

D'ailleurs, toute hésitation devant ce double chemin se serait prolongée indéfiniment, car nul indice ne pouvait déterminer le choix de l'un ou de l'autre; il fallait s'en remettre absolument au hasard.

La pente de cette nouvelle galerie était peu sensible, et sa section fort inégale. Parfois une succession d'arceaux se déroulait devant nos pas comme les contre-nefs d'une cathédrale gothique. Les artistes du Moyen Age auraient pu étudier là toutes les formes de cette architecture religieuse qui a l'ogive pour générateur. Un mille plus loin, notre tête se courbait sous les cintres surbaissés du style roman, et de gros piliers engagés dans le massif pliaient sous la retombée des voûtes. A de certains endroits, cette disposition faisait place à de basses substructions qui ressemblaient aux ouvrages des castors, et nous nous glissions en rampant à travers d'étroits boyaux.

La chaleur se maintenait à un degré supportable. Involontairement je songeais à son intensité, quand les laves vomies par le Sneffels se précipitaient par cette route si tranquille aujourd'hui. Je m'imaginais les torrents de feu brisés aux angles de la galerie et l'accumulation des vapeurs surchauffées dans cet étroit milieu!

« Pourvu, pensai-je, que le vieux volcan ne vienne pas à se reprendre d'une fantaisie tardive! »

Ces réflexions, je ne les communiquai point à l'oncle Lidenbrock; il ne les eût pas comprises. Son unique pensée était d'aller en avant. Il marchait, il glissait, il dégringolait même, avec une conviction qu'après tout il valait mieux admirer.

A six heures du soir, après une promenade peu fatigante, nous avions gagné deux lieues dans le sud, mais à peine un quart de mille en profondeur.

Mon oncle donna le signal du repos. On mangea sans trop causer, et l'on s'endormit sans trop réfléchir.

Nos dispositions pour la nuit étaient fort simples; une couverture de voyage, dans laquelle on se roulait, composait toute la literie. Nous n'avions à redouter ni froid, ni visite importune. Les voyageurs qui s'enfoncent au milieu des déserts de l'Afrique, au sein des forêts du nouveau monde, sont forcés de veiller les uns sur les autres pendant les heures du sommeil. Mais ici, solitude absolue et sécurité complète. Sauvages ou bêtes féroces, aucune de ces races malfaisantes n'était à craindre.

On se réveilla le lendemain frais et dispos. La route fut reprise. Nous suivions un chemin de lave comme la veille. Impossible de reconnaître la nature des terrains qu'il traversait. Le tunnel, au lieu de s'enfoncer dans les entrailles du globe, tendait à devenir absolument horizontal. Je crus remarquer même qu'il remontait vers la surface de la terre. Cette disposition devint si manifeste vers dix heures du matin, et par suite si fatigante, que je fus forcé de modérer notre marche.

« Eh bien, Axel, dit impatiemment le professeur.

— Eh bien, je n'en peux plus, répondis-je.

— Quoi! après trois heures de promenade sur une route si facile!

— Facile, je ne dis pas non, mais fatigante à coup sûr.

— Comment! quand nous n'avons qu'à descendre!

— A monter, ne vous en déplaise!

— A monter! fit mon oncle en haussant les épaules.

— Sans doute. Depuis une demi-heure, les pentes se sont modifiées, et à les suivre ainsi, nous reviendrons certainement à la terre d'Islande. »

Le professeur remua la tête en homme qui ne veut pas être convaincu. J'essayai de reprendre la conversation. Il ne me répondit pas et donna le signal du départ. Je vis bien que son silence n'était que de la mauvaise humeur concentrée.

Cependant j'avais repris mon fardeau avec courage, et je suivais rapidement Hans, que précédait mon oncle. Je tenais à ne pas être distancé. Ma grande préoccupation était de ne point perdre mes compagnons de vue. Je frémissais à la pensée de m'égarer dans les profondeurs de ce labyrinthe.

D'ailleurs, si la route ascendante devenait plus pénible, je m'en consolais en songeant qu'elle me rapprochait de la surface de la terre. C'était un espoir. Chaque pas le confirmait, et je me réjouissais à cette idée de revoir ma petite Graüben.

A midi un changement d'aspect se produisit dans les

parois de la galerie. Je m'en aperçus à l'affaiblissement
de la lumière électrique réfléchie par les murailles. Au
revêtement de lave succédait la roche vive. Le massif se
composait de couches inclinées et souvent disposées
verticalement. Nous étions en pleine époque de
transition, en pleine période silurienne [1].

« C'est évident, m'écriai-je, les sédiments des eaux
ont formé, à la seconde époque de la terre, ces schistes,
ces calcaires et ces grès ! Nous tournons le dos au massif
granitique ! Nous ressemblons à des gens de Hambourg,
qui prendraient le chemin de Hanovre pour aller à
Lübeck. »

J'aurais dû garder pour moi mes observations. Mais
mon tempérament de géologue l'emporta sur la
prudence, et l'oncle Lidenbrock entendit mes excla-
mations.

« Qu'as-tu donc ? dit-il.

— Voyez ! répondis-je en lui montrant la succession
variée des grès, des calcaires et les premiers indices des
terrains ardoisés.

— Eh bien ?

— Nous voici arrivés à cette période pendant laquelle
ont apparu les premières plantes et les premiers animaux !

— Ah ! tu penses ?

— Mais regardez, examinez, observez ! »

Je forçai le professeur à promener sa lampe sur les
parois de la galerie. Je m'attendais à quelque exclamation de sa part. Mais il ne dit pas un mot, et continua
sa route.

M'avait-il compris ou non ? Ne voulait-il pas
convenir, par amour-propre d'oncle et de savant, qu'il
s'était trompé en choisissant le tunnel de l'est, ou
tenait-il à reconnaître ce passage jusqu'à son extrémité ?
Il était évident que nous avions quitté la route des
laves, et que ce chemin ne pouvait conduire au foyer
du Sneffels.

---

1. Ainsi nommée parce que les terrains de cette période sont fort
étendus en Angleterre, dans les contrées habitées autrefois par la
peuplade celtique des Silaures.

Cependant je me demandai si je n'accordais pas une trop grande importance à cette modification des terrains. Ne me trompais-je pas moi-même ? Traversions-nous réellement ces couches de roches superposées au massif granitique ?

« Si j'ai raison, pensai-je, je dois trouver quelque débris de plante primitive, et il faudra bien se rendre à l'évidence. Cherchons. »

Je n'avais pas fait cent pas que des preuves incontestables s'offrirent à mes yeux. Cela devait être, car, à l'époque silurienne, les mers renfermaient plus de quinze cents espèces végétales ou animales. Mes pieds, habitués au sol dur des laves, foulèrent tout à coup une poussière faite de débris de plantes et de coquilles. Sur les parois se voyaient distinctement des empreintes de fucus et de lycopodes. Le professeur Lidenbrock ne pouvait s'y tromper ; mais il fermait les yeux, j'imagine, et continuait son chemin d'un pas invariable.

C'était un entêtement poussé hors de toutes limites. Je n'y tins plus. Je ramassai une coquille parfaitement conservée, qui avait appartenu à un animal à peu près semblable au cloporte actuel ; puis, je rejoignis mon oncle et je lui dis :

« Voyez !

— Eh bien, répondit-il tranquillement, c'est la coquille d'un crustacé de l'ordre disparu des trilobites. Pas autre chose.

— Mais n'en concluez-vous pas ?...

— Ce que tu conclus toi-même ? Si. Parfaitement. Nous avons abandonné la couche de granit et la route des laves. Il est possible que je me sois trompé ; mais je ne serai certain de mon erreur qu'au moment où j'aurai atteint l'extrémité de cette galerie.

— Vous avez raison d'agir ainsi, mon oncle, et je vous approuverais, si nous n'avions à craindre un danger de plus en plus menaçant.

— Et lequel ?

— Le manque d'eau.

— Eh bien ! nous nous rationnerons, Axel. »

XX

En effet, il fallut se rationner. Notre provision ne pouvait durer plus de trois jours. C'est ce que je reconnus le soir au moment du souper. Et, fâcheuse expectative, nous avions peu d'espoir de rencontrer quelque source vive dans ces terrains de l'époque de transition.

Pendant toute la journée du lendemain, la galerie déroula devant nos pas ses interminables arceaux. Nous marchions presque sans mot dire. Le mutisme de Hans nous gagnait.

La route ne montait pas, du moins d'une façon sensible. Parfois même elle semblait s'incliner. Mais cette tendance, peu marquée d'ailleurs, ne devait pas rassurer le professeur, car la nature des couches ne se modifiait pas, et la période de transition s'affirmait davantage.

La lumière électrique faisait splendidement étinceler les schistes, le calcaire et les vieux grès rouges des parois. On aurait pu se croire dans une tranchée ouverte au milieu du Devonshire, qui donna son nom à ce genre de terrains. Des spécimens de marbres magnifiques revêtaient les murailles, les uns d'un gris agate avec des veines blanches capricieusement accusées, les autres de couleur incarnat ou d'un jaune taché de plaques rouges; plus loin, des échantillons de griottes à couleurs sombres, dans lesquels le calcaire se relevait en nuances vives.

La plupart de ces marbres offraient des empreintes d'animaux primitifs. Depuis la veille, la création avait fait un progrès évident. Au lieu des trilobites rudimentaires, j'apercevais des débris d'un ordre plus parfait; entre autres, des poissons Ganoïdes et ces Sauropteris dans lesquels l'œil du paléontologiste a su découvrir les premières formes du reptile. Les mers dévoniennes étaient habitées par un grand nombre d'animaux de cette espèce, et elles les déposèrent par milliers sur les roches de nouvelle formation.

Il devenait évident que nous remontions l'échelle de la vie animale dont l'homme occupe le sommet. Mais le professeur Lidenbrock ne paraissait pas y prendre garde.

Il attendait deux choses : ou qu'un puits vertical vînt à s'ouvrir sous ses pieds et lui permettre de reprendre sa descente, ou qu'un obstacle l'empêchât de continuer cette route. Mais le soir arriva sans que cette espérance se fût réalisée.

Le vendredi, après une nuit pendant laquelle je commençai à ressentir les tourments de la soif, notre petite troupe s'enfonça de nouveau dans les détours de la galerie.

Après dix heures de marche, je remarquai que la réverbération de nos lampes sur les parois diminuait singulièrement. Le marbre, le schiste, le calcaire, le grès des murailles, faisaient place à un revêtement sombre et sans éclat. A un moment où le tunnel devenait fort étroit, je m'appuyai sur sa paroi de gauche.

Quand je retirai ma main, elle était entièrement noire. Je regardai de plus près. Nous étions en pleine houillère.

« Une mine de charbon ! m'écriai-je.

— Une mine sans mineurs, répondit mon oncle.

— Eh ! qui sait ?

— Moi, je sais, répliqua le professeur d'un ton bref, et je suis certain que cette galerie percée à travers ces couches de houille n'a pas été faite de la main des hommes. Mais que ce soit ou non l'ouvrage de la nature cela m'importe peu. L'heure du souper est venue. Soupons. »

Hans prépara quelques aliments. Je mangeai à peine, et je bus les quelques gouttes d'eau qui formaient ma ration. La gourde du guide à demi pleine, voilà tout ce qui restait pour désaltérer trois hommes.

Après leur repas, mes deux compagnons s'étendirent sur leurs couvertures et trouvèrent dans le sommeil un remède à leurs fatigues. Pour moi, je ne pus dormir, et je comptai les heures jusqu'au matin.

Le samedi, à six heures, on repartit. Vingt minutes plus tard, nous arrivions à une vaste excavation; je reconnus alors que la main de l'homme ne pouvait pas avoir creusé cette houillère; les voûtes en eussent été étançonnées, et véritablement elles ne se tenaient que par un miracle d'équilibre.

Cette espèce de caverne comptait cent pieds de largeur sur cent cinquante de hauteur. Le terrain avait été violemment écarté par une commotion souterraine. Le massif terrestre, cédant à quelque puissante poussée, s'était disloqué, laissant ce large vide où des habitants de la terre pénétraient pour la première fois.

Toute l'histoire de la période houillère était écrite sur ces sombres parois, et un géologue en pouvait suivre facilement les phases diverses. Les lits de charbons étaient séparés par des strates de grès ou d'argile compacts, et comme écrasés par les couches supérieures.

A cet âge du monde qui précéda l'époque secondaire, la terre se recouvrit d'immenses végétations dues à la double action d'une chaleur tropicale et d'une humidité persistante. Une atmosphère de vapeurs enveloppait le globe de toutes parts, lui dérobant encore les rayons du soleil.

De là cette conclusion que les hautes températures ne provenaient pas de ce foyer nouveau. Peut-être même l'astre du jour n'était-il pas prêt à jouer son rôle éclatant. Les « climats » n'existaient pas encore, et une chaleur torride se répandait à la surface entière du globe, égale à l'équateur et aux pôles. D'où venait-elle ? de l'intérieur du globe.

En dépit des théories du professeur Lidenbrock, un feu violent couvait dans les entrailles du sphéroïde; son action se faisait sentir jusqu'aux dernières couches de l'écorce terrestre; les plantes, privées des bienfaisants effluves du soleil, ne donnaient ni fleurs ni parfums, mais leurs racines puisaient une vie forte dans les terrains brûlants des premiers jours.

Il y avait peu d'arbres, des plantes herbacées seulement, d'immenses gazons, des fougères, des lycopodes, des sigillaires, des astérophyllites, familles rares dont les espèces se comptaient alors par milliers.

Or, c'est précisément à cette exubérante végétation que la houille doit son origine. L'écorce encore élastique du globe obéissait aux mouvements de la masse liquide qu'elle recouvrait. De là des fissures, des affaissements nombreux. Les plantes, entraînées sous les eaux, formèrent peu à peu des amas considérables.

Alors intervint l'action de la chimie naturelle; au fond des mers, les masses végétales se firent tourbe d'abord; puis, grâce à l'influence des gaz, et sous le feu de la fermentation, elles subirent une minéralisation complète.

Ainsi se formèrent ces immenses couches de charbon qu'une consommation excessive doit, pourtant, épuiser en moins de trois siècles, si les peuples industriels n'y prennent garde.

Ces réflexions me venaient à l'esprit pendant que je considérais les richesses houillères accumulées dans cette portion du massif terrestre. Celles-ci, sans doute, ne seront jamais mises à découvert. L'exploitation de ces mines reculées demanderait des sacrifices trop considérables. A quoi bon, d'ailleurs, quand la houille est encore répandue pour ainsi dire à la surface de la terre dans un grand nombre de contrées ? Aussi, telles je voyais ces couches intactes, telles elles seraient lorsque sonnerait la dernière heure du monde.

Cependant nous marchions, et seul de mes compagnons j'oubliais la longueur de la route pour me perdre au milieu de considérations géologiques. La température restait sensiblement ce qu'elle était pendant notre passage au milieu des laves et des schistes. Seulement, mon odorat était affecté par une odeur très prononcée de protocarbure d'hydrogène. Je reconnus immédiatement dans cette galerie la présence d'une notable quantité de ce fluide dangereux auquel les mineurs ont donné le nom de grisou, et dont l'explosion a si souvent causé d'épouvantables catastrophes.

Heureusement, nous étions éclairés par les ingénieux appareils de Ruhmkorff. Si, par malheur, nous avions imprudemment exploré cette galerie la torche à la

main, une explosion terrible eût fini le voyage en
supprimant les voyageurs.

Cette excursion dans la houillère dura jusqu'au soir.
Mon oncle contenait à peine l'impatience que lui
causait l'horizontalité de la route. Les ténèbres, toujours profondes à vingt pas, empêchaient d'estimer la
longueur de la galerie, et je commençais à la croire
interminable, quand soudain, à six heures, un mur
se présenta inopinément à nous. A droite, à gauche, en
haut, en bas, il n'y avait aucun passage. Nous étions
arrivés au fond d'une impasse.

« Eh bien, tant mieux! s'écria mon oncle, je sais au
moins à quoi m'en tenir. Nous ne sommes pas sur la
route de Saknussemm, et il ne reste plus qu'à revenir
en arrière. Prenons une nuit de repos, et avant trois
jours, nous aurons regagné le point où les deux galeries
se bifurquent.

— Oui, dis-je, si nous en avons la force!

— Et pourquoi non?

— Parce que, demain, l'eau manquera tout à fait.

— Et le courage manquera-t-il aussi? » dit le professeur en me regardant d'un œil sévère.

Je n'osai lui répondre.

XXI

Le lendemain, le départ eut lieu de grand matin.

Il fallait se hâter. Nous étions à cinq jours de marche
du carrefour.

Je ne m'appesantirai pas sur les souffrances de notre
retour. Mon oncle les supporta avec la colère d'un
homme qui ne se sent pas le plus fort; Hans avec la
résignation de sa nature pacifique; moi, je l'avoue, me
plaignant et me désespérant; je ne pouvais avoir de
cœur contre cette mauvaise fortune.

Ainsi que je l'avais prévu, l'eau fit tout à fait défaut à

la fin du premier jour de marche. Notre provision liquide se réduisit alors à du genièvre, mais cette infernale liqueur brûlait le gosier, et je ne pouvais même en supporter la vue. Je trouvais la température étouffante. La fatigue me paralysait. Plus d'une fois, je faillis tomber sans mouvement. On faisait halte alors; mon oncle ou l'Islandais me réconfortaient de leur mieux. Mais je voyais déjà que le premier réagissait péniblement contre l'extrême fatigue et les tortures nées de la privation d'eau.

Enfin, le mardi 7 juillet, en nous traînant sur les genoux, sur les mains, nous arrivâmes à demi morts au point de jonction des deux galeries. Là je demeurai comme une masse inerte, étendu sur le sol de lave. Il était dix heures du matin.

Hans et mon oncle, accotés à la paroi, essayèrent de grignoter quelques morceaux de biscuit. De longs gémissements s'échappaient de mes lèvres tuméfiées. Je tombai dans un profond assoupissement.

Au bout de quelque temps, mon oncle s'approcha de moi et me souleva entre ses bras :

« Pauvre enfant! » murmura-t-il avec un véritable accent de pitié.

Je fus touché de ces paroles, n'étant pas habitué aux tendresses du farouche professeur. Je saisis ses mains frémissantes dans les miennes. Il se laissa faire en me regardant. Ses yeux étaient humides.

Je le vis alors prendre la gourde suspendue à son côté. A ma grande stupéfaction, il l'approcha de mes lèvres :

« Bois », fit-il.

Avais-je bien entendu ? Mon oncle était-il fou ? Je le regardais d'un air hébété. Je ne voulais pas le comprendre.

« Bois », reprit-il.

Et relevant sa gourde, il la vida tout entière entre mes lèvres.

Oh! jouissance infinie! Une gorgée d'eau vint humecter ma bouche en feu, une seule, mais elle suffit à rappeler en moi la vie qui s'échappait.

Je remerciai mon oncle en joignant les mains.

« Oui, fit-il, une gorgée d'eau! la dernière! entends-tu bien? la dernière! Je l'avais précieusement gardée au fond de ma gourde. Vingt fois, cent fois, j'ai dû résister à mon effrayant désir de la boire! Mais non, Axel, je la réservais pour toi.

— Mon oncle! murmurai-je pendant que de grosses larmes mouillaient mes yeux.

— Oui, pauvre enfant, je savais qu'à ton arrivée à ce carrefour, tu tomberais à demi mort, et j'ai conservé mes dernières gouttes d'eau pour te ranimer.

— Merci! merci! » m'écriai-je.

Si peu que ma soif fût apaisée, j'avais cependant retrouvé quelque force. Les muscles de mon gosier, contractés jusqu'alors, se détendaient, et l'inflammation de mes lèvres s'était adoucie. Je pouvais parler.

« Voyons, dis-je, nous n'avons maintenant qu'un parti à prendre; l'eau nous manque; il faut revenir sur nos pas. »

Pendant que je parlais ainsi, mon oncle évitait de me regarder; il baissait la tête; ses yeux fuyaient les miens.

« Il faut revenir, m'écriai-je, et reprendre le chemin du Sneffels. Que Dieu nous donne la force de remonter jusqu'au sommet du cratère!

— Revenir! fit mon oncle, comme s'il répondait plutôt à lui qu'à moi-même.

— Oui, revenir, et sans perdre un instant. »

Il y eut ici un moment de silence assez long.

« Ainsi donc, Axel, reprit le professeur d'un ton bizarre, ces quelques gouttes d'eau ne t'ont pas rendu le courage et l'énergie?

— Le courage!

— Je te vois abattu comme avant, et faisant encore entendre des paroles de désespoir! »

A quel homme avais-je affaire et quels projets son esprit audacieux formait-il encore?

« Quoi! vous ne voulez pas?...

— Renoncer à cette expédition, au moment où tout annonce qu'elle peut réussir! Jamais!

— Alors il faut se résigner à périr?

— Non, Axel, non! pars. Je ne veux pas ta mort!
Que Hans t'accompagne. Laisse-moi seul!

— Vous abandonner!

— Laisse-moi, te dis-je! J'ai commencé ce voyage;
je l'accomplirai jusqu'au bout, ou je n'en reviendrai
pas. Va-t'en, Axel, va-t'en! »

Mon oncle parlait avec une extrême surexcitation.
Sa voix, un instant attendrie, redevenait dure, menaçante. Il luttait avec une sombre énergie contre l'impossible! Je ne voulais pas l'abandonner au fond de cet
abîme, et, d'un autre côté, l'instinct de la conservation
me poussait à le fuir.

Le guide suivait cette scène avec son indifférence
accoutumée. Il comprenait cependant ce qui se passait
entre ses deux compagnons. Nos gestes indiquaient
assez la voie différente où chacun de nous essayait
d'entraîner l'autre; mais Hans semblait s'intéresser
peu à la question dans laquelle son existence se trouvait
en jeu, prêt à partir si l'on donnait le signal du départ,
prêt à rester à la moindre volonté de son maître.

Que ne pouvai-je en cet instant me faire entendre de
lui! Mes paroles, mes gémissements, mon accent auraient
eu raison de cette froide nature. Ces dangers que le
guide ne paraissait pas soupçonner, je les lui eusse fait
comprendre et toucher du doigt. A nous deux nous
aurions peut-être convaincu l'entêté professeur. Au
besoin, nous l'aurions contraint à regagner les hauteurs
du Sneffels!

Je m'approchai de Hans. Je mis ma main sur la
sienne. Il ne bougea pas. Je lui montrai la route du
cratère. Il demeura immobile. Ma figure haletante
disait toutes mes souffrances. L'Islandais remua
doucement la tête, et désignant tranquillement mon
oncle :

« Master, fit-il.

— Le maître! m'écriai-je, insensé! non, il n'est pas
le maître de ta vie! il faut fuir! il faut l'entraîner!
m'entends-tu ? me comprends-tu ? »

J'avais saisi Hans par le bras. Je voulais l'obliger à
se lever. Je luttais avec lui. Mon oncle intervint.

« Du calme, Axel, dit-il. Tu n'obiendras rien de cet impassible serviteur. Ainsi, écoute ce que j'ai à te proposer. »

Je me croisai les bras, en regardant mon oncle bien en face.

« Le manque d'eau, dit-il, met seul obstacle à l'accomplissement de mes projets. Dans cette galerie de l'est, faite de laves, de schistes, de houilles, nous n'avons pas rencontré une seule molécule liquide. Il est possible que nous soyons plus heureux en suivant le tunnel de l'ouest. »

Je secouai la tête avec un air de profonde incrédulité.

« Ecoute-moi jusqu'au bout, reprit le professeur en forçant la voix. Pendant que tu gisais ici sans mouvement, j'ai été reconnaître la conformation de cette galerie. Elle s'enfonce directement dans les entrailles du globe, et, en peu d'heures, elle nous conduira au massif granitique. Là, nous devons rencontrer des sources abondantes. La nature de la roche le veut ainsi, et l'instinct est d'accord avec la logique pour appuyer ma conviction. Or, voici ce que j'ai à te proposer. Quand Colomb a demandé trois jours à ses équipages pour trouver les terres nouvelles, ses équipages, malades, épouvantés, ont cependant fait droit à sa demande, et il a découvert le nouveau monde. Moi, le Colomb de ces régions souterraines, je ne te demande qu'un jour encore. Si, ce temps écoulé, je n'ai pas rencontré l'eau qui nous manque, je te le jure, nous reviendrons à la surface de la terre. »

En dépit de mon irritation, je fus ému de ces paroles et de la violence que se faisait mon oncle pour tenir un pareil langage.

« Eh bien! m'écriai-je, qu'il soit fait comme vous le désirez, et que Dieu récompense votre énergie surhumaine. Vous n'avez plus que quelques heures à tenter le sort. En route! »

XXII

La descente recommença cette fois par la nouvelle galerie. Hans marchait en avant, selon son habitude. Nous n'avions pas fait cent pas, que le professeur, promenant sa lampe le long des murailles, s'écriait :

« Voilà les terrains primitifs! nous sommes dans la bonne voie, marchons! marchons! »

Lorsque la terre se refroidit peu à peu aux premiers jours du monde, la diminution de son volume produisit dans l'écorce des dislocations, des ruptures, des retraits, des fendilles. Le couloir actuel était une fissure de ce genre, par laquelle s'épanchait autrefois le granit éruptif. Ses mille détours formaient un inextricable labyrinthe à travers le sol primordial.

A mesure que nous descendions, la succession des couches composant le terrain primitif apparaissait avec plus de netteté. La science géologique considère ce terrain primitif comme la base de l'écorce minérale, et elle a reconnu qu'il se compose de trois couches différentes, les schistes, les gneiss, les micaschistes, reposant sur cette roche inébranlable qu'on appelle le granit.

Or, jamais minéralogistes ne s'étaient rencontrés dans des circonstances aussi merveilleuses pour étudier la nature sur place. Ce que la sonde, machine inintelligente et brutale, ne pouvait rapporter à la surface du globe de sa texture interne, nous allions l'étudier de nos yeux, le toucher de nos mains.

A travers l'étage des schistes, colorés de belles nuances vertes, serpentaient des filons métalliques de cuivre, de manganèse avec quelques traces de platine et d'or. Je songeais à ces richesses enfouies dans les entrailles du globe et dont l'avide humanité n'aura jamais la jouissance! Ces trésors, les bouleversements des premiers jours les ont enterrés à de telles profondeurs, que ni la pioche, ni le pic ne sauront les arracher à leur tombeau.

Aux schistes succédèrent les gneiss, d'une structure stratiforme, remarquables par la régularité et le parallélisme de leurs feuillets, puis les micaschistes disposés en grandes lamelles rehaussées à l'œil par les scintillations du mica blanc.

La lumière des appareils, répercutée par les petites facettes de la masse rocheuse, croisait ses jets de feu sous tous les angles, et je m'imaginais voyager à travers un diamant creux, dans lequel les rayons se brisaient en mille éblouissements.

Vers six heures, cette fête de la lumière vint à diminuer sensiblement, presque à cesser; les parois prirent une teinte cristallisée, mais sombre; le mica se mélangea plus intimement au feldspath et au quartz, pour former la roche par excellence, la pierre dure entre toutes, celle qui supporte, sans en être écrasée, les quatre étages de terrains du globe. Nous étions murés dans l'immense prison de granit.

Il était huit heures du soir. L'eau manquait toujours. Je souffrais horriblement. Mon oncle marchait en avant. Il ne voulait pas s'arrêter. Il tendait l'oreille pour surprendre les murmures de quelque source. Mais rien!

Cependant mes jambes refusaient de me porter. Je résistais à mes tortures pour ne pas obliger mon oncle à faire halte. C'eût été pour lui le coup du désespoir, car la journée finissait, la dernière qui lui appartînt.

Enfin mes forces m'abandonnèrent. Je poussai un cri et je tombai.

« A moi! je meurs! »

Mon oncle revint sur ses pas. Il me considéra en croisant ses bras; puis ces paroles sourdes sortirent de ses lèvres :

« Tout est fini! »

Un effrayant geste de colère frappa une dernière fois mes regards, et je fermai les yeux.

Lorsque je les rouvris, j'aperçus mes deux compagnons immobiles et roulés dans leur couverture. Dormaient-ils ? Pour mon compte, je ne pouvais trouver un instant de sommeil. Je souffrais trop, et surtout de la pensée que mon mal devait être sans remède. Les dernières paroles de mon oncle retentissaient dans mon oreille. « Tout était fini! » car dans un pareil état de faiblesse, il ne fallait même plus songer à regagner la surface du globe.

Il y avait une lieue et demie d'écorce terrestre! il me semblait que cette masse pesait de tout son poids sur mes épaules. Je me sentais écrasé, et je m'épuisais en efforts violents pour me retourner sur ma couche de granit.

Quelques heures se passèrent. Un silence profond régnait autour de nous, un silence de tombeau. Rien n'arrivait à travers ces murailles dont la plus mince mesurait cinq milles d'épaisseur.

Cependant, au milieu de mon assoupissement, je crus entendre un bruit. L'obscurité se faisait dans le tunnel. Je regardai plus attentivement, et il me sembla voir l'Islandais qui disparaissait, la lampe à la main.

Pourquoi ce départ ? Hans nous abandonnait-il ? Mon oncle dormait. Je voulus crier. Ma voix ne put trouver passage entre mes lèvres desséchées. L'obscurité était devenue profonde, et les derniers bruits venaient de s'éteindre.

« Hans nous abandonne! m'écriai-je. Hans! Hans! » Ces mots, je les criais en moi-même. Ils n'allaient pas plus loin. Cependant, après le premier instant de terreur, j'eus honte de mes soupçons contre un homme dont la conduite n'avait rien eu jusque-là de suspect. Son départ ne pouvait être une fuite. Au lieu de remonter la galerie il la descendait. De mauvais desseins l'eussent entraîné en haut, non en bas. Ce raisonnement me calma un peu, et je revins à un autre ordre d'idées. Hans, cet homme paisible, un motif grave avait pu seul l'arracher à son repos. Allait-il donc à la découverte ? Avait-il entendu pendant la nuit silencieuse quelque murmure dont la perception n'était pas arrivée jusqu'à moi ?

XXIII

Pendant une heure, j'imaginai dans mon cerveau en délire toutes les raisons qui avaient pu faire agir le tranquille chasseur. Les idées les plus absurdes s'enchevêtrèrent dans ma tête. Je crus que j'allais devenir fou !

Mais enfin un bruit de pas se produisit dans les profondeurs du gouffre. Hans remontait. La lumière incertaine commençait à glisser sur les parois, puis elle déboucha par l'orifice du couloir. Hans parut.

Il s'approcha de mon oncle, lui mit la main sur l'épaule et l'éveilla doucement. Mon oncle se leva.

« Qu'est-ce donc ? fit-il.

— « Vatten », répondit le chasseur.

Il faut croire que, sous l'inspiration des violentes douleurs, chacun devient polyglotte. Je ne savais pas un seul mot de danois, et cependant je compris d'instinct le mot de notre guide.

« De l'eau ! de l'eau ! m'écriai-je, battant des mains, gesticulant comme un insensé.

— De l'eau ! répétait mon oncle. « Hvar ? » demanda-t-il à l'Islandais.

— « Nedat », répondit Hans.

Où ? En bas ! Je comprenais tout. J'avais saisi les mains du chasseur, et je les pressais, tandis qu'il me regardait avec calme.

Les préparatifs du départ ne furent pas longs, et bientôt nous cheminions dans un couloir dont la pente atteignait deux pieds par toise.

Une heure plus tard, nous avions fait mille toises environ et descendu deux mille pieds.

En ce moment, j'entendis distinctement un son inaccoutumé courir dans les flancs de la muraille granitique, une sorte de mugissement sourd, comme un tonnerre éloigné. Pendant cette première demi-heure de marche, ne rencontrant point la source annoncée, je sentais les angoisses me reprendre ; mais alors mon oncle m'apprit l'origine des bruits qui se produisaient.

« Hans ne s'est pas trompé, dit-il, ce que tu entends là, c'est le mugissement d'un torrent.

— Un torrent ? m'écriai-je.

— Il n'y a pas à en douter. Un fleuve souterrain circule autour de nous ! »

Nous hâtâmes le pas, surexcités par l'espérance. Je ne sentais plus ma fatigue. Ce bruit d'une eau murmurante me rafraîchissait déjà. Il augmentait sensiblement. Le torrent, après s'être longtemps soutenu au-dessus de notre tête, courait maintenant dans la paroi de gauche, mugissant et bondissant. Je passais fréquemment ma main sur le roc, espérant y trouver des traces de suintement ou d'humidité. Mais en vain.

Une demi-heure s'écoula encore. Une demi-lieue fut encore franchie.

Il devint alors évident que le chasseur, pendant son absence, n'avait pu prolonger ses recherches au-delà. Guidé par un instinct particulier aux montagnards, aux hydroscopes, il « sentit » ce torrent à travers le roc, mais certainement il n'avait point vu le précieux liquide ; il ne s'y était pas désaltéré.

Bientôt même il fut constant que, si notre marche continuait, nous nous éloignerions du courant dont le murmure tendait à diminuer.

On rebroussa chemin. Hans s'arrêta à l'endroit précis où le torrent semblait être le plus rapproché.

Je m'assis près de la muraille, tandis que les eaux couraient à deux pieds de moi avec une violence extrême. Mais un mur de granit nous en séparait encore.

Sans réfléchir, sans me demander si quelque moyen n'existait pas de se procurer cette eau, je me laissai aller à un premier moment de désespoir.

Hans me regarda, et je crus voir un sourire apparaître sur ses lèvres.

Il se leva et prit la lampe. Je le suivis. Il se dirigea vers la muraille. Je le regardai faire. Il colla son oreille

sur la pierre sèche, et la promena lentement en écoutant
avec grand soin. Je compris qu'il cherchait le point
précis où le torrent se faisait entendre plus bruyam-
ment. Ce point, il le rencontra dans la paroi latérale
de gauche, à trois pieds au-dessus du sol.

Combien j'étais ému! Je n'osais deviner ce que
voulait faire le chasseur! Mais il fallut bien le comprendre et l'applaudir, et le presser de mes caresses,
quand je le vis saisir son pic pour attaquer la roche
elle-même.

« Sauvés! m'écriai-je.

— Oui, répétait mon oncle avec frénésie, Hans a
raison! Ah! le brave chasseur! Nous n'aurions pas
trouvé cela! »

Je le crois bien! Un pareil moyen, quelque simple
qu'il fût, ne nous serait pas venu à l'esprit. Rien de
plus dangereux que de donner un coup de pioche dans
cette charpente du globe. Et si quelque éboulement
allait se produire qui nous écraserait! Et si le torrent,
se faisant jour à travers le roc, allait nous envahir! Ces
dangers n'avaient rien de chimérique; mais alors les
craintes d'éboulement ou d'inondation ne pouvaient
nous arrêter, et notre soif était si intense que pour
l'apaiser nous eussions creusé au lit même de l'Océan.

Hans se mit à ce travail, que ni mon oncle ni moi
nous n'eussions accompli. L'impatience emportant
notre main, la roche eût volé en éclats sous ses coups
précipités. Le guide, au contraire, calme et modéré,
usa peu à peu le rocher par une série de petits coups
répétés, creusant une ouverture large de six pouces.
J'entendais le bruit du torrent s'accroître, et je croyais
déjà sentir l'eau bienfaisante rejaillir sur mes lèvres.

Bientôt le pic s'enfonça de deux pieds dans la
muraille de granit. Le travail durait depuis plus d'une
heure. Je me tordais d'impatience! Mon oncle voulait
employer les grands moyens. J'eus de la peine à
l'arrêter, et déjà il saisissait son pic, quand soudain
un sifflement se fit entendre. Un jet d'eau s'élança de
la muraille et vint se briser sur la paroi opposée.

Hans, à demi renversé par le choc, ne put retenir un

cri de douleur. Je le compris lorsque, plongeant mes mains dans le jet liquide, je poussai à mon tour une violente exclamation. La source était bouillante.

« De l'eau à cent degrés! m'écriai-je.

— Eh bien elle refroidira », répondit mon oncle.

Le couloir s'emplissait de vapeurs, tandis qu'un ruisseau se formait et allait se perdre dans les sinuosités souterraines; bientôt nous y puisions notre première gorgée.

Ah! quelle jouissance! Quelle incomparable volupté! Qu'était cette eau? D'où venait-elle? Peu importait. C'était de l'eau, et, quoique chaude encore, elle ramenait au cœur la vie prête à s'échapper. Je buvais sans m'arrêter, sans goûter même.

Ce ne fut qu'après une minute de délectation que je m'écriai :

« Mais c'est de l'eau ferrugineuse!

— Excellente pour l'estomac, répliqua mon oncle, et d'une haute minéralisation! Voilà un voyage qui vaudra celui de Spa ou de Tœplitz!

— Ah! que c'est bon!

— Je le crois bien, une eau puisée à deux lieues sous terre! Elle a un goût d'encre qui n'a rien de désagréable. Une fameuse ressource que Hans nous a procurée là! Aussi je propose de donner son nom à ce ruisseau salutaire.

— Bien! » m'écriai-je.

Et le nom de « Hans-bach » fut aussitôt adopté.

Hans n'en fut pas plus fier. Après s'être modérément rafraîchi, il s'accota dans un coin avec son calme accoutumé.

« Maintenant, dis-je, il ne faudrait pas laisser perdre cette eau.

— A quoi bon? répondit mon oncle, je soupçonne la source d'être intarissable.

— Qu'importe! remplissons l'outre et les gourdes, puis nous essaierons de boucher l'ouverture. »

Mon conseil fut suivi. Hans, au moyen d'éclats de granit et d'étoupe, essaya d'obstruer l'entaille faite à la paroi. Ce ne fut pas chose facile. On se brûlait les

mains sans y parvenir; la pression était trop considérable, et nos efforts demeurèrent infructueux.

« Il est évident, dis-je, que les nappes supérieures
de ce cours d'eau sont situées à une grande hauteur,
à en juger par la force du jet.

— Cela n'est pas douteux, répliqua mon oncle;
il y a là mille atmosphères de pression, si cette colonne
d'eau a trente-deux mille pieds de hauteur. Mais il me
vient une idée.

— Laquelle ?

— Pourquoi nous entêter à boucher cette ouverture?

— Mais, parce que... »

J'aurais été embarrassé de trouver une raison.

« Quand nos gourdes seront vides, sommes-nous
assurés de pouvoir les remplir ?

— Non, évidemment.

— Eh bien, laissons couler cette eau! Elle descendra
naturellement et guidera ceux qu'elle rafraîchira en
route!

— Voilà qui est bien imaginé! m'écriai-je, et avec
ce ruisseau pour compagnon, il n'y a plus aucune
raison pour ne pas réussir dans nos projets.

— Ah! tu y viens, mon garçon, dit le professeur
en riant.

— Je fais mieux que d'y venir, j'y suis.

— Un instant! Commençons par prendre quelques
heures de repos. »

J'oubliais vraiment qu'il fît nuit. Le chronomètre
se chargea de me l'apprendre. Bientôt chacun de nous,
suffisamment restauré et rafraîchi, s'endormit d'un
profond sommeil.

XXIV

Le lendemain, nous avions déjà oublié nos douleurs
passées. Je m'étonnai tout d'abord de n'avoir plus soif,

et j'en demandai la raison. Le ruisseau qui coulait à mes pieds en murmurant se chargea de me répondre.

On déjeuna et l'on but de cette excellente eau ferrugineuse. Je me sentais tout ragaillardi et décidé à aller loin. Pourquoi un homme convaincu comme mon oncle ne réussirait-il pas, avec un guide industrieux comme Hans, et un neveu « déterminé » comme moi ? Voilà les belles idées qui se glissaient dans mon cerveau ! On m'eût proposé de remonter à la cime du Sneffels, que j'aurais refusé avec indignation.

Mais il n'était heureusement question que de descendre.

« Partons ! » m'écriai-je, éveillant par mes accents enthousiastes les vieux échos du globe.

La marche fut reprise le jeudi à huit heures du matin. Le couloir de granit, se contournant en sinueux détours, présentait des coudes inattendus, et affectait l'imbroglio d'un labyrinthe ; mais, en somme, sa direction principale était toujours le sud-est. Mon oncle ne cessait de consulter avec le plus grand soin sa boussole, pour se rendre compte du chemin parcouru.

La galerie s'enfonçait presque horizontalement, avec deux pouces de pente par toise, tout au plus. Le ruisseau coulait sans précipitation en murmurant sous nos pieds. Je le comparais à quelque génie familier qui nous guidait à travers la terre, et de la main je caressais la tiède naïade dont les chants accompagnaient nos pas. Ma bonne humeur prenait volontiers une tournure mythologique.

Quant à mon oncle, il pestait contre l'horizontalité de la route, lui, « l'homme des verticales ». Son chemin s'allongeait indéfiniment, et au lieu de glisser le long du rayon terrestre, suivant son expression, il s'en allait par l'hypoténuse. Mais nous n'avions pas le choix, et tant que l'on gagnait vers le centre, si peu que ce fût, il ne fallait pas se plaindre.

D'ailleurs, de temps en temps, les pentes s'abaissaient ; la naïade se mettait à dégringoler en mugissant, et nous descendions plus profondément avec elle.

En somme, ce jour-là et le lendemain, on fit beaucoup de chemin horizontal, et relativement peu de chemin vertical.

Le vendredi soir, 10 juillet, d'après l'estime, nous devions être à trente lieues au sud-est de Reykjawik et à une profondeur de deux lieues et demie.

Sous nos pieds s'ouvrit alors un puits assez effrayant. Mon oncle ne put s'empêcher de battre des mains en calculant la roideur de ses pentes.

« Voilà qui nous mènera loin, s'écria-t-il, et facilement, car les saillies du roc font un véritable escalier ! »

Les cordes furent disposées par Hans de manière à prévenir tout accident. La descente commença. Je n'ose l'appeler périlleuse, car j'étais déjà familiarisé avec ce genre d'exercice.

Ce puits était une fente étroite pratiquée dans le massif, du genre de celles qu'on appelle « faille ». La contraction de la charpente terrestre, à l'époque de son refroidissement, l'avait évidemment produite. Si elle servit autrefois de passage aux matières éruptives vomies par le Sneffels, je ne m'expliquais pas comment celles-ci n'y laissèrent aucune trace. Nous descendions une sorte de vis tournante qu'on eût crue faite de la main des hommes.

De quart d'heure en quart d'heure, il fallait s'arrêter pour prendre un repos nécessaire et rendre à nos jarrets leur élasticité. On s'asseyait alors sur quelque saillie, les jambes pendantes, on causait en mangeant, et l'on se désaltérait au ruisseau.

Il va sans dire que, dans cette faille, le Hans-bach s'était fait cascade au détriment de son volume ; mais il suffisait et au-delà à étancher notre soif ; d'ailleurs, avec les déclivités moins accusées, il ne pouvait manquer de reprendre son cours paisible. En ce moment, il me rappelait mon digne oncle, ses impatiences et ses colères, tandis que, par les pentes adoucies, c'était le calme du chasseur islandais.

Le 11 et le 12 juillet, nous suivîmes les spirales de cette faille, pénétrant encore de deux lieues dans l'écorce terrestre, ce qui faisait près de cinq lieues au-dessous du niveau de la mer. Mais, le 13, vers midi,

la faille prit, dans la direction du sud-est, une inclinaison beaucoup plus douce, environ de quarante-cinq
degrés.

Le chemin devint alors aisé et d'une parfaite monotonie. Il était difficile qu'il en fût autrement. Le voyage
ne pouvait être varié par les incidents du paysage.

Enfin, le mercredi 15, nous étions à sept lieues sous
terre et à cinquante lieues environ du Sneffels. Bien que
nous fussions un peu fatigués, nos santés se maintenaient
dans un état rassurant, et la pharmacie de voyage
était encore intacte.

Mon oncle notait heure par heure les indications de
la boussole, du chronomètre, du manomètre et du
thermomètre, celles-là mêmes qu'il a publiées dans le
récit scientifique de son voyage. Il pouvait donc se
rendre facilement compte de sa situation. Lorsqu'il
m'apprit que nous étions à une distance horizontale
de cinquante lieues, je ne pus retenir une exclamation.

« Qu'as-tu donc ? demanda-t-il.

— Rien, seulement je fais une réflexion.

— Laquelle, mon garçon ?

— C'est que, si vos calculs sont exacts, nous ne
sommes plus sous l'Islande.

— Crois-tu ?

— Il est facile de nous en assurer. »

Je pris mes mesures au compas sur la carte.

« Je ne me trompais pas, dis-je. Nous avons dépassé
le cap Portland, et ces cinquante lieues dans le sud-est
nous mettent en pleine mer.

— Sous la pleine mer, répliqua mon oncle en se
frottant les mains.

— Ainsi, m'écriai-je, l'Océan s'étend au-dessus de
notre tête !

— Bah ! Axel, rien de plus naturel ! N'y a-t-il pas à
Newcastle des mines de charbon qui s'avancent au
loin sous les flots ? »

Le professeur pouvait trouver cette situation fort
simple, mais la pensée de me promener sous la masse
des eaux ne laissa pas de me préoccuper. Et cependant,
que les plaines et les montagnes de l'Islande fussent

suspendues sur notre tête, ou les flots de l'Atlantique,
cela différait peu, en somme, du moment que la charpente granitique était solide. Du reste, je m'habituai
promptement à cette idée, car le couloir, tantôt droit,
tantôt sinueux, capricieux dans ses pentes comme dans
ses détours, mais toujours courant au sud-est, et
toujours s'enfonçant davantage, nous conduisit rapidement à de grandes profondeurs.

Quatre jours plus tard, le samedi 18 juillet, le soir,
nous arrivâmes à une espèce de grotte assez vaste ; mon
oncle remit à Hans ses trois rixdales hebdomadaires,
et il fut décidé que le lendemain serait un jour de repos.

XXV

Je me réveillai donc, le dimanche matin, sans cette
préoccupation habituelle d'un départ immédiat. Et,
quoique ce fût au plus profond des abîmes, cela ne
laissait pas d'être agréable. D'ailleurs, nous étions
faits à cette existence de troglodytes. Je ne pensais
guère au soleil, aux étoiles, à la lune, aux arbres, aux
maisons, aux villes, à toutes ces superfluités terrestres
dont l'être sublunaire s'est fait une nécessité. En notre
qualité de fossiles, nous faisions fi de ces inutiles merveilles.

La grotte formait une vaste salle. Sur son sol granitique coulait doucement le ruisseau fidèle. A une
pareille distance de sa source, son eau n'avait plus que
la température ambiante et se laissait boire sans
difficulté.

Après le déjeuner, le professeur voulut consacrer
quelques heures à mettre en ordre ses notes quotidiennes.

« D'abord, dit-il, je vais faire des calculs, afin de
relever exactement notre situation ; je veux pouvoir,

au retour, tracer une carte de notre voyage, une sorte
de section verticale du globe, qui donnera le profil de
l'expédition.

— Ce sera fort curieux, mon oncle ; mais vos observations auront-elles un degré suffisant de précision ?

— Oui. J'ai noté avec soin les angles et les pentes.
Je suis sûr de ne point me tromper. Voyons d'abord
où nous sommes. Prends la boussole et observe la
direction qu'elle indique. »

Je regardai l'instrument, et, après un examen atten-
tif, je répondis :

« Est-quart-sud-est.

— Bien ! fit le professeur, notant l'observation et
établissant quelques calculs rapides. J'en conclus que
nous avons fait quatre-vingt-cinq lieues depuis notre
point de départ.

— Ainsi nous voyageons sous l'Atlantique ?

— Parfaitement.

— Et dans ce moment une tempête s'y déchaîne
peut-être, et des navires sont secoués sur notre tête
par les flots et l'ouragan ?

— Cela se peut.

— Et les baleines viennent frapper de leur queue
les murailles de notre prison ?

— Sois tranquille, Axel, elles ne parviendront pas
à l'ébranler. Mais revenons à nos calculs. Nous
sommes dans le sud-est, à quatre-vingt-cinq lieues de
la base du Sneffels, et, d'après mes notes précédentes,
j'estime à seize lieues la profondeur atteinte.

— Seize lieues ! m'écriai-je.

— Sans doute.

— Mais c'est l'extrême limite assignée par la science
à l'épaisseur de l'écorce terrestre.

— Je ne dis pas non.

— Et ici, suivant la loi de l'accroissement de la
température, une chaleur de quinze cents degrés devrait
exister.

— « Devrait », mon garçon.

— Et tout ce granit ne pourrait se maintenir à l'état
solide et serait en pleine fusion.

— Tu vois qu'il n'en est rien et que les faits, suivant leur habitude, viennent démentir les théories.

— Je suis forcé d'en convenir, mais enfin cela m'étonne.

— Qu'indique le thermomètre ?

— Vingt-sept degrés six dixièmes.

— Il s'en manque donc de quatorze cent soixante-quatorze degrés quatre dixièmes que les savants n'aient raison. Donc l'accroissement proportionnel de la température est une erreur. Donc Humphry Davy ne se trompait pas. Donc je n'ai pas eu tort de l'écouter. Qu'as-tu à répondre ?

— Rien. »

A la vérité, j'aurais eu beaucoup de choses à dire. Je n'admettais la théorie de Davy en aucune façon, je tenais toujours pour la chaleur centrale, bien que je n'en ressentisse point les effets. J'aimais mieux admettre, en vérité, que cette cheminée d'un volcan éteint, recouverte par les laves d'un enduit réfractaire, ne permettait pas à la température de se propager à travers ses parois.

Mais, sans m'arrêter à chercher des arguments nouveaux, je me bornai à prendre la situation telle qu'elle était.

« Mon oncle, repris-je, je tiens pour exacts tous vos calculs, mais permettez-moi d'en tirer une conséquence rigoureuse.

— Va, mon garçon, à ton aise.

— Au point où nous sommes, sous la latitude de l'Islande, le rayon terrestre est de quinze cent quatre-vingt-trois lieues à peu près ?

— Quinze cent quatre-vingt-trois lieues et un tiers.

— Mettons seize cents lieues en chiffres ronds. Sur un voyage de seize cents lieues, nous en avons fait douze ?

— Comme tu dis.

— Et cela au prix de quatre-vingt-cinq lieues de diagonale ?

— Parfaitement.

— En vingt jours environ ?

— En vingt jours.

— Or, seize lieues font le centième du rayon terrestre. A continuer ainsi, nous mettrons donc deux mille jours, ou près de cinq ans et demi à descendre! »

Le professeur ne répondit pas.

« Sans compter que, si une verticale de seize lieues s'achète par une horizontale de quatre-vingts, cela fera huit mille lieues dans le sud-est, et il y aura longtemps que nous serons sortis par un point de la circonférence avant d'en atteindre le centre!

— Au diable tes calculs! répliqua mon oncle avec un mouvement de colère. Au diable tes hypothèses! Sur quoi reposent-elles? Qui te dit que ce couloir ne va pas directement à notre but? D'ailleurs j'ai pour moi un précédent. Ce que je fais là, un autre l'a fait, et où il a réussi je réussirai à mon tour.

— Je l'espère; mais, enfin, il m'est bien permis...

— Il t'est permis de te taire, Axel, quand tu voudras déraisonner de la sorte. »

Je vis bien que le terrible professeur menaçait de reparaître sous la peau de l'oncle, et je me tins pour averti.

« Maintenant, reprit-il, consulte le manomètre. Qu'indique-t-il?

— Une pression considérable.

— Bien. Tu vois qu'en descendant doucement, en nous habituant peu à peu à la densité de cette atmosphère, nous n'en souffrons aucunement.

— Aucunement, sauf quelques douleurs d'oreilles.

— Ce n'est rien, et tu feras disparaître ce malaise en mettant l'air extérieur en communication rapide avec l'air contenu dans tes poumons.

— Parfaitement, répondis-je, bien décidé à ne plus contrarier mon oncle. Il y a même un plaisir véritable à se sentir plongé dans cette atmosphère plus dense. Avez-vous remarqué avec quelle intensité le son s'y propage?

— Sans doute. Un sourd finirait par y entendre à merveille.

— Mais cette densité augmentera sans aucun doute?

— Oui, suivant une loi assez peu déterminée. Il est vrai que l'intensité de la pesanteur diminuera à mesure que nous descendrons. Tu sais que c'est à la surface même de la terre que son action se fait le plus vivement sentir, et qu'au centre du globe les objets ne pèsent plus.

— Je le sais; mais dites-moi, cet air ne finira-t-il pas par acquérir la densité de l'eau ?

— Sans doute, sous une pression de sept cent dix atmosphères.

— Et plus bas ?

— Plus bas, cette densité s'accroîtra encore.

— Comment descendrons-nous alors ?

— Eh bien, nous mettrons des cailloux dans nos poches.

— Ma foi, mon oncle, vous avez réponse à tout. »

Je n'osai pas aller plus avant dans le champ des hypothèses, car je me serais encore heurté à quelque impossibilité qui eût fait bondir le professeur.

Il était évident, cependant, que l'air, sous une pression qui pouvait atteindre des milliers d'atmosphères, finirait par passer à l'état solide, et alors, en admettant que nos corps eussent résisté, il faudrait s'arrêter, en dépit de tous les raisonnements du monde.

Mais je ne fis pas valoir cet argument. Mon oncle m'aurait encore riposté son éternel Saknussemm, précédent sans valeur, car, en tenant pour avéré le voyage du savant Islandais, il y avait une chose bien simple à répondre :

Au xvie siècle, ni le baromètre ni le manomètre n'étaient inventés; comment donc Saknussemm avait-il pu déterminer son arrivée au centre du globe ?

Mais je gardai cette objection pour moi, et j'attendis les événements.

Le reste de la journée se passa en calculs et en conversation. Je fus toujours de l'avis du professeur Lidenbrock, et j'enviai la parfaite indifférence de Hans qui, sans tant chercher les effets et les causes, s'en allait aveuglément où le menait la destinée.

XXVI

Il faut l'avouer, les choses jusqu'ici se passaient bien, et j'aurais eu mauvaise grâce à me plaindre. Si la « moyenne » des difficultés ne s'accroissait pas, nous ne pouvions manquer d'atteindre notre but. Et quelle gloire alors! J'en étais arrivé à faire de ces raisonnements à la Lidenbrock. Sérieusement. Cela tenait-il au milieu étrange dans lequel je vivais? Peut-être.

Pendant quelques jours, des pentes plus rapides, quelques-unes même d'une effrayante verticalité, nous engagèrent profondément dans le massif interne. Par certaines journées, on gagnait une lieue et demie à deux lieues vers le centre. Descentes périlleuses, pendant lesquelles l'adresse de Hans et son merveilleux sang-froid nous furent très utiles. Cet impassible Islandais se dévouait avec un incompréhensible sans-façon, et, grâce à lui, plus d'un mauvais pas fut franchi dont nous ne serions pas sortis seuls.

Par exemple, son mutisme s'augmentait de jour en jour. Je crois même qu'il nous gagnait. Les objets extérieurs ont une action réelle sur le cerveau. Qui s'enferme entre quatre murs finit par perdre la faculté d'associer les idées et les mots. Que de prisonniers cellulaires devenus imbéciles, sinon fous, par le défaut d'exercice des facultés pensantes!

Pendant les deux semaines qui suivirent notre dernière conversation, il ne se produisit aucun incident digne d'être rapporté. Je ne retrouve dans ma mémoire, et pour cause, qu'un seul événement d'une extrême gravité. Il m'eût été difficile d'en oublier le moindre détail.

Le 7 août, nos descentes successives nous avaient amenés à une profondeur de trente lieues, c'est-à-dire qu'il y avait sur notre tête trente lieues de rocs, d'océan, de continents et de villes. Nous devions être alors à deux cents lieues de l'Islande.

Ce jour-là, le tunnel suivait un plan peu incliné.

Je marchais en avant. Mon oncle portait l'un des deux appareils de Ruhmkorff, et moi l'autre. J'examinais les couches de granit.

Tout à coup, me retournant, je m'aperçus que j'étais seul.

« Bon, pensais-je, j'ai marché trop vite, ou bien Hans et mon oncle se sont arrêtés en route. Allons, il faut les rejoindre. Heureusement le chemin ne monte pas sensiblement. »

Je revins sur mes pas. Je marchai pendant un quart d'heure. Je regardai. Personne. J'appelai. Point de réponse. Ma voix se perdit au milieu des caverneux échos qu'elle éveilla soudain.

Je commençai à me sentir inquiet. Un frisson me parcourut tout le corps.

« Un peu de calme, dis-je à haute voix. Je suis sûr de retrouver mes compagnons. Il n'y a pas deux routes! Or, j'étais en avant, retournons en arrière. »

Je remontai pendant une demi-heure. J'écoutai si quelque appel ne m'était pas adressé, et, dans cette atmosphère si dense, il pouvait m'arriver de loin. Un silence extraordinaire régnait dans l'immense galerie.

Je m'arrêtai. Je ne pouvais croire à mon isolement. Je voulais bien être égaré, non perdu. Égaré, on se retrouve.

« Voyons, répétai-je, puisqu'il n'y a qu'une route, puisqu'ils la suivent, je dois les rejoindre. Il suffira de remonter encore. A moins que, ne me voyant pas, et oubliant que je les devançais, ils n'aient eu la pensée de revenir en arrière. Eh bien! même dans ce cas, en me hâtant, je les retrouverai. C'est évident! »

Je répétai ces derniers mots comme un homme qui n'est pas convaincu. D'ailleurs, pour associer ces idées si simples et les réunir sous forme de raisonnement, je dus employer un temps fort long.

Un doute me prit alors. Etais-je bien en avant? Certes, Hans me suivait, précédant mon oncle. Il s'était même arrêté pendant quelques instants pour rattacher ses bagages sur son épaule. Ce détail me revenait à l'esprit. C'est à ce moment même que j'avais dû continuer ma route.

« D'ailleurs, pensai-je, j'ai un moyen sûr de ne pas m'égarer, un fil pour me guider dans ce labyrinthe, et qui ne saurait casser, mon fidèle ruisseau. Je n'ai qu'à remonter son cours, et je retrouverai forcément les traces de mes compagnons. »

Ce raisonnement me ranima, et je résolus de me remettre en marche sans perdre un instant.

Combien je bénis alors la prévoyance de mon oncle, lorsqu'il empêcha le chasseur de boucher l'entaille faite à la paroi de granit! Ainsi cette bienfaisante source, après nous avoir désaltérés pendant la route, allait me guider à travers les sinuosités de l'écorce terrestre.

Avant de remonter, je pensai qu'une ablution me ferait quelque bien.

Je me baissai donc pour plonger mon front dans l'eau du Hans-bach!

Que l'on juge de ma stupéfaction!

Je foulais un granit sec et raboteux! Le ruisseau ne coulait plus à mes pieds!

XXVII

Je ne puis peindre mon désespoir. Nul mot de la langue humaine ne rendrait mes sentiments. J'étais enterré vif, avec la perspective de mourir dans les tortures de la faim et de la soif.

Machinalement je promenai mes mains brûlantes sur le sol. Que ce roc me sembla desséché!

Mais comment avais-je abandonné le cours du ruisseau? Car, enfin, il n'était plus là! Je compris alors la raison de ce silence étrange, quand j'écoutai pour la dernière fois si quelque appel de mes compagnons ne parviendrait pas à mon oreille. Ainsi, au moment où mon premier pas s'engagea dans la route imprudente, je ne remarquai point cette absence du ruisseau. Il est évident qu'à ce moment une bifurcation de la galerie s'ouvrit devant moi, tandis que le Hans-bach, obéissant aux caprices d'une autre pente, s'en allait avec mes compagnons vers des profondeurs inconnues!

Comment revenir ? De traces, il n'y en avait pas. Mon pied ne laissait aucune empreinte sur ce granit. Je me brisais la tête à chercher la solution de cet insoluble problème. Ma situation se résumait en un seul mot : perdu!

Oui! perdu à une profondeur qui me semblait incommensurable! Ces trente lieues d'écorce terrestre pesaient sur mes épaules d'un poids épouvantable. Je me sentais écrasé.

J'essayai de ramener mes idées aux choses de la terre. C'est à peine si je pus y parvenir. Hambourg, la maison de Königstrasse, ma pauvre Graüben, tout ce monde sous lequel je m'égarais passa rapidement devant mon souvenir effaré. Je revis dans une vive hallucination les incidents du voyage, la traversée, l'Islande, M. Fridriksson, le Sneffels! Je me dis que si, dans ma position, je conservais encore l'ombre d'une espérance, ce serait signe de folie, et qu'il valait mieux désespérer!

En effet, quelle puissance humaine pouvait me ramener à la surface du globe et disjoindre ces voûtes énormes qui s'arc-boutaient au-dessus de ma tête ? Qui pouvait me remettre sur la route du retour et me réunir à mes compagnons ?

« Oh! mon oncle! » m'écriai-je avec l'accent du désespoir.

Ce fut le seul mot de reproche qui me vint aux lèvres, car je compris ce que le malheureux homme devait souffrir en me cherchant à son tour.

Quand je me vis ainsi en dehors de tout secours humain, incapable de rien tenter pour mon salut, je songeai aux secours du Ciel. Les souvenirs de mon enfance, ceux de ma mère que je n'avais connue qu'au temps des baisers, revinrent à ma mémoire. Je recourus

à la prière, quelque peu de droits que j'eusse d'être
entendu du Dieu auquel je m'adressais si tard, et je
l'implorai avec ferveur.

Ce retour vers la Providence me rendit un peu de
calme, et je pus concentrer sur ma situation toutes les
forces de mon intelligence.

J'avais pour trois jours de vivres, et ma gourde était
pleine. Cependant je ne pouvais rester seul plus longtemps. Mais fallait-il monter ou descendre ?

Monter évidemment! monter toujours!

Je devais arriver au point où j'avais abandonné la
source, à la funeste bifurcation. Là, une fois le ruisseau
sous les pieds, je pourrais toujours regagner le sommet
du Sneffels.

Comment n'y avais-je pas songé plus tôt! Il y avait
évidemment là une chance de salut. Le plus pressé était
donc de retrouver le cours du Hans-bach.

Je me levai et, m'appuyant sur mon bâton ferré, je
remontai la galerie. La pente en était assez roide. Je
marchais avec espoir et sans embarras, comme un
homme qui n'a pas le choix du chemin à suivre.

Pendant une demi-heure, aucun obstacle n'arrêta mes
pas. J'essayais de reconnaître ma route à la forme du
tunnel, à la saillie de certaines roches, à la disposition
des anfractuosités. Mais aucun signe particulier ne
frappait mon esprit, et je reconnus bientôt que cette
galerie ne pouvait me ramener à la bifurcation. Elle
était sans issue. Je me heurtai contre un mur impéné-
trable, et je tombai sur le roc.

De quelle épouvante, de quel désespoir je fus saisi
alors, je ne saurais le dire. Je demeurai anéanti. Ma
dernière espérance venait de se briser contre cette
muraille de granit.

Perdu dans ce labyrinthe dont les sinuosités se
croisaient en tous sens, je n'avais plus à tenter une fuite
impossible. Il fallait mourir de la plus effroyable des
morts! Et, chose étrange, il me vint à la pensée que, si
mon corps fossilisé se retrouvait un jour, sa rencontre à
trente lieues dans les entrailles de la terre soulèverait
de graves questions scientifiques!

Je voulus parler à voix haute, mais de rauques accents passèrent seuls entre mes lèvres desséchées. Je haletais.

Au milieu de ces angoisses, une nouvelle terreur vint s'emparer de mon esprit. Ma lampe s'était faussée en tombant. Je n'avais aucun moyen de la réparer. Sa lumière pâlissait et allait me manquer!

Je regardai le courant lumineux s'amoindrir dans le serpentin de l'appareil. Une procession d'ombres mouvantes se déroula sur les parois assombries. Je n'osais plus abaisser ma paupière, craignant de perdre le moindre atome de cette clarté fugitive! A chaque instant il me semblait qu'elle allait s'évanouir et que « le noir » m'envahissait.

Enfin une dernière lueur trembla dans la lampe. Je la suivis, je l'aspirai du regard, je concentrai sur elle toute la puissance de mes yeux, comme sur la dernière sensation de lumière qu'il leur fût donné d'éprouver, et je demeurai plongé dans les ténèbres immenses.

Quel cri terrible m'échappa! Sur terre, au milieu des plus profondes nuits, la lumière n'abandonne jamais entièrement ses droits! Elle est diffuse, elle est subtile, mais si peu qu'il en reste, la rétine de l'œil finit par la percevoir! Ici, rien. L'ombre absolue faisait de moi un aveugle dans toute l'acception du mot.

Alors ma tête se perdit. Je me relevai les bras en avant, essayant les tâtonnements les plus douloureux. Je me pris à fuir, précipitant mes pas au hasard dans cet inextricable labyrinthe, descendant toujours, courant à travers la croûte terrestre, comme un habitant des failles souterraines, appelant, criant, hurlant, bientôt meurtri aux saillies des rocs, tombant et me relevant ensanglanté, cherchant à boire ce sang qui m'inondait le visage, et attendant toujours que quelque muraille vînt offrir à ma tête un obstacle pour s'y briser!

Où me conduisit cette course insensée ? Je l'ignorerai toujours. Après plusieurs heures, sans doute à bout de forces, je tombai comme une masse inerte le long de la paroi, et je perdis tout sentiment d'existence!

XXVIII

Quand je revins à la vie, mon visage était mouillé, mais mouillé de larmes. Combien dura cet état d'insensibilité, je ne saurais le dire. Je n'avais plus aucun moyen de me rendre compte du temps. Jamais solitude ne fut semblable à la mienne, jamais abandon si complet!

Après ma chute, j'avais perdu beaucoup de sang. Je m'en sentais inondé! Ah! combien je regrettai de n'être pas mort « et que ce fût encore à faire »! Je ne voulais plus penser. Je chassais toute idée et, vaincu par la douleur, je me roulai près de la paroi opposée.

Déjà je sentais l'évanouissement me reprendre, et, avec lui, l'anéantissement suprême, quand un bruit violent vint frapper mon oreille. Il ressemblait au roulement prolongé du tonnerre, et j'entendis les ondes sonores se perdre peu à peu dans les lointaines profondeurs du gouffre.

D'où provenait ce bruit? De quelque phénomène sans doute, qui s'accomplissait au sein du massif terrestre! L'explosion d'un gaz, ou la chute de quelque puissante assise du globe!

J'écoutai encore. Je voulus savoir si ce bruit se renouvellerait. Un quart d'heure se passa. Le silence régnait dans la galerie. Je n'entendais même plus les battements de mon cœur.

Tout à coup mon oreille, appliquée par hasard sur la muraille, crut surprendre des paroles vagues, insaisissables, lointaines. Je tressaillis.

« C'est une hallucination! » pensai-je.

Mais non. En écoutant avec plus d'attention, j'entendis réellement un murmure de voix. Mais de comprendre ce qui se disait, c'est ce que ma faiblesse ne me permit pas. Cependant on parlait. J'en étais certain.

J'eus un instant la crainte que ces paroles ne fussent les miennes, rapportées par un écho. Peut-être avais-je crié à mon insu. Je fermai fortement les lèvres et j'appliquai de nouveau mon oreille à la paroi.

« Oui, certes, on parle! on parle! »

En me portant même à quelques pieds plus loin le long de la muraille, j'entendis distinctement. Je parvins à saisir des mots incertains, bizarres, incompréhensibles. Ils m'arrivaient comme s'ils eussent été prononcés à voix basse, murmurés, pour ainsi dire. Le mot « forloräd » était plusieurs fois répété, avec un accent de douleur.

Que signifiait-il? Qui le prononçait? Mon oncle ou Hans, évidemment. Mais si je les entendais, ils pouvaient donc m'entendre.

« A moi! criai-je de toutes mes forces, à moi! »

J'écoutai, j'épiai dans l'ombre une réponse, un cri, un soupir. Rien ne se fit entendre. Quelques minutes se passèrent. Tout un monde d'idées avait éclos dans mon esprit. Je pensai que ma voix affaiblie ne pouvait arriver jusqu'à mes compagnons.

« Car ce sont eux, répétai-je. Quels autres hommes seraient enfouis à trente lieues sous terre? »

Je me remis à écouter. En promenant mon oreille sur la paroi, je trouvai un point mathématique où les voix paraissaient atteindre leur maximum d'intensité. Le mot « forloräd » revint encore à mon oreille; puis ce roulement de tonnerre qui m'avait tiré de ma torpeur.

« Non, dis-je, non. Ce n'est point à travers le massif que ces voix se font entendre. La paroi est faite de granit, et elle ne permettrait pas à la plus forte détonation de la traverser! Ce bruit arrive par la galerie même! Il faut qu'il y ait là un effet d'acoustique tout particulier! »

J'écoutai de nouveau, et cette fois, oui! cette fois! j'entendis mon nom distinctement jeté à travers l'espace!

C'était mon oncle qui le prononçait! Il causait avec le guide, et le mot « forloräd » était un mot danois!

Alors je compris tout. Pour me faire entendre, il

fallait précisément parler le long de cette muraille qui
servirait à conduire ma voix comme le fil conduit
l'électricité.

Mais je n'avais pas de temps à perdre. Que mes
compagnons se fussent éloignés de quelques pas, et le
phénomène d'acoustique eût été détruit. Je m'approchai
donc de la muraille, et je prononçai ces mots, aussi
distinctement que possible :

« Mon oncle Lidenbrock ! »

J'attendis dans la plus vive anxiété. Le son n'a pas
une rapidité extrême. La densité des couches d'air
n'accroît même pas sa vitesse ; elle n'augmente que son
intensité. Quelques secondes, des siècles, se passèrent,
et enfin ces paroles arrivèrent à mon oreille :

« Axel, Axel, est-ce toi ? »

. . . .

« Oui ! oui ! » répondis-je.

. . . .

« Mon enfant, où es-tu ? »

. . . .

« Perdu, dans la plus profonde obscurité ! »

. . . .

« Mais ta lampe ? »

. . . .

« Eteinte. »

. . . .

« Et le ruisseau ? »

. . . .

« Disparu. »

. . . .

« Axel, mon pauvre Axel, reprends courage ! »

. . . .

« Attendez un peu, je suis épuisé ! Je n'ai plus la
force de répondre. Mais parlez-moi ! »

. . . .

« Courage, reprit mon oncle. Ne parle pas, écoute-
moi. Nous t'avons cherché en remontant et en descendant la galerie. Impossible de te trouver. Ah ! je t'ai
bien pleuré, mon enfant ! Enfin, te supposant toujours
sur le chemin du Hans-bach, nous sommes redescendus

en tirant des coups de fusil. Maintenant, si nos voix peuvent se réunir, pur effet d'acoustique! nos mains ne peuvent se toucher! Mais ne te désespère pas, Axel! C'est déjà quelque chose de s'entendre! »

. . . .

Pendant ce temps j'avais réfléchi. Un certain espoir, vague encore, me revenait au cœur. Tout d'abord, il y avait une chose qu'il m'importait de connaître. J'approchai donc mes lèvres de la muraille, et je dis :

« Mon oncle ? »

. . . .

« Mon enfant ? » me fut-il répondu après quelques instants.

. . . .

« Il faut d'abord savoir quelle distance nous sépare. »

. . . .

« Cela est facile. »

. . . .

« Vous avez votre chronomètre ? »

. . . .

« Oui. »

. . . .

« Eh bien, prenez-le. Prononcez mon nom en notant exactement la seconde où vous parlerez. Je le répéterai dès qu'il me parviendra, et vous observerez également le moment précis auquel vous arrivera ma réponse. »

. . . .

« Bien, et la moitié du temps compris entre ma demande et la réponse indiquera celui que ma voix emploie pour arriver jusqu'à toi. »

. . . .

« C'est cela, mon oncle. »

. . . .

« Es-tu prêt ? »

. . . .

« Oui. »

. . . .

« Eh bien, fais attention, je vais prononcer ton nom. »

. . . .

J'appliquai mon oreille sur la paroi et dès que le mot

« Axel » me parvint, je répondis immédiatement
« Axel », puis j'attendis.

. . . .

« Quarante secondes, dit alors mon oncle. Il s'est
écoulé quarante secondes entre les deux mots; le son
met donc vingt secondes à monter. Or, à mille
vingt pieds par seconde, cela fait vingt mille quatre
cents pieds, ou une lieue et demie et un huitième. »

. . . .

« Une lieue et demie! » murmurai-je.

. . . .

« Eh! cela se franchit, Axel! »

. . . .

« Mais faut-il monter ou descendre? »

. . . .

« Descendre, et voici pourquoi. Nous sommes
arrivés à un vaste espace, auquel aboutissent un grand
nombre de galeries. Celle que tu as suivie ne peut
manquer de t'y conduire, car il semble que toutes ces
fentes, ces fractures du globe, rayonnent autour de
l'immense caverne que nous occupons. Relève-toi
donc et reprends ta route. Marche, traîne-toi, s'il le faut,
glisse sur les pentes rapides, et tu trouveras nos bras pour
te recevoir au bout du chemin. En route, mon enfant,
en route! »

. . . .

Ces paroles me ranimèrent.

« Adieu, mon oncle, m'écriai-je; je pars. Nos voix
ne pourront plus communiquer entre elles, du moment
que j'aurai quitté cette place! Adieu donc! »

. . . .

« Au revoir, Axel! au revoir! »

. . . .

Tels furent les derniers mots que j'entendis.

Cette surprenante conversation faite au travers de la
masse terrestre, échangée à plus d'une lieue de distance,
se termina sur ces paroles d'espoir. Je fis une prière de
reconnaissance à Dieu, car il m'avait conduit parmi ces
immensités sombres au seul point peut-être où la voix
de mes compagnons pouvait me parvenir.

Cet effet d'acoustique très étonnant s'expliquait facilement par les seules lois physiques; il provenait de la forme du couloir et de la conductibilité de la roche. Il y a bien des exemples de cette propagation de sons non perceptibles aux espaces intermédiaires. Je me souviens qu'en maint endroit ce phénomène fut observé, entre autres, dans la galerie intérieure du dôme de Saint-Paul à Londres, et surtout au milieu de ces curieuses cavernes de Sicile, ces latomies situées près de Syracuse, dont la plus merveilleuse en ce genre est connue sous le nom d'Oreille de Denys.

Ces souvenirs me revinrent à l'esprit, et je vis clairement que, puisque la voix de mon oncle arrivait jusqu'à moi, aucun obstacle n'existait entre nous. En suivant le chemin du son, je devais logiquement arriver comme lui, si les forces ne me trahissaient pas.

Je me levai donc. Je me traînai plutôt que je ne marchai. La pente était assez rapide. Je me laissai glisser.

Bientôt la vitesse de ma descente s'accrut dans une effrayante proportion, et menaçait de ressembler à une chute. Je n'avais plus la force de m'arrêter.

Tout à coup le terrain manqua sous mes pieds. Je me sentis rouler en rebondissant sur les aspérités d'une galerie verticale, un véritable puits. Ma tête porta sur un roc aigu, et je perdis connaissance.

XXIX

Lorsque je revins à moi, j'étais dans une demi-obscurité, étendu sur d'épaisses couvertures. Mon oncle veillait, épiant sur mon visage un reste d'existence. A mon premier soupir, il me prit la main; à mon premier regard il poussa un cri de joie.

« Il vit! il vit! s'écria-t-il.

— Oui, répondis-je d'une voix faible.

— Mon enfant, dit mon oncle en me serrant sur sa poitrine, te voilà sauvé! »

Je fus vivement touché de l'accent dont furent prononcées ces paroles, et plus encore des soins qui les accompagnèrent. Mais il fallait de telles épreuves pour provoquer chez le professeur un pareil épanchement.

En ce moment Hans arriva. Il vit ma main dans celle de mon oncle; j'ose affirmer que ses yeux exprimèrent un vif contentement.

« God dag, dit-il.

— Bonjour, Hans, bonjour, murmurai-je. Et maintenant, mon oncle, apprenez-moi où nous sommes en ce moment.

— Demain, Axel, demain; aujourd'hui tu es encore trop faible; j'ai entouré ta tête de compresses qu'il ne faut pas déranger; dors donc mon garçon, et demain tu sauras tout.

— Mais au moins, repris-je, quelle heure, quel jour est-il?

— Onze heures du soir, c'est aujourd'hui dimanche, 9 août, et je ne te permets plus de m'interroger avant le 10 du présent mois. »

En vérité, j'étais bien faible, et mes yeux se fermèrent involontairement. Il me fallait une nuit de repos; je me laissai donc assoupir sur cette pensée que mon isolement avait duré quatre longs jours.

Le lendemain, à mon réveil, je regardai autour de moi. Ma couchette, faite de toutes les couvertures de voyage, se trouvait installée dans une grotte charmante, ornée de magnifiques stalagmites, et dont le sol était recouvert d'un sable fin. Il y régnait une demi-obscurité. Aucune torche, aucune lampe n'était allumée, et cependant, certaines clartés inexplicables venaient du dehors en pénétrant par une étroite ouverture de la grotte. J'entendais aussi un murmure vague et indéfini, semblable au gémissement des flots qui se brisent sur une grève, et parfois les sifflements de la brise.

Je me demandai si j'étais bien éveillé, si je rêvais encore, si mon cerveau, fêlé dans ma chute, ne percevait pas des bruits purement imaginaires. Cependant, ni mes yeux ni mes oreilles ne pouvaient se tromper à ce point.

« C'est un rayon du jour, pensai-je, qui se glisse par cette fente de rochers ! Voilà bien le murmure des vagues ! Voilà le sifflement de la brise ! Est-ce que je me trompe, ou sommes-nous revenus à la surface de la terre ? Mon oncle a-t-il donc renoncé à son expédition, ou l'aurait-il heureusement terminée ? »

Je me posais ces insolubles questions, quand le professeur entra.

« Bonjour, Axel ! fit-il joyeusement. Je gagerais volontiers que tu te portes bien !

— Mais oui, dis-je en me redressant sur les couvertures.

— Cela devait être, car tu as tranquillement dormi. Hans et moi, nous t'avons veillé tour à tour, et nous avons vu ta guérison faire des progrès sensibles.

— En effet, je me sens ragaillardi, et la preuve, c'est que je ferai honneur au déjeuner que vous voudrez bien me servir !

— Tu mangeras, mon garçon ! La fièvre t'a quitté. Hans a frotté tes plaies avec je ne sais quel onguent dont les Islandais ont le secret, et elles se sont cicatrisées à merveille. C'est un fier homme que notre chasseur ! »

Tout en parlant, mon oncle apprêtait quelques aliments que je dévorai, malgré ses recommandations. Pendant ce temps je l'accablai de questions auxquelles il s'empressa de répondre.

J'appris alors que ma chute providentielle m'avait précisément amené à l'extrémité d'une galerie presque perpendiculaire; comme j'étais arrivé au milieu d'un torrent de pierres, dont la moins grosse eût suffi à m'écraser, il fallait en conclure qu'une partie du massif avait glissé avec moi. Cet effrayant véhicule me transporta ainsi jusque dans les bras de mon oncle, où je tombai sanglant, inanimé.

« Véritablement, me dit-il, il est étonnant que tu ne te sois pas tué mille fois. Mais, pour Dieu ! ne nous séparons plus, car nous risquerions de ne jamais nous revoir. »

« Ne nous séparons plus! » Le voyage n'était donc pas fini ? J'ouvris de grands yeux étonnés, ce qui provoqua immédiatement cette question :

« Qu'as-tu donc, Axel ?

— Une demande à vous adresser. Vous dites que me voilà sain et sauf ?

— Sans doute.

— J'ai tous mes membres intacts ?

— Certainement.

— Et ma tête ?

— Ta tête, sauf quelques contusions, est parfaitement à sa place sur tes épaules.

— Eh bien, j'ai peur que mon cerveau ne soit dérangé.

— Dérangé ?

— Oui. Nous ne sommes pas revenus à la surface du globe ?

— Non, certes!

— Alors il faut que je sois fou, car j'aperçois la lumière du jour, j'entends le bruit du vent qui souffle et de la mer qui se brise!

— Ah! n'est-ce que cela ?

— M'expliquerez-vous ?...

— Je ne t'expliquerai rien, car c'est inexplicable; mais tu verras et tu comprendras que la science géologique n'a pas encore dit son dernier mot.

— Sortons donc, m'écriai-je en me levant brusquement.

— Non, Axel, non! le grand air pourrait te faire du mal.

— Le grand air ?

— Oui, le vent est assez violent. Je ne veux pas que tu t'exposes ainsi.

— Mais je vous assure que je me porte à merveille.

— Un peu de patience, mon garçon. Une rechute nous mettrait dans l'embarras, et il ne faut pas perdre de temps, car la traversée peut être longue.

— La traversée ?

— Oui, repose-toi encore aujourd'hui, et nous nous embarquerons demain.

— Nous embarquer ? »

Ce dernier mot me fit bondir.

Quoi! nous embarquer! Avions-nous donc un fleuve, un lac, une mer à notre disposition ? Un bâtiment était-il mouillé dans quelque port intérieur ?

Ma curiosité fut excitée au plus haut point. Mon oncle essaya vainement de me retenir. Quand il vit que mon impatience me ferait plus de mal que la satisfaction de mes désirs, il céda.

Je m'habillai rapidement. Par surcroît de précaution, je m'enveloppai de l'une des couvertures et je sortis de la grotte.

XXX

D'abord je ne vis rien. Mes yeux déshabitués de la lumière se fermèrent brusquement. Lorsque je pus les rouvrir, je demeurai encore plus stupéfait qu'émerveillé.

« La mer! m'écriai-je.

— Oui, répondit mon oncle, la mer Lidenbrock, et, j'aime à le croire, aucun navigateur ne me disputera l'honneur de l'avoir découverte et le droit de la nommer de mon nom! »

Une vaste nappe d'eau, le commencement d'un lac ou d'un océan, s'étendait au-delà des limites de la vue. Le rivage, largement échancré, offrait aux dernières ondulations des vagues un sable fin, doré, parsemé de ces petits coquillages où vécurent les premiers êtres de la création. Les flots s'y brisaient avec ce murmure sonore particulier aux milieux clos et immenses. Une légère écume s'envolait au souffle d'un vent modéré, et quelques embruns m'arrivaient au visage. Sur cette grève légèrement inclinée, à cent toises environ de la lisière des vagues, venaient mourir les contreforts de

rochers énormes qui montaient en s'évasant à une
incommensurable hauteur. Quelques-uns, déchirant
le rivage de leur arête aiguë, formaient des caps et des
promontoires rongés par la dent du ressac. Plus loin,
l'œil suivait leur masse nettement profilée sur les fonds
brumeux de l'horizon.

C'était un océan véritable, avec le contour capricieux
des rivages terrestres, mais désert et d'un aspect
effroyablement sauvage.

Si mes regards pouvaient se promener au loin sur
cette mer, c'est qu'une lumière « spéciale » en éclairait
les moindres détails. Non pas la lumière du soleil avec
ses faisceaux éclatants et l'irradiation splendide de ses
rayons, ni la lueur pâle et vague de l'astre des nuits,
qui n'est qu'une réflexion sans chaleur. Non. Le pouvoir éclairant de cette lumière, sa diffusion tremblo-
tante, sa blancheur claire et sèche, le peu d'élévation
de sa température, son éclat supérieur en réalité à celui
de la lune, accusaient évidemment une origine électrique. C'était comme une aurore boréale, un phénomène cosmique continu, qui remplissait cette caverne
capable de contenir un océan.

La voûte suspendue au-dessus de ma tête, le ciel,
si l'on veut, semblait fait de grands nuages, vapeurs
mobiles et changeantes, qui, par l'effet de la condensation, devaient, à de certains jours, se résoudre en
pluies torrentielles. J'aurais cru que, sous une pression
aussi forte de l'atmosphère, l'évaporation de l'eau ne
pouvait se produire, et cependant, par une raison
physique qui m'échappait, il y avait de larges nuées
étendues dans l'air. Mais alors « il faisait beau ». Les
nappes électriques produisaient d'étonnants jeux de
lumière sur les nuages très élevés. Des ombres vives
se dessinaient à leurs volutes inférieures, et souvent,
entre deux couches disjointes, un rayon se glissait
jusqu'à nous avec une remarquable intensité. Mais,
en somme, ce n'était pas le soleil, puisque la chaleur
manquait à sa lumière. L'effet en était triste, souve-
rainement mélancolique. Au lieu d'un firmament
brillant d'étoiles, je sentais par-dessus ces nuages une

voûte de granit qui m'écrasait de tout son poids, et
cet espace n'eût pas suffi, tout immense qu'il fût, à la
promenade du moins ambitieux des satellites.

Je me souvins alors de cette théorie d'un capitaine
anglais qui assimilait la terre à une vaste sphère creuse,
à l'intérieur de laquelle l'air se maintenait lumineux
par suite de sa pression, tandis que deux astres, Pluton
et Proserpine, y traçaient leurs mystérieuses orbites.
Aurait-il dit vrai ?

Nous étions réellement emprisonnés dans une
énorme excavation. Sa largeur, on ne pouvait la juger,
puisque le rivage allait s'élargissant à perte de vue,
ni sa longueur, car le regard était bientôt arrêté par
une ligne d'horizon un peu indécise. Quant à sa hauteur, elle devait dépasser plusieurs lieues. Où cette
voûte s'appuyait sur ses contreforts de granit, l'œil
ne pouvait l'apercevoir; mais il y avait un tel nuage
suspendu dans l'atmosphère, dont l'élévation devait
être estimée à deux mille toises, altitude supérieure à
celle des vapeurs terrestres, et due sans doute à la
densité considérable de l'air.

Le mot « caverne » ne rend évidemment pas ma
pensée pour peindre cet immense milieu. Mais les mots
de la langue humaine ne peuvent suffire à qui se
hasarde dans les abîmes du globe.

Je ne savais pas, d'ailleurs, par quel fait géologique
expliquer l'existence d'une pareille excavation. Le
refroidissement du globe avait-il donc pu la produire ?
Je connaissais bien, par les récits des voyageurs,
certaines cavernes célèbres, mais aucune ne présentait
de telles dimensions.

Si la grotte de Guachara, en Colombie, visitée par
M. de Humboldt, n'avait pas livré le secret de sa
profondeur au savant qui la reconnut sur un espace
de deux mille cinq cents pieds, elle ne s'étendait vraisemblablement pas beaucoup au-delà. L'immense
caverne du Mammouth, dans le Kentucky, offrait bien
des proportions gigantesques, puisque sa voûte s'élevait
à cinq cents pieds au-dessus d'un lac insondable, et
que des voyageurs la parcoururent pendant plus de

dix lieues sans rencontrer la fin. Mais qu'étaient ces
cavités auprès de celle que j'admirais alors, avec son
ciel de vapeurs, ses irradiations électriques et une vaste
mer renfermée dans ses flancs ? Mon imagination se
sentait impuissante devant cette immensité.

Toutes ces merveilles, je les contemplais en silence.
Les paroles me manquaient pour rendre mes sensations. Je croyais assister, dans quelque planète lointaine, Uranus ou Neptune, à des phénomènes dont
ma nature « terrestrielle » n'avait pas conscience. A
des sensations nouvelles, il fallait des mots nouveaux,
et mon imagination ne me les fournissait pas. Je regardais, je pensais, j'admirais avec une stupéfaction mêlée
d'une certaine quantité d'effroi.

L'imprévu de ce spectacle avait rappelé sur mon
visage les couleurs de la santé; j'étais en train de me
traiter par l'étonnement et d'opérer ma guérison au
moyen de cette nouvelle thérapeutique; d'ailleurs, la
vivacité d'un air très dense me ranimait, en fournissant
plus d'oxygène à mes poumons.

On concevra sans peine qu'après un emprisonne-
ment de quarante-sept jours dans une étroite galerie,
c'était une jouissance infinie que d'aspirer cette brise
chargée d'humides émanations salines.

Aussi n'eus-je point à me repentir d'avoir quitté ma
grotte obscure. Mon oncle, déjà fait à ces merveilles,
ne s'étonnait plus.

« Te sens-tu la force de te promener un peu ? me
demanda-t-il.

— Oui, certes, répondis-je, et rien ne me sera plus
agréable.

— Eh bien, prends mon bras, Axel, et suivons les
sinuosités du rivage. »

J'acceptai avec empressement, et nous commen-
çâmes à cotoyer cet océan nouveau. Sur la gauche,
des rochers abrupts, grimpés les uns sur les autres,
formaient un entassement titanesque d'un prodigieux
effet. Sur leurs flancs se déroulaient d'innombrables
cascades, qui s'en allaient en nappes limpides et retentissantes. Quelques légères vapeurs, sautant d'un roc

à l'autre, marquaient la place des sources chaudes, et
des ruisseaux coulaient doucement vers le bassin
commun, en cherchant dans les pentes l'occasion de
murmurer plus agréablement.

Parmi ces ruisseaux je reconnus notre fidèle compagnon de route, le Hans-bach, qui venait se perdre
tranquillement dans la mer, comme s'il n'eût jamais
fait autre chose depuis le commencement du monde.

« Il nous manquera désormais, dis-je avec un soupir.

— Bah! répondit le professeur, lui ou un autre,
qu'importe. »

Je trouvai la réponse un peu ingrate.

Mais en ce moment mon attention fut attirée par
un spectacle inattendu. A cinq cents pas, au détour
d'un haut promontoire, une forêt haute, touffue,
épaisse, apparut à nos yeux. Elle était faite d'arbres
de moyenne grandeur, taillés en parasols réguliers, à
contours nets et géométriques ; les courants de l'atmosphère ne semblaient pas avoir prise sur leur feuillage,
et, au milieu des souffles, ils demeuraient immobiles
comme un massif de cèdres pétrifiés.

Je hâtais le pas. Je ne pouvais mettre un nom à ces
essences singulières. Ne faisaient-elles point partie des
deux cent mille espèces végétales connues jusqu'alors,
et fallait-il leur accorder une place spéciale dans la flore
des végétations lacustres ? Non. Quand nous arrivâmes
sous leur ombrage, ma surprise ne fut plus que de
l'admiration.

En effet, je me trouvais en présence de produits de
la terre, mais taillés sur un patron gigantesque. Mon
oncle les appela immédiatement de leur nom.

« Ce n'est qu'une forêt de champignons », dit-il.

Et il ne se trompait pas. Que l'on juge du développement acquis par ces plantes chères aux milieux chauds
et humides. Je savais que le « lycoperdon giganteum »
atteint, suivant Bulliard, huit à neuf pieds de circonférence ; mais il s'agissait ici de champignons blancs,
hauts de trente à quarante pieds, avec une calotte d'un
diamètre égal. Ils étaient là par milliers. La lumière ne
parvenait pas à percer leurs épais ombrage, et une

obscurité complète régnait sous ces dômes juxtaposés comme les toits ronds d'une cité africaine.

Cependant je voulus pénétrer plus avant. Un froid mortel descendait de ces voûtes charnues. Pendant une demi-heure, nous errâmes dans ces humides ténèbres, et ce fut avec un véritable sentiment de bien-être que je retrouvai les bords de la mer.

Mais la végétation de cette contrée souterraine ne s'en tenait pas à ces champignons. Plus loin s'élevaient par groupes un grand nombre d'autres arbres au feuillage décoloré. Ils étaient faciles à reconnaître; c'étaient les humbles arbustes de la terre, avec des dimensions phénoménales, des lycopodes hauts de cent pieds, des sigillaires géantes, des fougères arborescentes, grandes comme les sapins des hautes latitudes, des lépidodendrons à tiges cylindriques bifurquées, terminées par de longues feuilles et hérissées de poils rudes comme de monstrueuses plantes grasses.

« Etonnant, magnifique, splendide! s'écria mon oncle. Voilà toute la flore de la seconde époque du monde, de l'époque de transition. Voilà ces humbles plantes de nos jardins qui se faisaient arbres aux premiers siècles du globe! regarde, Axel, admire! Jamais botaniste ne s'est trouvé à pareille fête!

— Vous avez raison, mon oncle. La Providence semble avoir voulu conserver dans cette serre immense ces plantes antédiluviennes que la sagacité des savants a reconstruites avec tant de bonheur.

— Tu dis bien, mon garçon, c'est une serre; mais tu dirais mieux encore en ajoutant que c'est peut-être une ménagerie.

— Une ménagerie!

— Oui, sans doute. Vois cette poussière que nous foulons aux pieds, ces ossements épars sur le sol.

— Des ossements! m'écriai-je. Oui, des ossements d'animaux antédiluviens! »

Je m'étais précipité sur ces débris séculaires faits d'une substance minérale indestructible [1]. Je mettais

1. Phosphate de chaux.

sans hésiter un nom à ces os gigantesques qui ressemblaient à des troncs d'arbres desséchés.

« Voilà la mâchoire inférieure du mastodonte, disais-je; voilà les molaires du dinotherium; voilà un fémur qui ne peut avoir appartenu qu'au plus grand de ces animaux, au megatherium. Oui, c'est bien une ménagerie, car ces ossements n'ont certainement pas été transportés jusqu'ici par un cataclysme. Les animaux auxquels ils appartiennent ont vécu sur les rivages de cette mer souterraine, à l'ombre de ces plantes arborescentes. Tenez, j'aperçois des squelettes entiers. Et cependant...

— Cependant ? dit mon oncle.

— Je ne comprends pas la présence de pareils quadrupèdes dans cette caverne de granit.

— Pourquoi ?

— Parce que la vie animale n'a existé sur la terre qu'aux périodes secondaires, lorsque le terrain sédimentaire a été formé par les alluvions, et a remplacé les roches incandescentes de l'époque primitive.

— Eh bien! Axel, il y a une réponse bien simple à faire à ton objection, c'est que ce terrain-ci est un terrain sédimentaire.

— Comment! à une pareille profondeur au-dessous de la surface de la terre!

— Sans doute, et ce fait peut s'expliquer géologiquement. A une certaine époque, la terre n'était formée que d'une écorce élastique, soumise à des mouvements alternatifs de haut et de bas, en vertu des lois de l'attraction. Il est probable que des affaissements du sol se sont produits, et qu'une partie des terrains sédimentaires a été entraînée au fond des gouffres subitement ouverts.

— Cela doit être. Mais, si des animaux antédiluviens ont vécu dans ces régions souterraines, qui nous dit que l'un de ces monstres n'erre pas encore au milieu de ces forêts sombres ou derrière ces rocs escarpés ? »

A cette idée j'interrogeai, non sans effroi, les divers points de l'horizon; mais aucun être vivant n'apparaissait sur ces rivages déserts.

J'étais un peu fatigué. J'allai m'asseoir alors à
l'extrémité d'un promontoire au pied duquel les flots
venaient se briser avec fracas. De là mon regard
embrassait toute cette baie formée par une échancrure
de la côte. Au fond, un petit port s'y trouvait ménagé
entre les roches pyramidales. Ses eaux calmes dormaient à l'abri du vent. Un brick et deux ou trois
goélettes auraient pu y mouiller à l'aise. Je m'attendais
presque à voir quelque navire sortant toutes voiles
dehors et prenant le large sous la brise du sud.

Mais cette illusion se dissipa rapidement. Nous
étions bien les seules créatures vivantes de ce monde
souterrain. Par certaines accalmies du vent, un silence
plus profond que les silences du désert descendait sur
les rocs arides et pesait à la surface de l'océan. Je
cherchais alors à percer des brumes lointaines, à
déchirer ce rideau jeté sur le fond mystérieux de l'horizon. Quelles demandes se pressaient sur mes lèvres ?
Où finissait cette mer ? Où conduisait-elle ? Pourrions-
nous jamais en reconnaître les rivages opposés ?

Mon oncle n'en doutait pas, pour son compte. Moi,
je le désirais et je le craignais à la fois.

Après une heure passée dans la contemplation de
ce merveilleux spectacle, nous reprîmes le chemin de
la grève pour regagner la grotte, et ce fut sous l'empire
des plus étranges pensées que je m'endormis d'un
profond sommeil.

XXXI

Le lendemain je me réveillai complètement guéri.
Je pensai qu'un bain me serait très salutaire, et j'allai
me plonger pendant quelques minutes dans les eaux
de cette Méditerranée. Ce nom, à coup sûr, elle le
méritait entre tous.

Je revins déjeuner avec un bel appétit. Hans s'entendait à cuisiner notre petit menu; il avait de l'eau et du feu à sa disposition, de sorte qu'il put varier un peu notre ordinaire. Au dessert, il nous servit quelques tasses de café, et jamais ce délicieux breuvage ne me parut plus agréable à déguster.

« Maintenant, dit mon oncle, voici l'heure de la marée, et il ne faut pas manquer l'occasion d'étudier ce phénomène.

— Comment, la marée! m'écriai-je.

— Sans doute.

— L'influence de la lune et du soleil se fait sentir jusqu'ici ?

— Pourquoi pas ? Les corps ne sont-ils pas soumis dans leur ensemble à l'attraction universelle ? Cette masse d'eau ne peut donc échapper à cette loi générale. Aussi, malgré la pression atmosphérique qui s'exerce à sa surface, tu vas la voir se soulever comme l'Atlantique lui-même. »

En ce moment nous foulions le sable du rivage, et les vagues gagnaient peu à peu la grève.

« Voilà bien le flot qui commence, m'écriai-je.

— Oui, Axel, et d'après ces relais d'écume, tu peux voir que la mer s'élève d'une dizaine de pieds environ.

— C'est merveilleux !

— Non, c'est naturel.

— Vous avez beau dire, mon oncle, tout cela me paraît extraordinaire, et c'est à peine si j'en crois mes yeux. Qui eût jamais imaginé dans cette écorce terrestre un océan véritable, avec ses flux et ses reflux, avec ses brises, avec ses tempêtes !

— Pourquoi pas ? Y a-t-il une raison physique qui s'y oppose ?

— Je n'en vois pas, du moment qu'il faut abandonner le système de la chaleur centrale.

— Donc, jusqu'ici la théorie de Davy se trouve justifiée ?

— Evidemment, et dès lors rien ne contredit l'existence de mers ou de contrées à l'intérieur du globe.

— Sans doute, mais inhabitées.

— Bon! pourquoi ces eaux ne donneraient-elles

pas asile à quelques poissons d'une espèce inconnue ?

— En tout cas, nous n'en avons pas aperçu un seul jusqu'ici.

— Eh bien, nous pouvons fabriquer des lignes et voir si l'hameçon aura autant de succès ici-bas que dans les océans sublunaires.

— Nous essaierons, Axel, car il faut pénétrer tous les secrets de ces régions nouvelles.

— Mais où sommes-nous ? mon oncle, car je ne vous ai point encore posé cette question à laquelle vos instruments ont dû vous répondre.

— Horizontalement, à trois cent cinquante lieues de l'Islande.

— Tout autant ?

— Je suis sûr de ne pas me tromper de cinq cents toises.

— Et la boussole indique toujours le sud-est ?

— Oui, avec une déclinaison occidentale de dix-neuf degrés et quarante-deux minutes, comme sur terre, absolument. Pour son inclinaison, il se passe un fait curieux que j'ai observé avec le plus grand soin.

— Et lequel ?

— C'est que l'aiguille, au lieu de s'incliner vers le pôle, comme elle le fait dans l'hémisphère boréal, se relève au contraire.

— Il faut donc en conclure que le point d'attraction magnétique se trouve compris entre la surface du globe et l'endroit où nous sommes parvenus ?

— Précisément, et il est probable que, si nous arrivions vers les régions polaires, vers ce soixante-dizième degré où James Ross a découvert le pôle magnétique, nous verrions l'aiguille se dresser verticalement. Donc, ce mystérieux centre d'attraction ne se trouve pas situé à une grande profondeur.

— En effet, et voilà un fait que la science n'a pas soupçonné.

— La science, mon garçon, est faite d'erreurs, mais d'erreurs qu'il est bon de commettre, car elles mènent peu à peu à la vérité.

— Et à quelle profondeur sommes-nous ?

— A une profondeur de trente-cinq lieues.

— Ainsi, dis-je en considérant la carte, la partie montagneuse de l'Ecosse est au-dessus de nous, et, là, les monts Grampians élèvent à une prodigieuse hauteur leur cime couverte de neige.

— Oui, répondit le professeur en riant. C'est un peu lourd à porter, mais la voûte est solide ; le grand architecte de l'univers l'a construite en bons matériaux, et jamais l'homme n'eût pu lui donner une pareille portée ! Que sont les arches des ponts et les arceaux des cathédrales auprès de cette nef d'un rayon de trois lieues, sous laquelle un océan et ses tempêtes peuvent se développer à leur aise ?

— Oh ! je ne crains pas que le ciel me tombe sur la tête. Maintenant, mon oncle, quels sont vos projets ? Ne comptez-vous pas retourner à la surface du globe ?

— Retourner ! Par exemple ! Continuer notre voyage, au contraire, puisque tout a si bien marché jusqu'ici.

— Cependant je ne vois pas comment nous pénétrerons sous cette plaine liquide.

— Oh ! je ne prétends point m'y précipiter la tête la première. Mais si les océans ne sont, à proprement parler, que des lacs, puisqu'ils sont entourés de terre, à plus forte raison cette mer intérieure se trouve-t-elle circonscrite par le massif granitique.

— Cela n'est pas douteux.

— Eh bien ! sur les rivages opposés, je suis certain de trouver de nouvelles issues.

— Quelle longueur supposez-vous donc à cet océan ?

— Trente ou quarante lieues.

— Ah ! fis-je, tout en imaginant que cette estime pouvait bien être inexacte.

— Ainsi, nous n'avons pas de temps à perdre, et dès demain nous prendrons la mer. »

Involontairement je cherchai des yeux le navire qui devait nous transporter.

« Ah ! dis-je, nous nous embarquerons. Bien ! Et sur quel bâtiment prendrons-nous passage ?

— Ce ne sera pas sur un bâtiment, mon garçon, mais sur un bon et solide radeau.

— Un radeau! m'écriai-je. Un radeau est aussi impossible à construire qu'un navire, et je ne vois pas...

— Tu ne vois pas, Axel, mais si tu écoutais, tu pourrais entendre!

— Entendre?

— Oui, certains coups de marteau qui t'apprendraient que Hans est déjà à l'œuvre.

— Il construit un radeau?

— Oui.

— Comment! il a déjà fait tomber des arbres sous sa hache?

— Oh! les arbres étaient tout abattus. Viens, et tu le verras à l'ouvrage. »

Après un quart d'heure de marche, de l'autre côte du promontoire qui formait le petit port naturel, j'aperçus Hans au travail. Quelques pas encore, et je fus près de lui. A ma grande surprise, un radeau à demi terminé s'étendait sur le sable; il était fait de poutres d'un bois particulier, et un grand nombre de madriers, de courbes, de couples de toute espèce, jonchaient littéralement le sol. Il y avait là de quoi construire une marine entière.

« Mon oncle, m'écriai-je, quel est ce bois?

— C'est du pin, du sapin, du bouleau, toutes les espèces des conifères du Nord, minéralisées sous l'action des eaux de la mer.

— Est-il possible?

— C'est ce qu'on appelle du « surtarbrandur » ou bois fossile.

— Mais alors, comme les lignites, il doit avoir la dureté de la pierre, et il ne pourra flotter?

— Quelquefois cela arrive; il y a de ces bois qui sont devenus de véritables anthracites; mais d'autres, tels que ceux-ci, n'ont encore subi qu'un commencement de transformation fossile. Regarde plutôt », ajouta mon oncle en jetant à la mer une de ces précieuses épaves.

Le morceau de bois, après avoir disparu, revint à la surface des flots et oscilla au gré de leurs ondulations.

« Es-tu convaincu? dit mon oncle.

— Convaincu surtout que cela n'est pas croyable ! »

Le lendemain soir, grâce à l'habileté du guide, le radeau était terminé ; il avait dix pieds de long sur cinq de large ; les poutres de surtarbrandur, reliées entre elles par de fortes cordes, offraient une surface solide, et, une fois lancée, cette embarcation improvisée flotta tranquillement sur les eaux de la mer Lidenbrock.

XXXII

Le 13 août, on se réveilla de bon matin. Il s'agissait d'inaugurer un nouveau genre de locomotion rapide et peu fatigant.

Un mât fait de deux bâtons jumelés, une vergue formée d'un troisième, une voile empruntée à nos couvertures, composaient le gréement du radeau. Les cordes ne manquaient pas. Le tout était solide.

A six heures, le professeur donna le signal d'embarquer. Les vivres, les bagages, les instruments, les armes et une notable quantité d'eau douce recueillie dans les rochers, se trouvaient en place.

Hans avait installé un gouvernail qui lui permettait de diriger son appareil flottant. Il se mit à la barre. Je détachai l'amarre qui nous retenait au rivage. La voile fut orientée, et nous débordâmes rapidement.

Au moment de quitter le petit port, mon oncle, qui tenait à sa nomenclature géographique, voulut lui donner un nom, le mien, entre autres.

« Ma foi, dis-je, j'en ai un autre à vous proposer.

— Lequel ?

— Le nom de Graüben. Port-Graüben, cela fera très bien sur la carte.

— Va pour Port-Graüben. »

Et voilà comment le souvenir de ma chère Virlandaise se rattacha à notre aventureuse expédition.

La brise soufflait du nord-est. Nous filions vent

arrière avec une extrême rapidité. Les couches très denses de l'atmosphère avaient une poussée considérable et agissaient sur la voile comme un puissant ventilateur.

Au bout d'une heure, mon oncle avait pu estimer assez exactement notre vitesse.

« Si nous continuons à marcher ainsi, dit-il, nous ferons au moins trente lieues par vingt-quatre heures, et nous ne tarderons pas à reconnaître les rivages opposés. »

Je ne répondis pas, et j'allai prendre place à l'avant du radeau. Déjà la côte septentrionale s'abaissait à l'horizon. Les deux bras du rivage s'ouvraient largement comme pour faciliter notre départ. Devant mes yeux s'étendait une mer immense. De grands nuages promenaient rapidement à sa surface leur ombre grisâtre, qui semblait peser sur cette eau morne. Les rayons argentés de la lumière électrique, réfléchis çà et là par quelque gouttelette, faisaient éclore des points lumineux dans les remous de l'embarcation. Bientôt toute terre fut perdue de vue, tout point de repère disparut, et, sans le sillage écumeux du radeau, j'aurais pu croire qu'il demeurait dans une parfaite immobilité.

Vers midi, des algues immenses vinrent onduler à la surface des flots. Je connaissais la puissance végétative de ces plantes, qui rampent à une profondeur de plus de douze mille pieds au fond des mers, se reproduisent sous des pressions de quatre cents atmosphères et forment souvent des bancs assez considérables pour entraver la marche des navires; mais jamais, je crois, algues ne furent plus gigantesques que celles de la mer Lidenbrock.

Notre radeau longea des fucus longs de trois et quatre mille pieds, immenses serpents qui se développaient hors de la portée de la vue; je m'amusais à suivre du regard leurs rubans infinis, croyant toujours en atteindre l'extrémité, et pendant des heures entières ma patience était trompée, sinon mon étonnement.

Quelle force naturelle pouvait produire de telles plantes, et quel devait être l'aspect de la terre aux premiers siècles de sa formation, quand, sous l'action de la chaleur et de l'humidité, le règne végétal se développait seul à sa surface!

Le soir arriva, et, ainsi que je l'avais remarqué la veille, l'état lumineux de l'air ne subit aucune diminution. C'était un phénomène constant sur la durée duquel on pouvait compter.

Après le souper, je m'étendis au pied du mât, et je ne tardai pas à m'endormir au milieu d'indolentes rêveries.

Hans, immobile au gouvernail, laissait courir le radeau, qui, d'ailleurs, poussé vent arrière, ne demandait même pas à être dirigé.

Depuis notre départ de Port-Graüben, le professeur Lidenbrock m'avait chargé de tenir le « journal de bord », de noter les moindres observations, de consigner les phénomènes intéressants, la direction du vent, la vitesse acquise, le chemin parcouru, en un mot, tous les incidents de cette étrange navigation.

Je me bornerai donc à reproduire ici ces notes quotidiennes, écrites pour ainsi dire sous la dictée des événements, afin de donner un récit plus exact de notre traversée.

Vendredi 14 août. — Brise égale du N.-O. Le radeau marche avec rapidité et en ligne droite. La côte reste à trente lieues sous le vent. Rien à l'horizon. L'intensité de la lumière ne varie pas. Beau temps, c'est-à-dire que les nuages sont fort élevés, peu épais et baignés dans une atmosphère blanche, comme serait de l'argent en fusion. Thermomètre : + 32 °C.

A midi Hans prépare un hameçon à l'extrémité d'une corde. Il l'amorce avec un petit morceau de viande et le jette à la mer. Pendant deux heures il ne prend rien. Ces eaux sont donc inhabitées ? Non. Une secousse se produit. Hans tire sa ligne et ramène un poisson qui se débat vigoureusement.

« Un poisson! s'écrie mon oncle.

— C'est un esturgeon! m'écriai-je à mon tour, un esturgeon de petite taille! »

Le professeur regarde attentivement l'animal et ne
partage pas mon opinion. Ce poisson a la tête plate,
arrondie et la partie antérieure du corps couverte de
plaques osseuses; sa bouche est privée de dents; des
nageoires pectorales assez développées sont ajustées à
son corps dépourvu de queue. Cet animal appartient
bien à un ordre où les naturalistes ont classé l'esturgeon, mais il en diffère par des côtés assez essentiels.

Mon oncle ne s'y trompe pas, car, après un assez
court examen, il dit :

« Ce poisson appartient à une famille éteinte depuis
des siècles et dont on retrouve seulement les traces
fossiles dans le terrain dévonien.

— Comment! dis-je, nous aurions pu prendre
vivant un de ces habitants des mers primitives ?

— Oui, répond le professeur en continuant ses
observations, et tu vois que ces poissons fossiles n'ont
aucune identité avec les espèces actuelles. Or, tenir un
de ces êtres vivant c'est un véritable bonheur de naturaliste.

— Mais à quelle famille appartient-il ?

— A l'ordre des Ganoïdes, famille des Céphalas-
pides, genre...

— Eh bien ?

— Genre des Pterychtis, j'en jurerais! Mais celui-ci
offre une particularité qui, dit-on, se rencontre chez
les poissons des eaux souterraines.

— Laquelle ?

— Il est aveugle!

— Aveugle!

— Non seulement aveugle, mais l'organe de la vue
lui manque absolument. »

Je regarde. Rien n'est plus vrai. Mais ce peut être
un cas particulier. La ligne est donc amorcée de nouveau et rejetée à la mer. Cet océan, à coup sûr, est fort
poissonneux, car, en deux heures, nous prenons une
grande quantité de Pterychtis, ainsi que des poissons
appartenant à une famille également éteinte, les Dipte-
rides, mais dont mon oncle ne peut reconnaître le genre.
Tous sont dépourvus de l'organe de la vue. Cette

pêche inespérée renouvelle avantageusement nos provisions.

Ainsi donc, cela paraît constant, cette mer ne ren-
ferme que des espèces fossiles, dans lesquelles les
poissons comme les reptiles sont d'autant plus parfaits
que leur création est plus ancienne.

Peut-être rencontrerons-nous quelques-uns de ces
sauriens que la science a su refaire avec un bout d'ossement ou de cartilage ?

Je prends la lunette et j'examine la mer. Elle est
déserte. Sans doute nous sommes encore trop rappro-
chés des côtes.

Je regarde dans les airs. Pourquoi quelques-uns de
ces oiseaux reconstruits par l'immortel Cuvier ne
battraient-ils pas de leurs ailes ces lourdes couches
atmosphériques ? Les poissons leur fourniraient une
suffisante nourriture. J'observe l'espace, mais les airs
sont inhabités comme les rivages.

Cependant mon imagination m'emporte dans les
merveilleuses hypothèses de la paléontologie. Je rêve
tout éveillé. Je crois voir à la surface des eaux ces
énormes Chersites, ces tortues antédiluviennes, semblables à des îlots flottants. Sur les grèves assombries
passent les grands mammifères des premiers jours, le
Leptotherium, trouvé dans les cavernes du Brésil, le
Mericotherium, venu des régions glacées de la Sibérie.
Plus loin, le pachyderme Lophiodon, ce tapir gigantesque, se cache derrière les rocs, prêt à disputer sa
proie à l'Anoplotherium, animal étrange, qui tient du
rhinocéros, du cheval, de l'hippopotame et du cha-
meau, comme si le Créateur, trop pressé aux premières
heures du monde, eût réuni plusieurs animaux en un
seul. Le Mastodonte géant fait tournoyer sa trompe
et broie sous ses défenses les rochers du rivage, tandis
que le Mégatherium, arc-bouté sur ses énormes pattes,
fouille la terre en éveillant par ses rugissements l'écho
des granits sonores. Plus haut, le Protopithèque, le
premier singe apparu à la surface du globe, gravit les
cimes ardues. Plus haut encore, le Pterodactyle, à la
main ailée, glisse comme une large chauve-souris sur

l'air comprimé. Enfin, dans les dernières couches, des
oiseaux immenses, plus puissants que le casoar, plus
grands que l'autruche, déploient leurs vastes ailes et
vont donner de la tête contre la paroi de la voûte
granitique.

Tout ce monde fossile renaît dans mon imagination.
Je me reporte aux époques bibliques de la création,
bien avant la naissance de l'homme, lorsque la terre
incomplète ne pouvait lui suffire encore. Mon rêve
alors devance l'apparition des êtres animés. Les mammifères disparaissent, puis les oiseaux, puis les reptiles
de l'époque secondaire, et enfin les poissons, les
crustacés, les mollusques, les articulés. Les zoophytes
de la période de transition retournent au néant à leur
tour. Toute la vie de la terre se résume en moi, et mon
cœur est seul à battre dans ce monde dépeuplé. Il n'y
a plus de saisons; il n'y a plus de climats; la chaleur
propre du globe s'accroît sans cesse et neutralise celle
de l'astre radieux. La végétation s'exagère. Je passe
comme une ombre au milieu des fougères arborescentes
foulant de mon pas incertain les marnes irisées et les
grès bigarrés du sol; je m'appuie au tronc des conifères
immenses; je me couche à l'ombre des Sphenophylles,
des Asterophylles et des Lycopodes hauts de cent pieds.

Les siècles s'écoulent comme des jours! Je remonte
la série des transformations terrestres. Les plantes
disparaissent; les roches granitiques perdent leur
pureté; l'état liquide va remplacer l'état solide sous
l'action d'une chaleur plus intense; les eaux courent à
la surface du globe; elles bouillonnent, elles se volati-
lisent; les vapeurs enveloppent la terre, qui peu à peu
ne forme plus qu'une masse gazeuse, portée au rouge
blanc, grosse comme le soleil et brillante comme lui!

Au centre de cette nébuleuse, quatorze cent mille
fois plus considérable que ce globe qu'elle va former
un jour, je suis entraîné dans les espaces planétaires!
Mon corps se subtilise, se sublime à son tour et
se mélange comme un atome impondérable à ces
immenses vapeurs qui tracent dans l'infini leur orbite
enflammée!

Quel rêve! Où m'emporte-t-il? Ma main fiévreuse en jette sur le papier les étranges détails! J'ai tout oublié, et le professeur, le guide, et le radeau! Une hallucination s'est emparée de mon esprit...

« Qu'as-tu ? » dit mon oncle.

Mes yeux tout ouverts se fixent sur lui sans le voir.

« Prends garde, Axel, tu vas tomber à la mer! »

En même temps je me sens saisir vigoureusement par la main de Hans. Sans lui, sous l'empire de mon rêve, je me précipitais dans les flots.

« Est-ce qu'il devient fou ? s'écrie le professeur.

— Qu'y a-t-il ? dis-je enfin, revenant à moi.

— Es-tu malade ?

— Non, j'ai eu un moment d'hallucination, mais il est passé. Tout va bien, d'ailleurs ?

— Oui! bonne brise, belle mer! nous filons rapidement, et si mon estime ne m'a pas trompé, nous ne pouvons tarder à atterrir. »

A ces paroles, je me lève, je consulte l'horizon; mais la ligne d'eau se confond toujours avec la ligne des nuages.

XXXIII

Samedi 15 août. — La mer conserve sa monotone uniformité. Nulle terre n'est en vue. L'horizon paraît excessivement reculé.

J'ai la tête encore alourdie par la violence de mon rêve.

Mon oncle n'a pas rêvé, lui, mais il est de mauvaise humeur. Il parcourt tous les points de l'espace avec sa lunette et se croise les bras d'un air dépité.

Je remarque que le professeur Lidenbrock tend à redevenir l'homme impatient du passé, et je consigne le fait sur mon journal. Il a fallu mes dangers et mes souffrances pour tirer de lui quelque étincelle d'humanité; mais, depuis ma guérison, la nature a repris le dessus. Et cependant, pourquoi s'emporter ? Le voyage ne s'accomplit-il pas dans les circonstances les plus favorables ? Est-ce que le radeau ne file pas avec une merveilleuse rapidité ?

« Vous semblez inquiet, mon oncle ? dis-je, en le voyant souvent porter la lunette à ses yeux.

— Inquiet ? Non.

— Impatient, alors ?

— On le serait à moins!

— Cependant nous marchons avec une vitesse...

— Que m'importe ? Ce n'est pas la vitesse qui est trop petite, c'est la mer qui est trop grande! »

Je me souviens alors que le professeur, avant notre départ, estimait à une trentaine de lieues la longueur de cet océan souterrain. Or, nous avons déjà parcouru un chemin trois fois plus long, et les rivages du sud n'apparaissent pas encore.

« Nous ne descendons pas! reprend le professeur. Tout cela est du temps perdu, et, en somme, je ne suis pas venu si loin pour faire une partie de bateau sur un étang! »

Il appelle cette traversée une partie de bateau, et cette mer un étang!

« Mais, dis-je, puisque nous avons suivi la route indiquée par Saknussemm...

— C'est la question. Avons-nous suivi cette route ? Saknussemm a-t-il rencontré cette étendue d'eau ? L'a-t-il traversée ? Ce ruisseau que nous avons pris pour guide ne nous a-t-il pas complètement égarés ?

— En tout cas, nous ne pouvons regretter d'être venus jusqu'ici. Ce spectacle est magnifique, et...

— Il ne s'agit pas de voir. Je me suis proposé un but, et je veux l'atteindre! Ainsi ne me parle pas d'admirer! »

Je me le tiens pour dit, et je laisse le professeur se ronger les lèvres d'impatience. A six heures du soir, Hans réclame sa paie, et ses trois rixdales lui sont comptées.

Dimanche 16 août. — Rien de nouveau. Même temps. Le vent a une légère tendance à fraîchir. En me réveillant, mon premier soin est de constater l'intensité de la lumière. Je crains toujours que le phénomène électrique ne vienne à s'obscurcir, puis à s'éteindre. Il n'en est rien. L'ombre du radeau est nettement dessinée à la surface des flots.

Vraiment cette mer est infinie! Elle doit avoir la largeur de la Méditerranée, ou même de l'Atlantique. Pourquoi pas ?

Mon oncle sonde à plusieurs reprises. Il attache un des plus lourds pics à l'extrémité d'une corde qu'il laisse filer de deux cents brasses. Pas de fond. Nous avons beaucoup de peine à ramener notre sonde.

Quand le pic est remonté à bord, Hans me fait remarquer à sa surface des empreintes fortement accusées. On dirait que ce morceau de fer a été vigoureusement serré entre deux corps durs.

Je regarde le chasseur.

« Tänder! » dit-il.

Je ne comprends pas. Je me tourne vers mon oncle, qui est entièrement absorbé dans ses réflexions. Je ne me soucie pas de le déranger. Je reviens vers l'Islandais. Celui-ci, ouvrant et refermant plusieurs fois la bouche, me fait comprendre sa pensée.

« Des dents! » dis-je avec stupéfaction en considérant plus attentivement la barre de fer.

Oui! ce sont bien des dents dont l'empreinte s'est incrustée dans le métal! Les mâchoires qu'elles garnissent doivent posséder une force prodigieuse! Est-ce un monstre des espèces perdues qui s'agite sous la couche profonde des eaux, plus vorace que le squale, plus redoutable que la baleine ? Je ne puis détacher mes regards de cette barre à demi rongée! Mon rêve de la nuit dernière va-t-il devenir une réalité ?

Ces pensées m'agitent pendant tout le jour, et mon imagination se calme à peine dans son sommeil de quelques heures.

Lundi 17 août. — Je cherche à me rappeler les

instincts particuliers à ces animaux antédiluviens de
l'époque secondaire, qui, succédant aux mollusques,
aux crustacés et aux poissons, précédèrent l'apparition
des mammifères sur le globe. Le monde appartenait
alors aux reptiles. Ces monstres régnaient en maîtres
dans les mers jurassiques [1]. La nature leur avait accordé
la plus complète organisation. Quelle gigantesque
structure! quelle force prodigieuse! Les sauriens
actuels, alligators ou crocodiles, les plus gros et les
plus redoutables ne sont que des réductions affaiblies
de leurs pères des premiers âges!

Je frissonne à l'évocation que je fais de ces monstres.
Nul œil humain ne les a vus vivants. Ils apparurent sur
la terre mille siècles avant l'homme, mais leurs ossements fossiles, retrouvés dans ce calcaire argileux que
les Anglais nomment le lias, ont permis de les reconstruire anatomiquement et de connaître leur colossale
conformation.

J'ai vu au Muséum de Hambourg le squelette de
l'un de ces sauriens qui mesurait trente pieds de
longueur. Suis-je donc destiné, moi, habitant de la
terre, à me trouver face à face avec ces représentants
d'une famille antédiluvienne ? Non! c'est impossible.
Cependant la marque des dents puissantes est gravée
sur la barre de fer, et à leur empreinte, je reconnais
qu'elles sont coniques comme celles du crocodile.

Mes yeux se fixent avec effroi sur la mer. Je crains
de voir s'élancer l'un de ces habitants des cavernes
sous-marines.

Je suppose que le professeur Lidenbrock partage
mes idées, sinon mes craintes, car, après avoir examiné
le pic, il parcourt l'Océan du regard.

« Au diable, dis-je en moi-même, cette idée qu'il a
eue de sonder! il a troublé quelque animal dans sa
retraite, et si nous ne sommes pas attaqués en route!... »

Je jette un coup d'œil sur les armes, et je m'assure
qu'elles sont en bon état. Mon oncle me voit faire et
m'approuve du geste.

1. Mers de la période secondaire qui ont formé les terrains dont
se composent les montagnes du Jura.

Déjà de larges agitations produites à la surface des flots indiquent le trouble des couches reculées. Le danger est proche. Il faut veiller.

Mardi 18 août. — Le soir arrive, ou plutôt le moment où le sommeil alourdit nos paupières, car la nuit manque à cet océan, et l'implacable lumière fatigue obstinément nos yeux, comme si nous naviguions sous le soleil des mers arctiques. Hans est à la barre. Pendant son quart je m'endors.

Deux heures après, une secousse épouvantable me réveille. Le radeau a été soulevé hors des flots avec une indescriptible puissance et rejeté à vingt toises de là.

« Qu'y a-t-il ? s'écrie mon oncle. Avons-nous touché ? »

Hans montre du doigt, à une distance de deux cents toises, une masse noirâtre qui s'élève et s'abaisse tour à tour. Je regarde et je m'écrie :

« C'est un marsouin colossal!

— Oui, réplique mon oncle, et voilà maintenant un lézard de mer d'une grosseur peu commune.

— Et plus loin un crocodile monstrueux ! Voyez sa large mâchoire et les rangées de dents dont elle est armée. Ah! il disparaît!

— Une baleine! une baleine! s'écrie alors le professeur. J'aperçois ses nageoires énormes! Vois l'air et l'eau qu'elle chasse par ses évents! »

En effet, deux colonnes liquides s'élèvent à une hauteur considérable au-dessus de la mer. Nous restons surpris, stupéfaits, épouvantés, en présence de ce troupeau de monstres marins. Ils ont des dimensions surnaturelles, et le moindre d'entre eux briserait le radeau d'un coup de dent. Hans veut mettre la barre au vent, afin de fuir ce voisinage dangereux; mais il aperçoit sur l'autre bord d'autres ennemis non moins redoutables : une tortue large de quarante pieds, et un serpent long de trente, qui darde sa tête énorme au-dessus des flots.

Impossible de fuir. Ces reptiles s'approchent; ils tournent autour du radeau avec une rapidité que des convois lancés à grande vitesse ne sauraient égaler ; ils tracent autour de lui des cercles concentriques. J'ai pris ma carabine. Mais quel effet peut produire une balle sur les écailles dont le corps de ces animaux est recouvert ?

Nous sommes muets d'effroi. Les voici qui s'approchent ! D'un côté le crocodile, de l'autre le serpent. Le reste du troupeau marin a disparu. Je vais faire feu. Hans m'arrête d'un signe. Les deux monstres passent à cinquante toises du radeau, se précipitent l'un sur l'autre, et leur fureur les empêche de nous apercevoir.

Le combat s'engage à cent toises du radeau. Nous voyons distinctement les deux monstres aux prises.

Mais il me semble que maintenant les autres animaux viennent prendre part à la lutte, le marsouin, la baleine, le lézard, la tortue. A chaque instant je les entrevois. Je les montre à l'Islandais. Celui-ci remue la tête négativement.

« Tva, dit-il.

— Quoi ! deux ? il prétend que deux animaux seulement...

— Il a raison, s'écrie mon oncle, dont la lunette n'a pas quitté les yeux.

— Par exemple !

— Oui ! le premier de ces monstres a le museau d'un marsouin, la tête d'un lézard, les dents d'un crocodile, et voilà ce qui nous a trompés. C'est le plus redoutable des reptiles antédiluviens, l'ichthyosaurus !

— Et l'autre ?

— L'autre, c'est un serpent caché dans la carapace d'une tortue, le terrible ennemi du premier, le plesiosaurus ! »

Hans a dit vrai. Deux monstres seulement troublent ainsi la surface de la mer, et j'ai devant les yeux deux reptiles des océans primitifs. J'aperçois l'œil sanglant de l'ichthyosaurus, gros comme la tête d'un homme. La nature l'a doué d'un appareil d'optique d'une extrême puissance et capable de résister à la pression des couches d'eau dans les profondeurs qu'il habite. On l'a justement nommé la baleine des Sauriens, car il en a la rapidité et la taille. Celui-ci ne mesure pas moins de cent pieds, et je peux juger de sa grandeur quand il dresse au-dessus des flots les nageoires verticales de sa queue. Sa mâchoire est énorme, et d'après les naturalistes, elle ne compte pas moins de cent quatre-vintg-deux dents.

Le plesiosaurus, serpent à tronc cylindrique, à queue courte, a les pattes disposées en forme de rame. Son corps est entièrement revêtu d'une carapace, et son cou, flexible comme celui du cygne, se dresse à trente pieds au-dessus des flots.

Ces animaux s'attaquent avec une indescriptible furie. Ils soulèvent des montagnes liquides qui refluent jusqu'au radeau. Vingt fois nous sommes sur le point de chavirer. Des sifflements d'une prodigieuse intensité se font entendre. Les deux bêtes sont enlacées. Je ne puis les distinguer l'une de l'autre. Il faut tout craindre de la rage du vainqueur.

Une heure, deux heures se passent. La lutte continue avec le même acharnement. Les combattants se rapprochent du radeau et s'en éloignent tour à tour. Nous restons immobiles, prêts à faire feu.

Soudain l'ichthyosaurus et le plesiosaurus disparaissent en creusant un véritable maelström au sein des flots. Plusieurs minutes s'écoulent. Le combat va-t-il se terminer dans les profondeurs de la mer ?

Tout à coup une tête énorme s'élance au-dehors, la tête du plesiosaurus. Le monstre est blessé à mort. Je n'aperçois plus son immense carapace. Seulement son long cou se dresse, s'abat, se relève, se recourbe, cingle les flots comme un fouet gigantesque et se tord comme un ver coupé. L'eau rejaillit à une distance considérable. Elle nous aveugle. Mais bientôt l'agonie du reptile touche à sa fin, ses mouvements diminuent, ses contorsions s'apaisent, et ce long tronçon de serpent s'étend comme une masse inerte sur les flots calmés.

Quant à l'ichthyosaurus, a-t-il donc regagné sa caverne sous-marine, ou va-t-il reparaître à la surface de la mer ?

XXXIV

Mercredi 19 août. — Heureusement le vent, qui souffle avec force, nous a permis de fuir rapidement le théâtre de la lutte. Hans est toujours au gouvernail. Mon oncle, tiré de ses absorbantes idées par les incidents de ce combat, retombe dans son impatiente contemplation de la mer.

Le voyage reprend sa monotone uniformité, que je ne tiens pas à rompre au prix des dangers d'hier.

Jeudi 20 août. — Brise N.-N.-E. assez inégale. Température chaude. Nous marchons avec une vitesse de trois lieues et demie à l'heure.

Vers midi, un bruit très éloigné se fait entendre. Je consigne ici le fait sans pouvoir en donner l'explication. C'est un mugissement continu.

« Il y a au loin, dit le professeur, quelque rocher, ou quelque îlot sur lequel la mer se brise. »

Hans se hisse au sommet du mât, mais ne signale aucun écueil. L'océan est uni jusqu'à sa ligne d'horizon.

Trois heures se passent. Les mugissements semblent provenir d'une chute d'eau éloignée.

Je le fais remarquer à mon oncle, qui secoue la tête. J'ai pourtant la conviction que je ne me trompe pas. Courons-nous donc à quelque cataracte qui nous précipitera dans l'abîme ? Que cette manière de descendre plaise au professeur, parce qu'elle se rapproche de la verticale, c'est possible, mais à moi...

En tout cas, il doit y avoir à quelques lieues au vent un phénomène bruyant, car maintenant les mugissements se font entendre avec une grande violence. Viennent-ils du ciel ou de l'Océan ?

Je porte mes regards vers les vapeurs suspendues

dans l'atmosphère, et je cherche à sonder leur profondeur. Le ciel est tranquille. Les nuages, emportés au
plus haut de la voûte, semblent immobiles et se perdent
dans l'intense irradiation de la lumière. Il faut donc
chercher ailleurs la cause de ce phénomène.

J'interroge alors l'horizon pur et dégagé de toute
brume. Son aspect n'a pas changé. Mais si ce bruit
vient d'une chute, d'une cataracte, si tout cet océan se
précipite dans un bassin inférieur, si ces mugissements
sont produits par une masse d'eau qui tombe, le
courant doit s'activer, et sa vitesse croissante peut me
donner la mesure du péril dont nous sommes menacés.
Je consulte le courant. Il est nul. Une bouteille vide que
je jette à la mer reste sous le vent.

Vers quatre heures Hans se lève, se cramponne au
mât et monte à son extrémité. De là son regard parcourt l'arc de cercle que l'océan décrit devant le radeau
et s'arrête sur un point. Sa figure n'exprime aucune
surprise, mais son œil est devenu fixe.

« Il a vu quelque chose, dit mon oncle.

— Je le crois. »

Hans redescend, puis il étend son bras vers le sud en
disant :

« Der nere !

— Là-bas ? » répond mon oncle.

Et saisissant sa lunette, il regarde attentivement
pendant une minute, qui me paraît un siècle.

« Oui, oui ! s'écrie-t-il.

— Que voyez-vous ?

— Une gerbe immense qui s'élève au-dessus des
flots.

— Encore quelque animal marin ?

— Peut-être.

— Alors mettons le cap plus à l'ouest, car nous
savons à quoi nous en tenir sur le danger de rencontrer
ces monstres antédiluviens !

— Laissons aller », répond mon oncle.

Je me retourne vers Hans. Hans maintient sa barre
avec une inflexible rigueur.

Cependant, si de la distance qui nous sépare de cet

animal, distance qu'il faut estimer à douze lieues au moins, on peut apercevoir la colonne d'eau chassée par ses évents, il doit être d'une taille surnaturelle. Fuir serait se conformer aux lois de la plus vulgaire prudence. Mais nous ne sommes pas venus ici pour être prudents.

On va donc en avant. Plus nous approchons, plus la gerbe grandit. Quel monstre peut s'emplir d'une pareille quantité d'eau et l'expulser ainsi sans interruption ?

A huit heures du soir, nous ne sommes pas à deux lieues de lui. Son corps noirâtre, énorme, montueux, s'étend dans la mer comme un îlot. Est-ce illusion, est-ce effroi ? Sa longueur me paraît dépasser mille toises! Quel est donc ce cétacé que n'ont prévu ni les Cuvier ni les Blumembach ? Il est immobile et comme endormi; la mer semble ne pouvoir le soulever, et ce sont les vagues qui ondulent sur ses flancs. La colonne d'eau, projetée à une hauteur de cinq cents pieds, retombe en pluie avec un bruit assourdissant. Nous courons en insensés vers cette masse puissante que cent baleines ne nourriraient pas pour un jour.

La terreur me prend. Je ne veux pas aller plus loin! Je couperai, s'il le faut, la drisse de la voile! Je me révolte contre le professeur, qui ne me répond pas.

Tout à coup Hans se lève, et montrant du doigt le point menaçant :

« Holme! dit-il.

— Une île! s'écrie mon oncle.

— Une île! dis-je à mon tour en haussant les épaules.

— Evidemment, répond le professeur en poussant un vaste éclat de rire.

— Mais cette colonne d'eau?

— « Geyser », fait Hans.

— Eh! sans doute, geyser! riposte mon oncle, un geyser pareil à ceux de l'Islande [1]! »

Je ne veux pas, d'abord, m'être trompé si grossière-

---

1. Source jaillissante très célèbre située au pied de l'Hécla.

ment. Avoir pris un îlot pour un monstre marin! Mais l'évidence se fait, et il faut enfin convenir de mon erreur. Il n'y a là qu'un phénomène naturel.

A mesure que nous approchons, les dimensions de la gerbe liquide deviennent grandioses. L'îlot représente à s'y méprendre un cétacé immense dont la tête domine les flots à une hauteur de dix toises. Le geyser, mot que les Islandais prononcent « geysir » et qui signifie « fureur », s'élève majestueusement à son extrémité. De sourdes détonations éclatent par instants, et l'énorme jet, pris de colères plus violentes, secoue son panache de vapeurs en bondissant jusqu'à la première couche de nuages. Il est seul. Ni fumerolles, ni sources chaudes ne l'entourent, et toute la puissance volcanique se résume en lui. Les rayons de la lumière électrique viennent se mêler à cette gerbe éblouissante, dont chaque goutte se nuance de toutes les couleurs du prisme.

« Accostons », dit le professeur.

Mais il faut éviter avec soin cette trombe d'eau qui coulerait le radeau en un instant. Hans, manœuvrant adroitement, nous amène à l'extrémité de l'îlot.

Je saute sur le roc. Mon oncle me suit lestement, tandis que le chasseur demeure à son poste, comme un homme au-dessus de ces étonnements.

Nous marchons sur un granit mêlé de tuf siliceux; le sol frissonne sous nos pieds comme les flancs d'une chaudière où se tord de la vapeur surchauffée; il est brûlant. Nous arrivons en vue d'un petit bassin central d'où s'élève le geyser. Je plonge dans l'eau qui coule en bouillonnant un thermomètre à déversement, et il marque une chaleur de cent soixante-trois degrés.

Ainsi donc cette eau sort d'un foyer ardent. Cela contredit singulièrement les théories du professeur Lidenbrock. Je ne puis m'empêcher d'en faire la remarque.

« Eh bien, réplique-t-il, qu'est-ce que cela prouve contre ma doctrine ?

— Rien », dis-je d'un ton sec, en voyant que je me heurte à un entêtement absolu.

Néanmoins je suis forcé d'avouer que nous sommes singulièrement favorisés jusqu'ici, et que, pour une raison qui m'échappe, ce voyage s'accomplit dans des conditions particulières de température; mais il me paraît évident, certain, que nous arriverons un jour ou l'autre à ces régions où la chaleur centrale atteint les plus hautes limites et dépasse toutes les graduations des thermomètres.

Nous verrons bien. C'est le mot du professeur, qui, après avoir baptisé cet îlot volcanique du nom de son neveu, donne le signal de l'embarquement.

Je reste pendant quelques minutes encore à contempler le geyser. Je remarque que son jet est irrégulier dans ses accès, qu'il diminue parfois d'intensité, puis reprend avec une nouvelle vigueur, ce que j'attribue aux variations de pression des vapeurs accumulées dans son réservoir.

Enfin nous partons en contournant les roches très accores du sud. Hans a profité de cette halte pour remettre le radeau en état.

Mais avant de déborder, je fais quelques observations pour calculer la distance parcourue, et je les note sur mon journal. Nous avons franchi deux cent soixante-dix lieues de mer depuis Port-Graüben, et nous sommes à six cent vingt lieues de l'Islande, sous l'Angleterre.

XXXV

Vendredi 21 août. — Le lendemain le magnifique geyser a disparu. Le vent a fraîchi, et nous a rapidement éloignés de l'îlot Axel. Les mugissements se sont éteints peu à peu.

Le temps, s'il est permis de s'exprimer ainsi, va changer avant peu. L'atmosphère se charge de vapeurs qui emportent avec elles l'électricité formée par l'évaporation des eaux salines; les nuages s'abaissent sensiblement et prennent une teinte uniformément olivâtre; les rayons électriques peuvent à peine percer cet opaque rideau baissé sur le théâtre où va se jouer le drame des tempêtes.

Je me sens particulièrement impressionné, comme l'est sur terre toute créature à l'approche d'un cataclysme. Les « cumulus [1] » entassés dans le sud présentent un aspect sinistre; ils ont cette apparence « impitoyable » que j'ai souvent remarquée au début des orages. L'air est lourd, la mer est calme.

Au loin, les nuages ressemblent à de grosses balles de coton amoncelées dans un pittoresque désordre; peu à peu ils se gonflent et perdent en nombre ce qu'ils gagnent en grandeur; leur pesanteur est telle qu'ils ne peuvent se détacher de l'horizon; mais, au souffle des courants élevés, ils se fondent peu à peu, s'assombrissent et présentent bientôt une couche unique d'un aspect redoutable; parfois une pelote de vapeurs, encore éclairée, rebondit sur ce tapis grisâtre et va se perdre bientôt dans la masse opaque.

Evidemment l'atmosphère est saturée de fluide; j'en suis tout imprégné; mes cheveux se dressent sur ma tête comme aux abords d'une machine électrique. Il me semble que, si mes compagnons me touchaient en ce moment, ils recevraient une commotion violente.

A dix heures du matin, les symptômes de l'orage sont plus décisifs; on dirait que le vent mollit pour mieux reprendre haleine; la nue ressemble à une outre immense dans laquelle s'accumulent les ouragans.

Je ne veux pas croire aux menaces du ciel, et cependant je ne puis m'empêcher de dire :

« Voilà un mauvais temps qui se prépare. »

Le professeur ne répond pas. Il est d'une humeur massacrante, à voir l'océan se prolonger indéfiniment devant ses yeux. Il hausse les épaules à mes paroles.

« Nous aurons de l'orage, dis-je en étendant la main

---

1. Nuages de formes arrondies.

vers l'horizon. Ces nuages s'abaissent sur la mer comme
pour l'écraser! »

Silence général. Le vent se tait. La nature a l'air d'une
morte et ne respire plus. Sur le mât, où je vois déjà
poindre un léger feu Saint-Elme, la voile détendue
tombe en plis lourds. Le radeau est immobile au milieu
d'une mer épaisse, sans ondulations. Mais, si nous ne
marchons plus, à quoi bon conserver cette toile, qui
peut nous mettre en perdition au premier choc de la
tempête ?

« Amenons-la, dis-je, abattons notre mât! Cela sera
prudent!

— Non, par le diable! s'écrie mon oncle, cent fois
non! Que le vent nous saisisse! que l'orage nous
emporte! mais que j'aperçoive enfin les rochers d'un
rivage, quand notre radeau devrait s'y briser en mille
pièces! »

Ces paroles ne sont pas achevées que l'horizon du
sud change subitement d'aspect. Les vapeurs accumulées se résolvent en eau, et l'air, violemment appelé pour
combler les vides produits par la condensation, se fait
ouragan. Il vient des extrémités les plus reculées de la
caverne. L'obscurité redouble. C'est à peine si je puis
prendre quelques notes incomplètes.

Le radeau se soulève, il bondit. Mon oncle est jeté
de son haut. Je me traîne jusqu'à lui. Il s'est fortement
cramponné à un bout de câble et paraît considérer
avec plaisir ce spectacle des éléments déchaînés.

Hans ne bouge pas. Ses longs cheveux, repoussés
par l'ouragan et ramenés sur sa face immobile, lui
donnent une étrange physionomie, car chacune de leurs
extrémités est hérissée de petites aigrettes lumineuses.
Son masque effrayant est celui d'un homme antédiluvien, contemporain des ichthyosaures et des mega-
theriums.

Cependant le mât résiste. La voile se tend comme
une bulle prête à crever. Le radeau file avec un emportement que je ne puis estimer, mais moins vite encore
que ces gouttes d'eau déplacées sous lui, dont la rapidité
fait des lignes droites et nettes.

« La voile! la voile! dis-je, en faisant signe de l'abaisser.

— Non! répond mon oncle.

— « Nej », fait Hans en remuant doucement la tête.

Cependant, la pluie forme une cataracte mugissante devant cet horizon vers lequel nous courons en insensés. Mais avant qu'elle n'arrive jusqu'à nous, le voile de nuage se déchire, la mer entre en ébullition et l'électricité, produite par une vaste action chimique qui s'opère dans les couches supérieures, est mise en jeu. Aux éclats du tonnerre se mêlent les jets étincelants de la foudre; des éclairs sans nombre s'entrecroisent au milieu des détonations; la masse des vapeurs devient incandescente; les grêlons qui frappent le métal de nos outils ou de nos armes se font lumineux; les vagues soulevées semblent être autant de mamelons ignivomes sous lesquels couve un feu intérieur, et dont chaque crête est empanachée d'une flamme.

Mes yeux sont éblouis par l'intensité de la lumière, mes oreilles brisées par le fracas de la foudre! Il faut me retenir au mât, qui plie comme un roseau sous la violence de l'ouragan!!!

. . . .

[Ici mes notes de voyage devinrent très incomplètes. Je n'ai plus retrouvé que quelques observations fugitives, prises machinalement pour ainsi dire. Mais dans leur brièveté, dans leur obscurité même, elles sont empreintes de l'émotion qui me dominait, et mieux que ma mémoire, elles donnent le sentiment de la situation.]

. . . .

Dimanche 23 août. — Où sommes-nous? Emportés avec une incommensurable rapidité.

La nuit a été épouvantable. L'orage ne se calme pas. Nous vivons dans un milieu de bruit, une détonation incessante. Nos oreilles saignent. On ne peut échanger une parole.

Les éclairs ne discontinuent pas. Je vois des zigzags rétrogrades qui, après un jet rapide, reviennent de bas

en haut et vont frapper la voûte de granit. Si elle allait
s'écrouler! D'autres éclairs se bifurquent ou prennent
la forme de globes de feu qui éclatent comme des
bombes. Le bruit général ne paraît pas s'en accroître; il
a dépassé la limite d'intensité que peut percevoir
l'oreille humaine, et, quand toutes les poudrières du
monde viendraient à sauter ensemble, « nous ne
saurions en entendre davantage ».

Il y a émission continue de lumière à la surface des
nuages; la matière électrique se dégage incessamment
de leurs molécules; évidemment les principes gazeux
de l'air sont altérés; des colonnes d'eau innombrables
s'élancent dans l'atmosphère et retombent en écumant.

Où allons-nous ?... Mon oncle est couché tout de son
long à l'extrémité du radeau.

La chaleur redouble. Je regarde le thermomètre; il
indique... [Le chiffre est effacé.]

Lundi 24 août. — Cela ne finira pas! Pourquoi l'état
de cette atmosphère si dense, une fois modifié, ne serait-
il pas définitif ?

Nous sommes brisés de fatigue. Hans comme à
l'ordinaire. Le radeau court invariablement vers le sud-
est. Nous avons fait plus de deux cents lieues depuis
l'îlot Axel.

A midi la violence de l'ouragan redouble. Il faut
saisir solidement tous les objets composant la cargaison.
Chacun de nous s'attache également. Les flots passent
par-dessus notre tête.

Impossible de s'adresser une seule parole depuis
trois jours. Nous ouvrons la bouche, nous remuons nos
lèvres; il ne se produit aucun son appréciable. Même
en se parlant à l'oreille on ne peut s'entendre.

Mon oncle s'est approché de moi. Il a articulé
quelques paroles. Je crois qu'il m'a dit : « Nous sommes
perdus. » Je n'en suis pas certain.

Je prends le parti de lui écrire ces mots : « Amenons
notre voile. »

Il me fait signe qu'il y consent.

Sa tête n'a pas eu le temps de se relever de bas en

haut qu'un disque de feu apparaît au bord du radeau. Le mât et la voile sont partis tout d'un bloc, et je les ai vus s'enlever à une prodigieuse hauteur, semblables au ptérodactyle, cet oiseau fantastique des premiers siècles.

Nous sommes glacés d'effroi. La boule mi-partie blanche, mi-partie azurée, de la grosseur d'une bombe de dix pouces, se promène lentement, en tournant avec une surprenante vitesse sous la lanière de l'ouragan. Elle vient ici, là, monte sur un des bâtis du radeau, saute sur le sac aux provisions, redescend légèrement, bondit, effleure la caisse à poudre. Horreur! Nous allons sauter! Non. Le disque éblouissant s'écarte; il s'approche de Hans, qui le regarde fixement; de mon oncle, qui se précipite à genoux pour l'éviter; de moi, pâle et frissonnant sous l'éclat de la lumière et de la chaleur; il pirouette près de mon pied, que j'essaie de retirer. Je ne puis y parvenir.

Une odeur de gaz nitreux remplit l'atmosphère; elle pénètre le gosier, les poumons. On étouffe.

Pourquoi ne puis-je retirer mon pied? Il est donc rivé au radeau! Ah! la chute de ce globe électrique a aimanté tout le fer du bord; les instruments, les outils, les armes s'agitent en se heurtant avec un cliquetis aigu; les clous de ma chaussure adhèrent violemment à une plaque de fer incrustée dans le bois. Je ne puis retirer mon pied!

Enfin, par un effort violent, je l'arrache au moment où la boule allait le saisir dans son mouvement gira-toire et m'entraîner moi-même, si...

Ah! quelle lumière intense! le globe éclate! nous sommes couverts par des jets de flammes!

Puis tout s'éteint. J'ai eu le temps de voir mon oncle étendu sur le radeau, Hans toujours à sa barre et « crachant du feu » sous l'influence de l'électricité qui le pénètre!

Où allons-nous? où allons-nous?

. . . .

Mardi 25 août. — Je sors d'un évanouissement

prolongé. L'orage continue; les éclairs se déchaînent comme une couvée de serpents lâchée dans l'atmosphère.

Sommes-nous toujours sur la mer ? Oui, emportés avec une vitesse incalculable. Nous avons passé sous l'Angleterre, sous la Manche, sous la France, sous l'Europe entière, peut-être !

. . . .

Un bruit nouveau se fait entendre! Evidemment, la mer qui se brise sur des rochers!... Mais alors...

. . . .

XXXVI

Ici se termine ce que j'ai appelé « le journal du bord », heureusement sauvé du naufrage. Je reprends mon récit comme devant.

Ce qui se passa au choc du radeau contre les écueils de la côte, je ne saurais le dire. Je me sentis précipité dans les flots, et si j'échappai à la mort, si mon corps ne fut pas déchiré sur les rocs aigus, c'est que le bras vigoureux de Hans me retira de l'abîme.

Le courageux Islandais me transporta hors de la portée des vagues sur un sable brûlant où je me trouvai côte à côte avec mon oncle.

Puis, il revint vers ces rochers auxquels se heurtaient les lames furieuses, afin de sauver quelques épaves du naufrage. Je ne pouvais parler; j'étais brisé d'émotions et de fatigues; il me fallut une grande heure pour me remettre.

Cependant, une pluie diluvienne continuait à tomber, mais avec ce redoublement qui annonce la fin des orages. Quelques rocs superposés nous offrirent un abri contre les torrents du ciel. Hans prépara des aliments auxquels je ne pus toucher, et chacun de nous, épuisé par les veilles de trois nuits, tomba dans un douloureux sommeil.

Le lendemain, le temps était magnifique. Le ciel et la mer s'étaient apaisés d'un commun accord. Toute trace de tempête avait disparu. Ce furent les paroles joyeuses du professeur qui saluèrent mon réveil. Il était d'une gaieté terrible.

« Eh bien, mon garçon, s'écria-t-il, as-tu bien dormi ? »

N'eût-on pas dit que nous étions dans la maison de Königstrasse, que je descendais tranquillement pour déjeuner, que mon mariage avec la pauvre Graüben allait s'accomplir ce jour même ?

Hélas! pour peu que la tempête eût jeté le radeau dans l'est, nous avions passé sous l'Allemagne, sous ma chère ville de Hambourg, sous cette rue où demeurait tout ce que j'aimais au monde. Alors quarante lieues m'en séparaient à peine! Mais quarante lieues verticales d'un mur de granit, et, en réalité, plus de mille lieues à franchir!

Toutes ces douloureuses réflexions traversèrent rapidement mon esprit avant que je ne répondisse à la question de mon oncle.

« Ah ça! répéta-t-il, tu ne veux pas dire si tu as bien dormi ?

— Très bien, répondis-je; je suis encore brisé, mais cela ne sera rien.

— Absolument rien, un peu de fatigue, et voilà tout.

— Mais vous me paraissez bien gai ce matin, mon oncle.

— Enchanté, mon garçon! enchanté! Nous sommes arrivés!

— Au terme de notre expédition ?

— Non, mais au bout de cette mer qui n'en finissait pas. Nous allons reprendre maintenant la voie de terre et nous enfoncer véritablement dans les entrailles du globe.

— Mon oncle, permettez-moi de vous faire une question.

— Je te le permets, Axel.

— Et le retour ?

— Le retour! Ah! tu penses à revenir quand on n'est pas même arrivé ?

— Non, je veux seulement demander comment il s'effectuera.

— De la manière la plus simple du monde. Une fois arrivés au centre du sphéroïde, ou nous trouverons une route nouvelle pour remonter à sa surface, ou nous reviendrons tout bourgeoisement par le chemin déjà parcouru. J'aime à penser qu'il ne se fermera pas derrière nous.

— Alors il faudra remettre le radeau en bon état.

— Nécessairement.

— Mais les provisions, en reste-t-il assez pour accomplir toutes ces grandes choses ?

— Oui, certes. Hans est un garçon habile, et je suis sûr qu'il a sauvé la plus grande partie de la cargaison. Allons nous en assurer, d'ailleurs. »

Nous quittâmes cette grotte ouverte à toutes les brises. J'avais un espoir qui était en même temps une crainte; il me semblait impossible que le terrible abordage du radeau n'eût pas anéanti tout ce qu'il portait. Je me trompais. A mon arrivée sur le rivage, j'aperçus Hans au milieu d'une foule d'objets rangés avec ordre. Mon oncle lui serra la main avec un vif sentiment de reconnaissance. Cet homme, d'un dévouement surhumain dont on ne trouverait peut-être pas d'autre exemple, avait travaillé pendant que nous dormions et sauvé les objets les plus précieux au péril de sa vie.

Ce n'est pas que nous n'eussions fait des pertes assez sensibles; nos armes, par exemple; mais enfin on pouvait s'en passer. La provision de poudre était demeurée intacte, après avoir failli sauter pendant la tempête.

« Eh bien, s'écria le professeur, puisque les fusils manquent, nous en serons quittes pour ne pas chasser.

— Bon; mais les instruments ?

— Voici le manomètre, le plus utile de tous, et pour lequel j'aurais donné les autres! Avec lui, je puis calculer la profondeur et savoir quand nous aurons

atteint le centre. Sans lui, nous risquerions d'aller au-
delà et de ressortir par les antipodes! »

Cette gaieté était féroce.

« Mais la boussole? demandai-je.

— La voici, sur ce rocher, en parfait état, ainsi que
le chronomètre et les thermomètres. Ah! le chasseur
est un homme précieux! »

Il fallait bien le reconnaître; en fait d'instruments,
rien ne manquait. Quant aux outils et aux engins,
j'aperçus, épars sur le sable, échelles, cordes, pics,
pioches, etc.

Cependant il y avait encore la question des vivres à
élucider.

« Et les provisions? dis-je.

— Voyons les provisions », répondit mon oncle.

Les caisses qui les contenaient étaient alignées sur
la grève dans un parfait état de conservation; la mer
les avait respectées pour la plupart, et, somme toute, en
biscuits, viande salée, genièvre et poissons secs, on
pouvait compter encore sur quatre mois de vivres.

« Quatre mois! s'écria le professeur. Nous avons le
temps d'aller et de revenir, et, avec ce qui restera je
veux donner un grand dîner à tous mes collègues du
Johannæum! »

J'aurais dû être habitué, depuis longtemps, au
tempérament de mon oncle, et pourtant cet homme-là
m'étonnait toujours.

« Maintenant, dit-il, nous allons refaire notre provision d'eau avec la pluie que l'orage a versée dans tous
ces bassins de granit; par conséquent, nous n'avons pas
à craindre d'être pris par la soif. Quant au radeau, je
vais recommander à Hans de le réparer de son mieux,
quoiqu'il ne doive plus nous servir, j'imagine!

— Comment cela? m'écriai-je.

— Une idée à moi, mon garçon. Je crois que nous ne
sortirons pas par où nous sommes entrés. »

Je regardai le professeur avec une certaine défiance.
Je me demandai s'il n'était pas devenu fou. Et cependant « il ne savait pas si bien dire ».

« Allons déjeuner », reprit-il.

Je le suivis sur un cap élevé, après qu'il eut donné ses instructions au chasseur. Là, de la viande sèche, du biscuit et du thé composèrent un repas excellent, et, je dois l'avouer, un des meilleurs que j'eusse fait de ma vie. Le besoin, le grand air, le calme après les agitations, tout contribuait à me mettre en appétit.

Pendant le déjeuner, je posai à mon oncle la question de savoir où nous étions en ce moment.

« Cela, dis-je, me paraît difficile à calculer.

— A calculer exactement, oui, répondit-il; c'est même impossible, puisque, pendant ces trois jours de tempête, je n'ai pu tenir note de la vitesse et de la direction du radeau; mais cependant nous pouvons relever notre situation à l'estime.

— En effet, la dernière observation a été faite à l'îlot du geyser...

— A l'îlot Axel, mon garçon. Ne décline pas cet honneur d'avoir baptisé de ton nom la première île découverte au centre du massif terrestre.

— Soit! A l'îlot Axel, nous avions franchi environ deux cent soixante-dix lieues de mer, et nous nous trouvions à plus de six cents lieues de l'Islande.

— Bien! partons de ce point alors, et comptons quatre jours d'orage, pendant lesquels notre vitesse n'a pas dû être inférieure à quatre-vingts lieues par vingt-quatre heures.

— Je le crois. Ce serait donc trois cents lieues à ajouter.

— Oui, et la mer Lidenbrock aurait à peu près six cents lieues d'un rivage à l'autre! Sais-tu bien, Axel, qu'elle peut lutter de grandeur avec la Méditerranée ?

— Oui, surtout si nous ne l'avons traversée que dans sa largeur!

— Ce qui est fort possible!

— Et, chose curieuse, ajoutai-je, si nos calculs sont exacts, nous avons maintenant cette Méditerranée sur notre tête.

— Vraiment!

— Vraiment, car nous sommes à neuf cents lieues de Reykjawik!

— Voilà un joli bout de chemin, mon garçon ; mais que nous soyons plutôt sous la Méditerranée que sous la Turquie ou sous l'Atlantique, cela ne peut s'affirmer que si notre direction n'a pas dévié.

— Non, le vent paraissait constant ; je pense donc que ce rivage doit être situé au sud-est de Port-Graüben.

— Bon, il est facile de s'en assurer en consultant la boussole. Allons consulter la boussole ! »

Le professeur se dirigea vers le rocher sur lequel Hans avait déposé les instruments. Il était gai, allègre, il se frottait les mains, il prenait des poses ! Un vrai jeune homme ! Je le suivis, assez curieux de savoir si je ne me trompais pas dans mon estime.

Arrivé au rocher, mon oncle prit le compas, le posa horizontalement et observa l'aiguille, qui, après avoir oscillé, s'arrêta dans une position fixe sous l'influence magnétique.

Mon oncle regarda, puis il se frotta les yeux et regarda de nouveau. Enfin il se retourna de mon côté, stupéfait.

« Qu'y a-t-il ? » demandai-je.

Il me fit signe d'examiner l'instrument. Une exclamation de surprise m'échappa. La fleur de l'aiguille marquait le nord là où nous supposions le midi ! Elle se tournait vers la grève au lieu de montrer la pleine mer !

Je remuai la boussole, je l'examinai ; elle était en parfait état. Quelque position que l'on fît prendre à l'aiguille, celle-ci reprenait obstinément cette direction inattendue.

Ainsi donc, il ne fallait plus en douter, pendant la tempête, une saute de vent s'était produite dont nous ne nous étions pas aperçus, et avait ramené le radeau vers les rivages que mon oncle croyait laisser derrière lui.

XXXVII

Il me serait impossible de peindre la succession des sentiments qui agitèrent le professeur Lidenbrock, la stupéfaction, l'incrédulité et enfin la colère. Jamais je ne vis un homme si décontenancé d'abord, si irrité ensuite. Les fatigues de la traversée, les dangers courus, tout était à recommencer! Nous avions reculé au lieu de marcher en avant!

Mais mon oncle reprit rapidement le dessus.

« Ah! la fatalité me joue de pareils tours! s'écria-t-il. Les éléments conspirent contre moi! L'air, le feu et l'eau combinent leurs efforts pour s'opposer à mon passage! Eh bien! l'on saura ce que peut ma volonté. Je ne céderai pas, je ne reculerai pas d'une ligne, et nous verrons qui l'emportera de l'homme ou de la nature! »

Debout sur le rocher, irrité, menaçant, Otto Lidenbrock, pareil au farouche Ajax, semblait défier les dieux. Mais je jugeai à propos d'intervenir et de mettre un frein à cette fougue insensée.

— Ecoutez-moi, lui dis-je d'un ton ferme. Il y a une limite à toute ambition ici-bas; il ne faut pas lutter contre l'impossible; nous sommes mal équipés pour un voyage sur mer; cinq cents lieues ne se font pas sur un mauvais assemblage de poutres avec une couverture pour voile, un bâton en guise de mât, et contre les vents déchaînés. Nous ne pouvons gouverner, nous sommes les jouets des tempêtes, et c'est agir en fous que de tenter une seconde fois cette impossible traversée! »

De ces raisons toutes irréfutables je pus dérouler la série pendant dix minutes sans être interrompu, mais cela vint uniquement de l'inattention du professeur, qui n'entendit pas un mot de mon argumentation.

« Au radeau! » s'écria-t-il.

Telle fut sa réponse. J'eus beau faire, supplier, m'emporter, je me heurtai à une volonté plus dure que le granit.

Hans achevait en ce moment de réparer le radeau. On eût dit que cet être bizarre devinait les projets de mon oncle. Avec quelques morceaux de surtarbrandur il avait consolidé l'embarcation. Une voile s'y élevait déjà et le vent jouait dans ses plis flottants.

Le professeur dit quelques mots au guide, et aussitôt celui-ci d'embarquer les bagages et de tout disposer pour le départ. L'atmosphère était assez pure et le vent nord-ouest tenait bon.

Que pouvais-je faire ? Résister seul contre deux ? Impossible. Si encore Hans se fût joint à moi. Mais non ! Il semblait que l'Islandais eût mis de côté toute volonté personnelle et fait vœu d'abnégation. Je ne pouvais rien obtenir d'un serviteur aussi inféodé à son maître. Il fallait marcher en avant. J'allai donc prendre sur le radeau ma place accoutumée, quand mon oncle m'arrêta de la main.

« Nous ne partirons que demain », dit-il.

Je fis le geste d'un homme résigné à tout.

« Je ne dois rien négliger, reprit-il, et puisque la fatalité m'a poussé sur cette partie de la côte, je ne la quitterai pas sans l'avoir reconnue. »

Cette remarque sera comprise, quand on saura que nous étions revenus aux rivages du nord, mais non pas à l'endroit même de notre premier départ. Port-Graüben devait être situé plus à l'ouest. Rien de plus raisonnable dès lors que d'examiner avec soin les environs de ce nouvel atterrissage.

« Allons à la découverte ! » dis-je.

Et, laissant Hans à ses occupations, nous voilà partis. L'espace compris entre les relais de la mer et le pied des contreforts était fort large. On pouvait marcher une demi-heure avant d'arriver à la paroi de rochers. Nos pieds écrasaient d'innombrables coquillages de toutes formes et de toutes grandeurs, où vécurent les animaux des premières époques. J'apercevais aussi d'énormes carapaces dont le diamètre dépassait souvent quinze pieds. Elles avaient appartenu à ces gigantesques glyptodons de la période pliocène dont la tortue moderne n'est plus qu'une petite réduction. En outre le sol était semé d'une grande quantité de débris pierreux, sortes de galets arrondis par la lame et rangés en lignes successives. Je fus donc conduit à faire cette remarque, que la mer devait autrefois occuper cet espace. Sur les rocs épars et maintenant hors de ses atteintes, les flots avaient laissé des traces évidentes de leur passage.

Ceci pouvait expliquer jusqu'à un certain point l'existence de cet océan, à quarante lieues au-dessous de la surface du globe. Mais, suivant moi, cette masse liquide devait se perdre peu à peu dans les entrailles de la terre, et elle provenait évidemment des eaux de l'Océan qui se firent jour à travers quelque fissure. Cependant, il fallait admettre que cette fissure était actuellement bouchée, car toute cette caverne, ou mieux, cet immense réservoir, se fût rempli dans un temps assez court. Peut-être même cette eau, ayant eu à lutter contre des feux souterrains, s'était-elle vaporisée en partie. De là l'explication des nuages suspendus sur notre tête et le dégagement de cette électricité qui créait des tempêtes à l'intérieur du massif terrestre.

Cette théorie des phénomènes dont nous avions été témoins me paraissait satisfaisante, car, pour grandes que soient les merveilles de la nature, elles sont toujours explicables par des raisons physiques.

Nous marchions donc sur une sorte de terrain sédimentaire, formé par les eaux comme tous les terrains de cette période, si largement distribués à la surface du globe. Le professeur examinait attentivement chaque interstice de roche. Qu'une ouverture existât, et il devenait important pour lui d'en sonder la profondeur.

Pendant un mille, nous avons côtoyé les rivages de la mer Lidenbrock, quand le sol changea subitement d'aspect. Il paraissait bouleversé, convulsionné par un exhaussement violent des couches inférieures. En maint endroit, des enfoncements ou des soulèvements

attestaient une dislocation puissante du massif terrestre.

Nous avancions difficilement sur ces cassures de
granit, mélangées de silex, de quartz et de dépôts
alluvionnaires, lorsqu'un champ, plus qu'un champ,
une plaine d'ossements apparut à nos regards. On eût
dit un cimetière immense, où les générations de vingt
siècles confondaient leur éternelle poussière. De hautes
extumescences de débris s'étageaient au loin. Elles
ondulaient jusqu'aux limites de l'horizon et s'y perdaient dans une brume fondante. Là, sur trois milles
carrés, peut-être, s'accumulait toute l'histoire de la vie
animale, à peine écrite dans les terrains trop récents du
monde habité.

Cependant, une impatiente curiosité nous entraînait.
Nos pieds écrasaient avec un bruit sec les restes de ces
animaux anté-historiques, et ces fossiles dont les
muséums des grandes cités se disputent les rares et
intéressants débris. L'existence de mille Cuvier n'aurait
pas suffi à recomposer les squelettes des êtres organiques couchés dans ce magnifique ossuaire.

J'étais stupéfait. Mon oncle avait levé ses grands
bras vers l'épaisse voûte qui nous servait de ciel. Sa
bouche ouverte démesurément, ses yeux fulgurants
sous la lentille de ses lunettes, sa tête remuant de haut
en bas, de gauche à droite, toute sa posture enfin
dénotait un étonnement sans borne. Il se trouvait
devant une inappréciable collection de Leptotherium,
de Mericotherium, de Lophodions, d'Anoplotherium,
de Megatherium, de Mastondontes, de Protopithèques,
de Ptérodactyles, de tous les monstres antédiluviens
entassés pour sa satisfaction personnelle. Qu'on se
figure un bibliomane passionné transporté tout à coup
dans cette fameuse bibliothèque d'Alexandrie brûlée
par Omar et qu'un miracle aurait fait renaître de ses
cendres! Tel était mon oncle le professeur Lidenbrock.

Mais ce fut un bien autre émerveillement, quand,
courant à travers cette poussière organique, il saisit un
crâne dénudé, et s'écria d'une voix frémissante :

« Axel! Axel! une tête humaine!

— Une tête humaine! mon oncle, répondis-je, non moins stupéfait.

— Oui, neveu! Ah! M. Milne-Edwards! Ah! M. de Quatrefages! que n'êtes-vous là où je suis moi, Otto Lidenbrock! »

XXXVIII

Pour comprendre cette évocation faite par mon oncle à ces illustres savants français, il faut savoir qu'un fait d'une haute importance en paléontologie s'était produit quelque temps avant notre départ.

Le 28 mars 1863, des terrassiers fouillant sous la direction de M. Boucher de Perthes les carrières de Moulin-Quignon, près d'Abbeville, dans le département de la Somme, en France, trouvèrent une mâchoire humaine à quatorze pieds au-dessous de la superficie du sol. C'était le premier fossile de cette espèce ramené à la lumière du grand jour. Près de lui se rencontrèrent des haches de pierre et des silex taillés, colorés et revêtus par le temps d'une patine uniforme.

Le bruit de cette découverte fut grand, non seulement en France, mais en Angleterre et en Allemagne. Plusieurs savants de l'Institut français, entre autres MM. Milne-Edwards et de Quatrefages, prirent l'affaire à cœur, démontrèrent l'incontestable authenticité de l'ossement en question, et se firent les plus ardents défenseurs de ce « procès de la mâchoire », suivant l'expression anglaise.

Aux géologues du Royaume-Uni qui tinrent le fait pour certain, MM. Falconer, Busk, Carpenter, etc., se joignirent des savants de l'Allemagne, et parmi eux, au premier rang, le plus fougueux, le plus enthousiaste, mon oncle Lidenbrock.

L'authenticité d'un fossile humain de l'époque quaternaire semblait donc incontestablement démontrée et admise.

Ce système, il est vrai, avait eu un adversaire acharné dans M. Elie de Beaumont. Ce savant de si haute autorité soutenait que le terrain de Moulin-Quignon n'appartenait pas au « diluvium », mais à une couche moins ancienne, et, d'accord en cela avec Cuvier, il n'admettait pas que l'espèce humaine eût été contemporaine des animaux de l'époque quaternaire. Mon oncle Lidenbrock, de concert avec la grande majorité des géologues, avait tenu bon, disputé, discuté, et M. Elie de Beaumont était resté à peu près seul de son parti.

Nous connaissions tous ces détails de l'affaire, mais nous ignorions que, depuis notre départ, la question avait fait des progrès nouveaux. D'autres mâchoires identiques, quoique appartenant à des individus de types divers et de nations différentes, furent trouvées dans les terres meubles et grises de certaines grottes, en France, en Suisse, en Belgique, ainsi que des armes, des ustensiles, des outils, des ossements d'enfants, d'adolescents, d'hommes, de vieillards. L'existence de l'homme quaternaire s'affirmait donc chaque jour davantage.

Et ce n'était pas tout. Des débris nouveaux exhumés du terrain tertiaire pliocène avaient permis à des savants plus audacieux encore d'assigner une plus haute antiquité à la race humaine. Ces débris, il est vrai, n'étaient point des ossements de l'homme, mais seulement des objets de son industrie, des tibias, des fémurs d'animaux fossiles, striés régulièrement, sculptés pour ainsi dire, et qui portaient la marque d'un travail humain.

Ainsi, d'un bond, l'homme remontait l'échelle des temps d'un grand nombre de siècles; il précédait le mastodonte; il devenait le contemporain de l' « elephas meridionalis »; il avait cent mille ans d'existence, puisque c'est la date assignée par les géologues les plus renommés à la formation du terrain pliocène!

Tel était alors l'état de la science paléontologique, et

ce que nous en connaissions suffisait à expliquer notre attitude devant cet ossuaire de la mer Lidenbrock. On comprendra donc les stupéfactions et les joies de mon oncle, surtout quand, vingt pas plus loin, il se trouva en présence, on peut dire face à face, avec un des spécimens de l'homme quaternaire.

C'était un corps humain absolument reconnaissable. Un sol d'une nature particulière, comme celui du cimetière Saint-Michel, à Bordeaux, l'avait-il ainsi conservé pendant des siècles ? je ne saurais le dire. Mais ce cadavre, la peau tendue et parcheminée, les membres encore moelleux — à la vue du moins —, les dents intactes, la chevelure abondante, les ongles des mains et des orteils d'une grandeur effrayante, se montrait à nos yeux tel qu'il avait vécu.

J'étais muet devant cette apparition d'un autre âge. Mon oncle, si loquace, si impétueusement discoureur d'habitude, se taisait aussi. Nous avions soulevé ce corps. Nous l'avions redressé. Il nous regardait avec ses orbites caves. Nous palpions son torse sonore.

Après quelques instants de silence, l'oncle fut vaincu par le professeur Otto Lidenbrock, emporté par son tempérament, oublia les circonstances de notre voyage, le milieu où nous étions, l'immense caverne qui nous contenait. Sans doute il se crut au Johannæum, professant devant ses élèves, car il prit un ton doctoral, et s'adressant à un auditoire imaginaire :

« Messieurs, dit-il, j'ai l'honneur de vous présenter un homme de l'époque quaternaire. De grands savants ont nié son existence, d'autres non moins grands l'ont affirmée. Les saint Thomas de la paléontologie, s'ils étaient là, le toucheraient du doigt, et seraient bien forcés de reconnaître leur erreur. Je sais bien que la science doit se mettre en garde contre les découvertes de ce genre ! Je n'ignore pas quelle exploitation des hommes fossiles ont fait les Barnum et autres charlatans de même farine. Je connais l'histoire de la rotule d'Ajax, du prétendu corps d'Oreste retrouvé par les Spartiates, et du corps d'Astérius, long de dix coudées, dont parle Pausanias. J'ai lu les rapports sur le squelette de Trapani découvert au xive siècle, et dans lequel on voulait reconnaître Polyphème, et l'histoire du géant déterré pendant le xvie siècle aux environs de Palerme. Vous n'ignorez pas plus que moi, messieurs, l'analyse faite auprès de Lucerne, en 1577, de ces grands ossements que le célèbre médecin Félix Plater déclarait appartenir à un géant de dix-neuf pieds! J'ai dévoré les traités de Cassanion, et tous ces mémoires, brochures, discours et contre-discours publiés à propos du squelette du roi des Cimbres, Teutobochus, l'envahisseur de la Gaule, exhumé d'une sablonnière du Dauphiné en 1613! Au xviiie siècle, j'aurais combattu avec Pierre Campet l'existence des préadamites de Scheuchzer! J'ai eu entre les mains l'écrit nommé *Gigans...* »

Ici reparut l'infirmité naturelle de mon oncle, qui en public ne pouvait pas prononcer les mots difficiles.

« *L'écrit nommé Gigans...* » reprit-il.

Il ne pouvait aller plus loin.

« *Gigantéo...* »

Impossible! Le mot malencontreux ne voulait pas sortir! On aurait bien ri au Johannæum!

« *Gigantostéologie* », acheva de dire le professeur Lidenbrock entre deux jurons.

Puis, continuant de plus belle, et s'animant :

« Oui, messieurs, je sais toutes ces choses! Je sais aussi que Cuvier et Blumenbach ont reconnu dans ces ossements de simples os de mammouth et autres animaux de l'époque quaternaire. Mais ici le doute seul sera une injure à la science! Le cadavre est là! Vous pouvez le voir, le toucher. Ce n'est pas un squelette, c'est un corps intact, conservé dans un but uniquement anthropologique! »

Je voulus bien ne pas contredire cette assertion.

« Si je pouvais le laver dans une solution d'acide sulfurique, dit encore mon oncle, j'en ferais disparaître toutes les parties terreuses et ces coquillages resplendissants qui sont incrustés en lui. Mais le précieux dissolvant me manque. Cependant, tel il est, tel ce corps nous racontera sa propre histoire. »

Ici, le professeur prit le cadavre fossile et le manœu-
vra avec la dextérité d'un montreur de curiosités.

« Vous le voyez, reprit-il, il n'a pas six pieds de
long, et nous sommes loin des prétendus géants. Quant
à la race à laquelle il appartient, elle est incontestablement caucasique. C'est la race blanche, c'est la nôtre!
Le crâne de ce fossile est régulièrement ovoïde, sans
développement des pommettes, sans projection de la
mâchoire. Il ne présente aucun caractère de ce prognathisme qui modifie l'angle facial [1]. Mesurez cet angle,
il est presque de quatre-vingt-dix degrés. Mais j'irai
plus loin encore dans le chemin des déductions, et
j'oserai dire que cet échantillon humain appartient
à la famille japétique, répandue depuis les Indes
jusqu'aux limites de l'Europe occidentale. Ne souriez
pas, messieurs! »

Personne ne souriait, mais le professeur avait une
telle habitude de voir les visages s'épanouir pendant
ses savantes dissertations!

« Oui, reprit-il avec une animation nouvelle, c'est
là un homme fossile, et contemporain des mastodontes
dont les ossements emplissent cet amphithéâtre. Mais
de vous dire par quelle route il est arrivé là, comment
ces couches où il était enfoui ont glissé jusque dans
cette énorme cavité du globe, c'est ce que je ne me
permettrai pas. Sans doute, à l'époque quaternaire,
des troubles considérables se manifestaient encore dans
l'écorce terrestre; le refroidissement continu du globe
produisait des cassures, des fentes, des failles, où déva-
lait vraisemblablement une partie du terrain supérieur.
Je ne me prononce pas, mais enfin l'homme est là,
entouré des ouvrages de sa main, de ces haches, de
ces silex taillés qui ont constitué l'âge de pierre, et à
moins qu'il n'y soit venu comme moi en touriste, en
pionnier de la science, je ne puis mettre en doute
l'authencité de son antique origine. »

---

1. L'angle facial est formé par deux plans, l'un plus ou moins
vertical qui est tangent au front et aux incisives, l'autre horizontal,
qui passe par l'ouverture des conduits auditifs et l'épine nasale
inférieure. On appelle *prognathisme*, en langue anthropologique,
cette projection de la mâchoire qui modifie l'angle facial.

Le professeur se tut, et j'éclatai en applaudissements unanimes. D'ailleurs mon oncle avait raison, et de plus savants que son neveu eussent été fort empêchés de le combattre.

Autre indice. Ce corps fossilisé n'était pas le seul de l'immense ossuaire. D'autres corps se rencontraient à chaque pas que nous faisions dans cette poussière, et mon oncle pouvait choisir le plus merveilleux de ces échantillons pour convaincre les incrédules.

En vérité, c'était un étonnant spectacle que celui de ces générations d'hommes et d'animaux confondus dans ce cimetière. Mais une question grave se présentait, que nous n'osions résoudre. Ces êtres animés avaient-ils glissé par une convulsion du sol vers les rivages de la mer Lidenbrock, alors qu'ils étaient déjà réduits en poussière ? Ou plutôt vécurent-ils ici, dans ce monde souterrain, sous ce ciel factice, naissant et mourant comme les habitants de la terre ? Jusqu'ici, les monstres marins, les poissons seuls, nous étaient apparus vivants! Quelque homme de l'abîme errait-il encore sur ces grèves désertes ?

XXXIX

Pendant une demi-heure encore, nos pieds foulèrent ces couches d'ossements. Nous allions en avant, poussés par une ardente curiosité. Quelles autres merveilles renfermait cette caverne, quels trésors pour la science ? Mon regard s'attendait à toutes les surprises, mon imagination à tous les étonnements.

Les rivages de la mer avaient depuis longtemps disparu derrière les collines de l'ossuaire. L'imprudent professeur, s'inquiétant peu de s'égarer, m'entraînait au loin. Nous avancions silencieusement, baignés dans les ondes électriques. Par un phénomène que je

ne puis expliquer, et grâce à sa diffusion, complète
alors, la lumière éclairait uniformément les diverses
faces des objets. Son foyer n'existait plus en un point
déterminé de l'espace et elle ne produisait aucun effet
d'ombre. On aurait pu se croire en plein midi et en
plein été, au milieu des régions équatoriales, sous les
rayons verticaux du soleil. Toute vapeur avait disparu.
Les rochers, les montagnes lointaines, quelques masses
confuses de forêts éloignées, prenaient un étrange
aspect sous l'égale distribution du fluide lumineux.
Nous ressemblions à ce fantastique personnage
d'Hoffmann qui a perdu son ombre.

Après une marche d'un mille, apparut la lisière
d'une forêt immense, mais non plus un de ces bois de
champignons qui avoisinaient Port-Graüben.

C'était la végétation de l'époque tertiaire dans toute
sa magnificence. De grands palmiers, d'espèces
aujourd'hui disparues, de superbes palmacites, des
pins, des ifs, des cyprès, des thuyas, représentaient la
famille des conifères, et se reliaient entre eux par un
réseau de lianes inextricables. Un tapis de mousses et
d'hépathiques revêtait moelleusement le sol. Quelques
ruisseaux murmuraient sous ces ombrages, peu dignes
de ce nom, puisqu'ils ne produisaient pas d'ombre. Sur
leurs bords croissaient des fougères arborescentes
semblables à celles des serres chaudes du globe habité.
Seulement, la couleur manquait à ces arbres, à ces
arbustes, à ces plantes, privés de la vivifiante chaleur
du soleil. Tout se confondait dans une teinte uniforme,
brunâtre et comme passée. Les feuilles étaient dépour-
vues de leur verdeur, et les fleurs elles-mêmes, si nombreuses à cette époque tertiaire qui les vit naître, alors
sans couleurs et sans parfums, semblaient faites d'un
papier décoloré sous l'action de l'atmosphère.

Mon oncle Lidenbrock s'aventura sous ces gigantesques taillis. Je le suivis, non sans une certaine appré-
hension. Puisque la nature avait fait là les frais d'une
alimentation végétale, pourquoi les redoutables mammifères ne s'y rencontreraient-ils pas ? J'apercevais
dans ces larges clairières que laissaient les arbres

abattus et rongés par le temps, des légumineuses, des acérines, des rubiacées, et mille arbrisseaux comestibles, chers aux ruminants de toutes les périodes. Puis apparaissaient, confondus et entremêlés, les arbres des contrées si différentes de la surface du globe, le chêne croissant près du palmier, l'eucalyptus australien s'appuyant au sapin de la Norvège, le bouleau du Nord confondant ses branches avec les branches du Kauris zélandais. C'était à confondre la raison des classificateurs les plus ingénieux de la botanique terrestre.

Soudain, je m'arrêtai. De la main, je retins mon oncle.

La lumière diffuse permettait d'apercevoir les moindres objets dans la profondeur des taillis. J'avais cru voir... Non! réellement, de mes yeux, je voyais des formes immenses s'agiter sous les arbres! En effet, c'étaient des animaux gigantesques, tout un troupeau de mastodontes, non plus fossiles, mais vivants, et semblables à ceux dont les restes furent découverts en 1801 dans les marais de l'Ohio! J'apercevais ces grands éléphants dont les trompes grouillaient sous les arbres comme une légion de serpents. J'entendais le bruit de leurs longues défenses dont l'ivoire taraudait les vieux troncs. Les branches craquaient, et les feuilles arrachées par masses considérables s'engouffraient dans la vaste gueule de ces monstres.

Ce rêve où j'avais vu renaître tout ce monde des temps anté-historiques, des époques ternaire et quaternaire, se réalisait donc enfin! Et nous étions là, seuls, dans les entrailles du globe, à la merci de ses farouches habitants!

Mon oncle regardait.

« Allons, dit-il tout d'un coup en me saisissant le bras, en avant, en avant!

— Non! m'écriai-je, non! Nous sommes sans armes! Que ferions-nous au milieu de ce troupeau de quadrupèdes géants? Venez, mon oncle, venez! Nulle créature humaine ne peut braver impunément la colère de ces monstres.

— Nulle créature humaine! répondit mon oncle,

en baissant la voix. Tu te trompes, Axel! Regarde, regarde là-bas! il me semble que j'aperçois un être vivant! un être semblable à nous! un homme! »

Je regardai, haussant les épaules, et décidé à pousser l'incrédulité jusqu'à ses dernières limites. Mais, quoique j'en eus, il fallut bien me rendre à l'évidence.

En effet, à moins d'un quart de mille, appuyé au tronc d'un kauris énorme, un être humain, un Protée de ces contrées souterraines, un nouveau fils de Neptune, gardait cet innombrable troupeau de mastodontes!

Immanis pecoris custos, immanior ipse!

Oui! *immanior ipse!* Ce n'était plus l'être fossile dont nous avions relevé le cadavre dans l'ossuaire, c'était un géant, capable de commander à ces monstres. Sa taille dépassait douze pieds. Sa tête, grosse comme la tête d'un buffle, disparaissait dans les broussailles d'une chevelure inculte. On eût dit une véritable crinière, semblable à celle de l'éléphant des premiers âges. Il brandissait de la main une branche énorme, digne houlette de ce berger antédiluvien.

Nous étions restés immobiles, stupéfaits. Mais nous pouvions être aperçus. Il fallait fuir.

« Venez, venez », m'écriai-je, en entraînant mon oncle, qui pour la première fois se laissa faire!

Un quart d'heure plus tard, nous étions hors de la vue de ce redoutable ennemi.

Et maintenant que j'y songe tranquillement, maintenant que le calme s'est refait dans mon esprit, que des mois se sont écoulés depuis cette étrange et surnaturelle rencontre, que penser, que croire? Non! c'est impossible! Nos sens ont été abusés, nos yeux n'ont pas vu ce qu'ils voyaient! Nulle créature humaine n'existe dans ce monde subterrestre! Nulle génération d'hommes n'habite ces cavernes inférieures du globe, sans se soucier des habitants de sa surface, sans communication avec eux! C'est insensé, profondément insensé!

J'aime mieux admettre l'existence de quelque animal

dont la structure se rapproche de la structure humaine, de quelque singe des premières époques géologiques, de quelque protopithèque, de quelque mésopithèque semblable à celui que découvrit M. Lartet dans le gîte ossifère de Sansan ! Mais celui-ci dépassait par sa taille toutes les mesures données par la paléontologie moderne ! N'importe ! Un singe, oui, un singe, si invraisemblable qu'il soit ! Mais un homme, un homme vivant, et avec lui toute une génération enfouie dans les entrailles de la terre ! Jamais !

Cependant, nous avions quitté la forêt claire et lumineuse, muets d'étonnement, accablés sous une stupéfaction qui touchait à l'abrutissement. Nous courions malgré nous. C'était une vraie fuite, semblable à ces entraînements effroyables que l'on subit dans certains cauchemars. Instinctivement, nous revenions vers la mer Lidenbrock, et je ne sais dans quelles divagations mon esprit se fût emporté, sans une préoccupation qui me ramena à des observations plus pratiques.

Bien que je fusse certain de fouler un sol entièrement vierge de nos pas, j'apercevais souvent les agrégations de rochers dont la forme rappelait ceux de Port-Graüben. Cela confirmait, d'ailleurs, l'indication de la boussole et notre retour involontaire au nord de la mer Lidenbrock. C'était parfois à s'y méprendre. Des ruisseaux et des cascades tombaient par centaines des saillies de rocs. Je croyais revoir la couche de surtarbrandur, notre fidèle Hans-bach et la grotte où j'étais revenu à la vie. Puis, quelques pas plus loin, la disposition des contreforts, l'apparition d'un ruisseau, le profil surprenant d'un rocher venait me rejeter dans le doute.

Je fis part à mon oncle de mon indécision. Il hésita comme moi. Il ne pouvait s'y reconnaître au milieu de ce panorama uniforme.

« Evidemment, lui dis-je, nous n'avons pas abordé à notre point de départ, mais la tempête nous a ramenés un peu au-dessous, et en suivant le rivage, nous retrouverons Port-Graüben.

— Dans ce cas, répondit mon oncle, il est inutile de continuer cette exploration, et le mieux est de retourner au radeau. Mais ne te trompes-tu pas, Axel ?

— Il est difficile de se prononcer, mon oncle, car tous ces rochers se ressemblent. Je crois pourtant reconnaître le promontoire au pied duquel Hans a construit l'embarcation. Nous devons être près du petit port, si même ce n'est pas ici, ajoutai-je, en examinant une crique que je crus reconnaître.

— Non, Axel, nous retrouverions au moins nos propres traces, et je ne vois rien...

— Mais je vois, moi, m'écriai-je, en m'élançant vers un objet qui brillait sur le sable.

— Qu'est-ce donc ?

— Ceci », répondis-je.

Et je montrai à mon oncle un poignard couvert de rouille, que je venais de ramasser.

« Tiens! dit-il, tu avais donc emporté cette arme avec toi ?

— Moi ? Aucunement! Mais vous...

— Non, pas que je sache, répondit le professeur. Je n'ai jamais eu cet objet en ma possession.

— Voilà qui est particulier!

— Mais non, c'est très simple, Axel. Les Islandais ont souvent des armes de cette espèce, et Hans, à qui celle-ci appartient, l'aura perdue... »

Je secouai la tête. Hans n'avait jamais eu ce poignard en sa possession.

« Est-ce donc l'arme de quelque guerrier antédiluvien, m'écriai-je, d'un homme vivant, d'un contemporain de ce gigantesque berger ? Mais non! Ce n'est pas un outil de l'âge de pierre! Pas même de l'âge de bronze! Cette lame est d'acier... »

Mon oncle m'arrêta net dans cette route où m'entraînait une divagation nouvelle, et de son ton froid il me dit :

« Calme-toi, Axel, et reviens à la raison. Ce poignard est une arme du XVIe siècle, une véritable dague, de celles que les gentilshommes portaient à leur ceinture pour donner le coup de grâce. Elle est d'origine espa-

gnole. Elle n'appartient ni à toi, ni à moi, ni au
chasseur, ni même aux êtres humains qui vivent peut-
être dans les entrailles du globe!

— Oserez-vous dire ?...

— Vois, elle ne s'est pas ébréchée ainsi à s'enfoncer
dans la gorge des gens; sa lame est couverte d'une
couche de rouille qui ne date ni d'un jour, ni d'un an,
ni d'un siècle! »

Le professeur s'animait, suivant son habitude, en
se laissant emporter par son imagination.

« Axel, reprit-il, nous sommes sur la voie de la
grande découverte! Cette lame est restée abandonnée
sur le sable depuis cent, deux cents, trois cents ans, et
s'est ébréchée sur les rocs de cette mer souterraine!

— Mais elle n'est pas venue seule, m'écriai-je; elle
n'a pas été se tordre d'elle-même! quelqu'un nous a
précédés!...

— Oui! un homme.

— Et cet homme ?

— Cet homme a gravé son nom avec ce poignard!
Cet homme a voulu encore une fois marquer de sa
main la route du centre! Cherchons, cherchons! »

Et, prodigieusement intéressés, nous voilà longeant
la haute muraille, interrogeant les moindres fissures
qui pouvaient se changer en galerie.

Nous arrivâmes ainsi à un endroit où le rivage se
resserrait. La mer venait presque baigner le pied des
contreforts, laissant un passage large d'une toise au
plus. Entre deux avancées de roc, on apercevait l'entrée
d'un tunnel obscur.

Là, sur une plaque de granit, apparaissaient deux
lettres mystérieuses à demi rongées, les deux initiales
du hardi et fantastique voyageur :

$$ \cdot\ \mathsf{4}\ \cdot\ \mathsf{k}\ \cdot $$

« A. S.! s'écria mon oncle. Arne Saknussemm!
Toujours Arne Saknussemm! »

XL

Depuis le commencement du voyage, j'avais passé
par bien des étonnements : je devais me croire à l'abri
des surprises et blasé sur tout émerveillement. Cependant, à la vue de ces deux lettres gravées là depuis
trois cents ans, je demeurai dans un ébahissement
voisin de la stupidité. Non seulement la signature du
savant alchimiste se lisait sur le roc, mais encore le
stylet qui l'avait tracée était entre mes mains. A moins
d'être d'une insigne mauvaise foi, je ne pouvais plus
mettre en doute l'existence du voyageur et la réalité
de son voyage.

Pendant que ces réflexions tourbillonnaient dans ma
tête, le professeur Lidenbrock se laissait aller à un
accès un peu dithyrambique à l'endroit d'Arne
Saknussemm.

« Merveilleux génie! s'écriait-il, tu n'as rien oublié
de ce qui devait ouvrir à d'autres mortels les routes
de l'écorce terrestre, et tes semblables peuvent retrouver les traces que tes pieds ont laissées, il y a trois
siècles, au fond de ces souterrains obscurs! A d'autres
regards que les tiens, tu as réservé la contemplation
de ces merveilles! Ton nom, gravé d'étapes en étapes,
conduit droit à son but le voyageur assez audacieux
pour te suivre, et, au centre même de notre planète,
il se trouvera encore inscrit de ta propre main. Eh
bien! moi aussi, j'irai signer de mon nom cette dernière
page de granit! Mais que, dès maintenant, ce cap vu
par toi près de cette mer découverte par toi soit à
jamais appelé le cap Saknussemm! »

Voilà ce que j'entendis, ou à peu près, et je me
sentis gagner par l'enthousiasme que respiraient ces
paroles. Un feu intérieur se ranima dans ma poitrine!
J'oubliais tout, et les dangers du voyage, et les périls

du retour. Ce qu'un autre avait fait, je voulais le faire aussi, et rien de ce qui était humain ne me paraissait impossible !

« En avant, en avant ! » m'écriai-je.

Je m'élançais déjà vers la sombre galerie, quand le professeur m'arrêta, et lui, l'homme des emportements, il me conseilla la patience et le sang-froid.

« Retournons d'abord vers Hans, dit-il, et ramenons le radeau à cette place. »

J'obéis à cet ordre, non sans déplaisir, et je me glissai rapidement au milieu des roches du rivage.

« Savez-vous, mon oncle, disais-je en marchant, que nous avons été singulièrement servis par les circonstances jusqu'ici !

— Ah ! tu trouves, Axel ?

— Sans doute, et il n'est pas jusqu'à la tempête qui ne nous ait remis dans le droit chemin. Béni soit l'orage ! Il nous a ramenés à cette côte d'où le beau temps nous eût éloignés ! Supposez un instant que nous eussions touché de notre proue (la proue d'un radeau !) les rivages méridionaux de la mer Lidenbrock, que serions-nous devenus ? Le nom de Saknussemm n'aurait pas apparu à nos yeux, et maintenant nous serions abandonnés sur une plage sans issue.

— Oui, Axel, il y a quelque chose de providentiel à ce que, voguant vers le sud, nous soyons précisément revenus au nord et au cap Saknussemm. Je dois dire que c'est plus qu'étonnant, et il y a là un fait dont l'explication m'échappe absolument.

— Eh ! qu'importe ! il n'y a pas à expliquer les faits, mais à en profiter !

— Sans doute, mon garçon, mais...

— Mais nous allons reprendre la route du nord, passer sous les contrées septentrionales de l'Europe, la Suède, la Sibérie, que sais-je ! au lieu de nous enfoncer sous les déserts de l'Afrique ou les flots de l'Océan, et je ne veux pas en savoir davantage !

— Oui, Axel, tu as raison, et tout est pour le mieux, puisque nous abandonnons cette mer horizontale qui ne pouvait mener à rien. Nous allons descendre, encore descendre, et toujours descendre! Sais-tu bien que, pour arriver au centre du globe, il n'y a plus que quinze cents lieues à franchir!

— Bah! m'écriai-je, ce n'est vraiment pas la peine d'en parler! En route! en route! »

Ces discours insensés duraient encore quand nous rejoignîmes le chasseur. Tout était préparé pour un départ immédiat. Pas un colis qui ne fût embarqué. Nous prîmes place sur le radeau, et la voile hissée, Hans se dirigea en suivant la côte vers le cap Saknussemm.

Le vent n'était pas favorable à un genre d'embarcation qui ne pouvait tenir le plus près. Aussi, en maint endroit, il fallut avancer à l'aide des bâtons ferrés. Souvent les rochers, allongés à fleur d'eau, nous forcèrent à faire des détours assez longs. Enfin, après trois heures de navigation, c'est-à-dire vers six heures du soir, on atteignait un endroit propice au débarquement.

Je sautai à terre, suivi de mon oncle et de l'Islandais. Cette traversée ne m'avait pas calmé. Au contraire. Je proposai même de brûler « nos vaisseaux », afin de nous couper toute retraite. Mais mon oncle s'y opposa. Je le trouvai singulièrement tiède.

« Au moins, dis-je, partons sans perdre un instant.

— Oui, mon garçon; mais auparavant, examinons cette nouvelle galerie afin de savoir s'il faut préparer nos échelles. »

Mon oncle mit son appareil de Ruhmkorff en activité; le radeau, attaché au rivage, fut laissé seul; d'ailleurs, l'ouverture de la galerie n'était pas à vingt pas de là, et notre petite troupe, moi en tête, s'y rendit sans retard.

L'orifice, à peu près circulaire, présentait un diamètre de cinq pieds environ; le sombre tunnel était taillé dans le roc vif et soigneusement alésé par les matières éruptives auxquelles il donnait autrefois passage; sa partie inférieure effleurait le sol, de telle façon que l'on put y pénétrer sans aucune difficulté.

Nous suivions un plan presque horizontal, quand,

au bout de six pas, notre marche fut interrompue par l'interposition d'un bloc énorme.

« Maudit roc! » m'écriai-je avec colère, en me voyant subitement arrêté par un obstacle infranchissable.

Nous eûmes beau chercher à droite et à gauche, en bas et en haut, il n'existait aucun passage, aucune bifurcation. J'éprouvai un vif désappointement, et je ne voulais pas admettre la réalité de l'obstacle. Je me baissai. Je regardai au-dessous du bloc. Nul interstice. Au-dessus. Même barrière de granit. Hans porta la lumière de la lampe sur tous les points de la paroi; mais celle-ci n'offrait aucune solution de continuité. Il fallait renoncer à tout espoir de passer.

Je m'étais assis sur le sol; mon oncle arpentait le couloir à grands pas.

« Mais alors Saknussemm ? m'écriai-je.

— Oui, fit mon oncle, a-t-il donc été arrêté par cette porte de pierre ?

— Non! non! repris-je avec vivacité. Ce quartier de roc, par suite d'une secousse quelconque, ou l'un de ces phénomènes magnétiques qui agitent l'écorce terrestre, a brusquement fermé ce passage. Bien des années se sont écoulées entre le retour de Saknussemm et la chute de ce bloc. N'est-il pas évident que cette galerie a été autrefois le chemin des laves, et qu'alors les matières éruptives y circulaient librement ? Voyez, il y a des fissures récentes qui sillonnent ce plafond de granit; il est fait de morceaux rapportés, de pierres énormes, comme si la main de quelque géant eût travaillé à cette substruction; mais, un jour, la poussée a été plus forte, et ce bloc, semblable à une clef de voûte qui manque, a glissé jusqu'au sol en obstruant tout passage. C'est un obstacle accidentel que Saknussemm n'a pas rencontré, et si nous ne le renversons pas, nous sommes indignes d'arriver au centre du monde! »

Voilà comment je parlais! L'âme du professeur avait passé tout entière en moi. Le génie des découvertes m'inspirait. J'oubliais le passé, je dédaignais

l'avenir. Rien n'existait plus pour moi à la surface
de ce sphéroïde au sein duquel je m'étais engouffré,
ni les villes, ni les campagnes, ni Hambourg, ni Königstrasse, ni ma pauvre Graüben, qui devait me croire
à jamais perdu dans les entrailles de la terre!

« Eh bien! reprit mon oncle, à coups de pioche, à
coups de pic, faisons notre route! renversons ces
murailles!

— C'est trop dur pour le pic, m'écriai-je.

— Alors la pioche!

— C'est trop long pour la pioche!

— Mais!...

— Eh bien! la poudre! la mine! minons, et faisons
sauter l'obstacle!

— La poudre!

— Oui, il ne s'agit que d'un bout de roc à briser!

— Hans, à l'ouvrage! » s'écria mon oncle.

L'Islandais retourna au radeau, et revint bientôt
avec un pic dont il se servit pour creuser un fourneau
de mine. Ce n'était pas un mince travail. Il s'agissait
de faire un trou assez considérable pour contenir
cinquante livres de fulmicoton, dont la puissance
expansive est quatre fois plus grande que celle de la
poudre à canon.

J'étais dans une prodigieuse surexcitation d'esprit.
Pendant que Hans travaillait, j'aidai activement mon
oncle à préparer une longue mèche faite avec de la
poudre mouillée et renfermée dans un boyau de toile.

« Nous passerons! disais-je.

— Nous passerons », répétait mon oncle.

A minuit, notre travail de mineurs fut entièrement
terminé; la charge de fulmicoton se trouvait enfouie
dans le fourneau, et la mèche, se déroulant à travers
la galerie, venait aboutir au-dehors.

Une étincelle suffisait maintenant pour mettre ce
formidable engin en activité.

« A demain », dit le professeur.

Il fallut bien me résigner et attendre encore pendant
six grandes heures!

XLI

Le lendemain, jeudi 27 août, fut une date célèbre de ce voyage subterrestre. Elle ne me revient pas à l'esprit sans que l'épouvante ne fasse encore battre mon cœur. A partir de ce moment, notre raison, notre jugement, notre ingéniosité n'ont plus voix au chapitre, et nous allons devenir le jouet des phénomènes de la terre.

A six heures, nous étions sur pied. Le moment approchait de frayer par la poudre un passage à travers l'écorce de granit.

Je sollicitai l'honneur de mettre le feu à la mine. Cela fait, je devais rejoindre mes compagnons sur le radeau qui n'avait point été déchargé; puis nous prendrions du large, afin de parer aux dangers de l'explosion, dont les effets pouvaient ne pas se concentrer à l'intérieur du massif.

La mèche devait brûler pendant dix minutes, selon nos calculs, avant de porter le feu à la chambre des poudres. J'avais donc le temps nécessaire pour regagner le radeau.

Je me préparai à remplir mon rôle, non sans une certaine émotion.

Après un repas rapide, mon oncle et le chasseur s'embarquèrent, tandis que je restais sur le rivage. J'étais muni d'une lanterne allumée qui devait me servir à mettre le feu à la mèche.

« Va, mon garçon, me dit mon oncle, et reviens immédiatement nous rejoindre.

— Soyez tranquille, répondis-je, je ne m'amuserai point en route. »

Aussitôt je me dirigeai vers l'orifice de la galerie. J'ouvris ma lanterne, et je saisis l'extrémité de la mèche.

Le professeur tenait son chronomètre à la main.

« Es-tu prêt ? me cria-t-il.

— Je suis prêt.

— Eh bien! feu, mon garçon! »

Je plongeai rapidement dans la flamme la mèche, qui pétilla à son contact, et, tout courant, je revins au rivage.

« Embarque, fit mon oncle, et débordons. »

Hans, d'une vigoureuse poussée, nous rejeta en mer. Le radeau s'éloigna d'une vingtaine de toises.

C'était un moment palpitant. Le professeur suivait de l'œil l'aiguille du chronomètre.

« Encore cinq minutes, disait-il. Encore quatre! Encore trois! »

Mon pouls battait des demi-secondes.

« Encore deux! Une!... Croulez, montagnes de granit! »

Que se passa-t-il alors? Le bruit de la détonation, je crois que je ne l'entendis pas. Mais la forme des rochers se modifia subitement à mes regards; ils s'ouvrirent comme un rideau. J'aperçus un insondable abîme qui se creusait en plein rivage. La mer, prise de vertige, ne fut plus qu'une vague énorme, sur le dos de laquelle le radeau s'éleva perpendiculairement.

Nous fûmes renversés tous les trois. En moins d'une seconde, la lumière fit place à la plus profonde obscurité. Puis je sentis l'appui solide manquer, non à mes pieds, mais au radeau. Je crus qu'il coulait à pic. Il n'en était rien. J'aurais voulu adresser la parole à mon oncle; mais le mugissement des eaux l'eût empêché de m'entendre.

Malgré les ténèbres, le bruit, la surprise, l'émotion, je compris ce qui venait de se passer.

Au-delà du roc qui venait de sauter, il existait un abîme. L'explosion avait déterminé une sorte de tremblement de terre dans ce sol coupé de fissures, le gouffre s'était ouvert, et la mer, changée en torrent, nous y entraînait avec elle.

Je me sentis perdu.

Une heure, deux heures, que sais-je! se passèrent ainsi. Nous nous serrions les coudes, nous nous tenions les mains afin de n'être pas précipités hors du radeau. Des chocs d'une extrême violence se produisaient, quand il heurtait la muraille. Cependant ces heurts étaient rares, d'où je conclus que la galerie s'élargissait considérablement. C'était, à n'en pas douter, le chemin de Saknussemm; mais, au lieu de le descendre seuls, nous avions, par notre imprudence, entraîné toute une mer avec nous.

Ces idées, on le comprend, se présentèrent à mon esprit sous une forme vague et obscure. Je les associais difficilement pendant cette course vertigineuse qui ressemblait à une chute. A en juger par l'air qui me fouettait le visage, elle devait surpasser celle des trains les plus rapides. Allumer une torche dans ces conditions était donc impossible, et notre dernier appareil électrique avait été brisé au moment de l'explosion.

Je fus donc fort surpris de voir une lumière briller tout à coup près de moi. La figure calme de Hans s'éclaira. L'adroit chasseur était parvenu à allumer la lanterne, et, bien que sa flamme vacillât à s'éteindre, elle jeta quelques lueurs dans l'épouvantable obscurité.

La galerie était large. J'avais eu raison de la juger telle. L'insuffisante lumière ne nous permettait pas d'apercevoir ses deux murailles à la fois. La pente des eaux qui nous emportaient dépassait celle des plus insurmontables rapides de l'Amérique. Leur surface semblait faite d'un faisceau de flèches liquides décochées avec une extrême puissance. Je ne puis rendre mon impression par une comparaison plus juste. Le radeau, pris par certains remous, filait parfois en tournoyant. Lorsqu'il s'approchait des parois de la galerie, j'y projetais la lumière de la lanterne, et je pouvais juger de sa vitesse à voir les saillies du roc se changer en traits continus, de telle sorte que nous étions enserrés dans un réseau de lignes mouvantes. J'estimai que notre vitesse devait atteindre trente lieues à l'heure.

Mon oncle et moi, nous regardions d'un œil hagard, accotés au tronçon du mât, qui, au moment de la catastrophe, s'était rompu net. Nous tournions le dos à l'air, afin de ne pas être étouffés par la rapidité d'un mouvement que nulle puissance humaine ne pouvait enrayer.

Cependant les heures s'écoulaient. La situation ne changeait pas, mais un incident vint la compliquer.

En cherchant à mettre un peu d'ordre dans la cargaison, je vis que la plus grande partie des objets embarqués avaient disparu au moment de l'explosion lorsque la mer nous assaillit si violemment! Je voulus savoir exactement à quoi m'en tenir sur nos ressources, et, la lanterne à la main, je commençai mes recherches. De nos instruments, il ne restait plus que la boussole et le chronomètre. Les échelles et les cordes se réduisaient à un bout de câble enroulé autour du tronçon de mât. Pas une pioche, pas un pic, pas un marteau, et, malheur irréparable, nous n'avions de vivres que pour un jour!

Je fouillai les interstices du radeau, les moindres coins formés par les poutres et la jointure des planches! Rien! Nos provisions consistaient uniquement en un morceau de viande sèche et quelques biscuits.

Je regardais d'un air stupide! Je ne voulais pas comprendre! Et cependant de quel danger me préoccupais-je? Quand les vivres eussent été suffisants pour des mois, pour des années, comment sortir des abîmes où nous entraînait cet irrésistible torrent? A quoi bon craindre les tortures de la faim, quand la mort s'offrait déjà sous tant d'autres formes? Mourir d'inanition, est-ce que nous en aurions le temps?

Pourtant, par une inexplicable bizarrerie de l'imagination, j'oubliai le péril immédiat pour les menaces de l'avenir qui m'apparurent dans toute leur horreur. D'ailleurs, peut-être pourrions-nous échapper aux fureurs du torrent et revenir à la surface du globe. Comment? Je l'ignore. Où? Qu'importe? Une chance sur mille est toujours une chance, tandis que la mort par la faim ne nous laissait d'espoir dans aucune proportion, si petite qu'elle fût.

La pensée me vint de tout dire à mon oncle, de lui montrer à quel dénuement nous étions réduits, et de faire l'exact calcul du temps qui nous restait à vivre.

Mais j'eus le courage de me taire. Je voulais lui laisser tout son sang-froid.

En ce moment, la lumière de la lanterne baissa peu à peu et s'éteignit entièrement. La mèche avait brûlé jusqu'au bout. L'obscurité redevint absolue. Il ne fallait plus songer à dissiper ces impénétrables ténèbres. Il restait encore une torche, mais elle n'aurait pu se maintenir allumée. Alors, comme un enfant, je fermai les yeux pour ne pas voir toute cette obscurité.

Après un laps de temps assez long, la vitesse de notre course redoubla. Je m'en aperçus à la réverbération de l'air sur mon visage. La pente des eaux devenait excessive. Je crois véritablement que nous ne glissions plus. Nous tombions. J'avais en moi l'impression d'une chute presque verticale. La main de mon oncle et celle de Hans, cramponnées à mes bras, me retenaient avec vigueur.

Tout à coup, après un temps inappréciable, je ressentis comme un choc; le radeau n'avait pas heurté un corps dur, mais il s'était subitement arrêté dans sa chute. Une trombe d'eau, une immense colonne liquide s'abattit à sa surface. Je fus suffoqué. Je me noyais...

Cependant cette inondation soudaine ne dura pas. En quelques secondes je me retrouvai à l'air libre que j'aspirai à pleins poumons. Mon oncle et Hans me serraient le bras à le briser, et le radeau nous portait encore tous les trois.

XLII

Je suppose qu'il devait être alors dix heures du soir. Le premier de mes sens qui fonctionna, après ce dernier assaut, fut le sens de l'ouïe. J'entendis presque aussitôt, car ce fut acte d'audition véritable, j'entendis le

silence se faire dans la galerie et succéder à ces mugissements qui, depuis de longues heures, remplissaient
mon oreille. Enfin ces paroles de mon oncle m'arrivèrent comme un murmure :

« Nous montons!

— Que voulez-vous dire ? m'écriai-je.

— Oui, nous montons! nous montons! »

J'étendis le bras; je touchai la muraille; ma main fut
mise en sang. Nous remontions avec une extrême rapidité.

« La torche! la torche! » s'écria le professeur.

Hans, non sans difficultés, parvint à l'allumer, et la
flamme, se maintenant de bas en haut, malgré le mouvement ascensionnel, jeta assez de clarté pour éclairer
toute la scène.

« C'est bien ce que je pensais, dit mon oncle. Nous
sommes dans un puits étroit, qui n'a pas quatre toises
de diamètre. L'eau, arrivée au fond du gouffre, reprend
son niveau et nous remonte avec elle.

— Où ?

— Je l'ignore, mais il faut se tenir prêts à tout événement. Nous montons avec une vitesse que j'évalue à
deux toises par seconde, soit cent vingt toises par
minute, ou plus de trois lieues et demie à l'heure. De
ce train-là, on fait du chemin.

— Oui, si rien ne nous arrête, si ce puits a une issue!
Mais s'il est bouché, si l'air se comprime peu à peu
sous la pression de la colonne d'eau, si nous allons être
écrasés!

— Axel, répondit le professeur avec un grand calme,
la situation est presque désespérée, mais il y a quelques
chances de salut, et ce sont celles-là que j'examine. Si
à chaque instant nous pouvons périr, à chaque instant
aussi nous pouvons être sauvés. Soyons donc en mesure
de profiter des moindres circonstances.

— Mais que faire ?

— Réparer nos forces en mangeant. »

A ces mots, je regardai mon oncle d'un œil hagard.
Ce que je n'avais pas voulu avouer, il fallait enfin le dire :

« Manger ? répétai-je.

— Oui, sans retard. »

Le professeur ajouta quelques mots en danois. Hans secoua la tête.

« Quoi! s'écria mon oncle, nos provisions sont perdues ?

— Oui, voilà ce qui reste de vivres! un morceau de viande sèche pour nous trois! »

Mon oncle me regardait sans vouloir comprendre mes paroles.

« Eh bien! dis-je, croyez-vous encore que nous puissions être sauvés ? »

Ma demande n'obtint aucune réponse.

Une heure se passa. Je commençais à éprouver une faim violente. Mes compagnons souffraient aussi, et pas un de nous n'osait toucher à ce misérable reste d'aliments.

Cependant, nous montions toujours avec une extrême rapidité. Parfois l'air nous coupait la respiration comme aux aéronautes dont l'ascension est trop rapide. Mais si ceux-ci éprouvent un froid proportionnel à mesure qu'ils s'élèvent dans les couches atmosphériques, nous subissions un effet absolument contraire. La chaleur s'accroissait d'une inquiétante façon et devait certainement atteindre en ce moment quarante degrés.

Que signifiait un pareil changement ? Jusqu'alors les faits avaient donné raison aux théories de Davy et de Lidenbrock; jusqu'alors des conditions particulières de roches réfractaires, d'électricité, de magnétisme avaient modifié les lois générales de la nature, en nous faisant une température modérée, car la théorie du feu central restait, à mes yeux, la seule vraie, la seule explicable. Allions-nous revenir à un milieu où ces phénomènes s'accomplissaient dans toute leur rigueur et dans lequel la chaleur réduisait les roches à un complet état de fusion ? Je le craignais, et je dis au professeur :

« Si nous ne sommes pas noyés ou brisés, si nous ne mourons pas de faim, il nous reste toujours la chance d'être brûlés vifs. »

Il se contenta de hausser les épaules et retomba dans ses réflexions.

Une heure s'écoula, et, sauf un léger accroissement dans la température, aucun incident ne modifia la situation. Enfin mon oncle rompit le silence.

« Voyons, dit-il, il faut prendre un parti.

— Prendre un parti ? répliquai-je.

— Oui. Il faut réparer nos forces. Si nous essayons, en ménageant ce reste de nourriture, de prolonger notre existence de quelques heures, nous serons faibles jusqu'à la fin.

— Oui, jusqu'à la fin, qui ne se fera pas attendre.

— Eh bien! qu'une chance de salut se présente, qu'un moment d'action soit nécessaire, où trouverons-nous la force d'agir, si nous nous laissons affaiblir par l'inanition ?

— Eh! mon oncle, ce morceau de viande dévoré, que nous restera-t-il ?

— Rien, Axel, rien. Mais te nourrira-t-il davantage à le manger des yeux ? Tu fais là les raisonnements d'un homme sans volonté, d'un être sans énergie!

— Ne désespérez-vous donc pas ? m'écriai-je avec irritation.

— Non! répliqua fermement le professeur.

— Quoi! vous croyez encore à quelque chance de salut ?

— Oui! certes, oui! et tant que son cœur bat, tant que sa chair palpite, je n'admets pas qu'un être doué de volonté laisse en lui place au désespoir. »

Quelles paroles! L'homme qui les prononçait en de pareilles circonstances était certainement d'une trempe peu commune.

« Enfin, dis-je, que prétendez-vous faire ?

— Manger ce qui reste de nourriture jusqu'à la dernière miette et réparer nos forces perdues. Ce repas sera notre dernier, soit! mais au moins, au lieu d'être épuisés, nous serons redevenus des hommes.

— Eh bien! dévorons! » m'écriai-je.

Mon oncle prit le morceau de viande et les quelques biscuits échappés au naufrage; il fit trois portions égales et les distribua. Cela donnait environ une livre d'aliment pour chacun. Le professeur mangea avidement, avec une sorte d'emportement fébrile; moi, sans plaisir, malgré ma faim, presque avec dégoût; Hans, tranquillement, modérément, mâchant sans bruit de petites bouchées, les savourant avec le calme d'un homme que les soucis de l'avenir ne pouvaient inquiéter. Il avait, en furetant bien, retrouvé une gourde à demi pleine de genièvre; il nous l'offrit, et cette bienfaisante liqueur eut le pouvoir de me ranimer un peu.

« Förtrafflig! dit Hans en buvant à son tour.

— Excellente! » riposta mon oncle.

J'avais repris quelque espoir. Mais notre dernier repas venait d'être achevé. Il était alors cinq heures du matin.

L'homme est ainsi fait, que sa santé est un effet purement négatif; une fois le besoin de manger satisfait, on se figure difficilement les horreurs de la faim; il faut les éprouver pour les comprendre. Aussi, au sortir d'un long jeûne, quelques bouchées de biscuit et de viande triomphèrent de nos douleurs passées.

Cependant, après ce repas, chacun se laissa aller à ses réflexions. A quoi songeait Hans, cet homme de l'extrême occident, que dominait le résignation fataliste des Orientaux? Pour mon compte, mes pensées n'étaient faites que de souvenirs, et ceux-ci me ramenaient à la surface de ce globe que je n'aurais jamais dû quitter. La maison de Königstrasse, ma pauvre Graüben, la bonne Marthe, passèrent comme des visions devant mes yeux, et, dans les grondements lugubres qui couraient à travers le massif, je croyais surprendre le bruit des cités de la terre.

Pour mon oncle, « toujours à son affaire », la torche à la main, il examinait avec attention la nature des terrains; il cherchait à reconnaître sa situation par l'observation des couches superposées. Ce calcul, ou mieux cette estime, ne pouvait être que fort approximative; mais un savant est toujours un savant, quand il parvient à conserver son sang-froid, et certes le professeur Lidenbrock possédait cette qualité à un degré peu ordinaire.

Je l'entendais murmurer des mots de la science géologique ; je les comprenais, et je m'intéressais malgré moi à cette étude suprême.

« Granit éruptif, disait-il. Nous sommes encore à l'époque primitive ; mais nous montons ! nous montons ! Qui sait ? »

Qui sait ? Il espérait toujours. De sa main il tâtait la paroi verticale, et, quelques instants plus tard, il reprenait ainsi :

« Voilà les gneiss ! voilà les micaschistes ! Bon ! à bientôt les terrains de l'époque de transition, et alors... »

Que voulait dire le professeur ? Pouvait-il mesurer l'épaisseur de l'écorce terrestre suspendue sur notre tête ? Possédait-il un moyen quelconque de faire ce calcul ? Non. Le manomètre lui manquait, et nulle estime ne pouvait le suppléer.

Cependant la température s'accroissait dans une forte proportion et je me sentais baigné au milieu d'une atmosphère brûlante. Je ne pouvais la comparer qu'à la chaleur renvoyée par les fourneaux d'une fonderie à l'heure des coulées. Peu à peu, Hans, mon oncle et moi, nous avions dû quitter nos vestes et nos gilets ; le moindre vêtement devenait une cause de malaise, pour ne pas dire de souffrance.

« Montons-nous donc vers un foyer incandescent ? m'écriai-je, à un moment où la chaleur redoublait.

— Non, répondit mon oncle, c'est impossible ! c'est impossible !

— Cependant, dis-je en tâtant la paroi, cette muraille est brûlante ! »

Au moment où je prononçai ces paroles, ma main ayant effleuré l'eau, je dus la retirer au plus vite.

« L'eau est brûlante ! » m'écriai-je.

Le professeur, cette fois, ne répondit que par un geste de colère.

Alors une invincible épouvante s'empara de mon cerveau et ne le quitta plus. J'avais le sentiment d'une catastrophe prochaine, et telle que la plus audacieuse imagination n'aurait pu la concevoir. Une idée, d'abord vague, incertaine, se changeait en certitude dans mon

esprit. Je la repoussai, mais elle revint avec obstination.
Je n'osais la formuler. Cependant quelques observations
involontaires déterminèrent ma conviction. A la lueur
douteuse de la torche, je remarquai des mouvements
désordonnés dans les couches granitiques ; un phénomène allait évidemment se produire, dans lequel
l'électricité jouait un rôle ; puis cette chaleur excessive,
cette eau bouillante !... Je voulus observer la boussole.

Elle était affolée !

XLIII

Oui, affolée ! L'aiguille sautait d'un pôle à l'autre
avec de brusques secousses, parcourait tous les points
du cadran, et tournait, comme si elle eût été prise de
vertige.

Je savais bien que, d'après les théories les plus
acceptées, l'écorce minérale du globe n'est jamais
dans un état de repos absolu ; les modifications amenées
par la décomposition des matières internes, l'agitation
provenant des grands courants liquides, l'action du
magnétisme, tendent à l'ébranler incessamment, alors
même que les êtres disséminés à sa surface ne soup-
çonnent pas son agitation. Ce phénomène ne m'aurait
donc pas autrement effrayé, ou du moins, il n'eût pas
fait naître dans mon esprit une idée terrible.

Mais d'autres faits, certains détails *sui generis*, ne
purent me tromper plus longtemps. Les détonations se
multipliaient avec une effrayante intensité. Je ne
pouvais les comparer qu'au bruit que feraient un grand
nombre de chariots entraînés rapidement sur le pavé.
C'était un tonnerre continu.

Puis la boussole affolée, secouée par les phénomènes
électriques, me confirmait dans mon opinion. L'écorce
minérale menaçait de se rompre, les massifs granitiques

de se rejoindre, la fissure de se combler, le vide de se remplir, et nous, pauvres atomes, nous allions être écrasés dans cette formidable étreinte.

« Mon oncle, mon oncle! m'écriai-je, nous sommes perdus.

— Quelle est cette nouvelle terreur ? me répondit-il avec un calme surprenant. Qu'as-tu donc ?

— Ce que j'ai! Observez ces murailles qui s'agitent, ce massif qui se disloque, cette chaleur torride, cette eau qui bouillonne, ces vapeurs qui s'épaississent, cette aiguille folle, tous les indices d'un tremblement de terre! »

Mon oncle secoua doucement la tête.

« Un tremblement de terre ? dit-il.

— Oui!

— Mon garçon, je crois que tu te trompes!

— Quoi! vous ne reconnaissez pas les symptômes ?...

— D'un tremblement de terre ? non! J'attends mieux que cela!

— Que voulez-vous dire ?

— Une éruption, Axel.

— Une éruption! dis-je. Nous sommes dans la cheminée d'un volcan en activité!

— Je le pense, dit le professeur en souriant, et c'est ce qui peut nous arriver de plus heureux! »

De plus heureux! Mon oncle était-il devenu fou ? Que signifiaient ces paroles ? Pourquoi ce calme et ce sourire ?

« Comment! m'écriai-je, nous sommes pris dans une éruption! la fatalité nous a jetés sur le chemin des laves incandescentes, des roches en feu, des eaux bouillonnantes, de toutes les matières éruptives! nous allons être repoussés, expulsés, rejetés, vomis, expectorés dans les airs avec les quartiers de rocs, les pluies de cendres et de scories, dans un tourbillon de flammes, et c'est ce qui peut nous arriver de plus heureux!

— Oui, répondit le professeur en me regardant par-dessus ses lunettes, car c'est la seule chance que nous ayons de revenir à la surface de la terre! »

Je passe rapidement sur les mille idées qui se croisèrent dans mon cerveau. Mon oncle avait raison, absolument raison, et jamais il ne me parut ni plus audacieux ni plus convaincu qu'en ce moment où il attendait et supputait avec calme les chances d'une éruption.

Cependant nous montions toujours; la nuit se passa dans ce mouvement ascensionnel; les fracas environnants redoublaient; j'étais presque suffoqué, je croyais toucher à ma dernière heure, et, pourtant, l'imagination est si bizarre, que je me livrai à une recherche véritablement enfantine. Mais je subissais mes pensées, je ne les dominais pas!

Il était évident que nous étions rejetés par une poussée éruptive; sous le radeau, il y avait des eaux bouillonnantes, et sous ces eaux toute une pâte de lave, un agrégat de roches qui, au sommet du cratère, se disperseraient en tous sens. Nous étions donc dans la cheminée d'un volcan. Pas de doute à cet égard.

Mais cette fois, au lieu du Sneffels, volcan éteint, il s'agissait d'un volcan en pleine activité. Je me demandai donc quelle pouvait être cette montagne et sur quelle partie du monde nous allions être expulsés.

Dans les régions septentrionales, cela ne faisait aucun doute. Avant ses affolements, la boussole n'avait jamais varié à cet égard. Depuis le cap Saknussemm, nous avions été entraînés directement au nord pendant des centaines de lieues. Or, étions-nous revenus sous l'Islande? Devions-nous être rejetés par le cratère de l'Hécla ou par ceux des sept autres monts ignivomes de l'île? Dans un rayon de cinq cents lieues, à l'ouest, je ne voyais sous ce parallèle que les volcans mal connus de la côte nord-ouest de l'Amérique. Dans l'est, un seul existait sous le quatre-vingtième degré de latitude, l'Esk, dans l'île de Jean Mayen, non loin du Spitzberg! Certes, les cratères ne manquaient pas, et ils se trouvaient assez spacieux pour vomir une armée tout entière! Mais lequel nous servirait d'issue, c'est ce que je cherchais à deviner.

Vers le matin, le mouvement d'ascension s'accéléra. Si la chaleur s'accrut, au lieu de diminuer, aux

272 VOYAGE AU CENTRE DE LA TERRE

approches de la surface du globe, c'est qu'elle était toute locale et due à une influence volcanique. Notre genre de locomotion ne pouvait plus me laisser aucun doute dans l'esprit. Une force énorme, une force de plusieurs centaines d'atmosphères produite par les vapeurs accumulées dans le sein de la terre, nous poussait irrésistiblement. Mais à quels dangers innombrables elle nous exposait!

Bientôt des reflets fauves pénétrèrent dans la galerie verticale qui s'élargissait; j'apercevais à droite et à gauche des couloirs profonds semblables à d'immenses tunnels d'où s'échappaient des vapeurs épaisses; des langues de flammes en léchaient les parois en pétillant.

« Voyez! voyez, mon oncle! m'écriai-je.

— Eh bien! ce sont des flammes sulfureuses. Rien de plus naturel dans une éruption.

— Mais si elles nous enveloppent?

— Elles ne nous envelopperont pas.

— Mais si nous étouffons?

— Nous n'étoufferons pas. La galerie s'élargit, et, s'il le faut, nous abandonnerons le radeau pour nous abriter dans quelque crevasse.

— Et l'eau! l'eau montante?

— Il n'y a plus d'eau, Axel, mais une sorte de pâte lavique qui nous soulève avec elle jusqu'à l'orifice du cratère. »

La colonne liquide avait effectivement disparu pour faire place à des matières éruptives assez denses, quoique bouillonnantes. La température devenait insoutenable, et un thermomètre exposé dans cette atmosphère eût marqué plus de soixante-dix degrés! La sueur m'inondait. Sans la rapidité de l'ascension, nous aurions été certainement étouffés.

Cependant le professeur ne donna pas suite à sa proposition d'abandonner le radeau, et il fit bien. Ces quelques poutres mal jointes offraient une surface solide, un point d'appui qui nous eût manqué partout ailleurs.

Vers huit heures du matin, un nouvel incident se produisit pour la première fois. Le mouvement ascen-

sionnel cessa tout à coup. Le radeau demeura absolument immobile.

« Qu'est-ce donc ? demandai-je, ébranlé par cet
arrêt subit comme par un choc.

— Une halte, répondit mon oncle.

— Est-ce l'éruption qui se calme ?

— J'espère bien que non. »

Je me levai. J'essayai de voir autour de moi. Peut-
être le radeau, arrêté par une saillie de roc, opposait-il
une résistance momentanée à la masse éruptive. Dans
ce cas, il fallait se hâter de le dégager au plus vite.

Il n'en était rien. La colonne de cendres, de scories et
de débris pierreux avait elle-même cessé de monter.

« Est-ce que l'éruption s'arrêterait ? m'écriai-je.

— Ah ! fit mon oncle les dents serrées, tu le crains,
mon garçon ; mais rassure-toi, ce moment de calme ne
saurait se prolonger ; voilà déjà cinq minutes qu'il
dure, et avant peu nous reprendrons notre ascension
vers l'orifice du cratère. »

Le professeur, en parlant ainsi, ne cessait de consulter
son chronomètre, et il devait avoir encore raison dans
ses pronostics. Bientôt le radeau fut repris d'un mouvement rapide et désordonné qui dura deux minutes à
peu près, et il s'arrêta de nouveau.

« Bon, fit mon oncle en observant l'heure, dans
dix minutes il se remettra en route.

— Dix minutes ?

— Oui. Nous avons affaire à un volcan dont l'éruption est intermittente. Il nous laisse respirer avec lui. »

Rien n'était plus vrai. A la minute assignée, nous
fûmes lancés de nouveau avec une extrême rapidité.
Il fallait se cramponner aux poutres pour ne pas être
rejeté hors du radeau. Puis la poussée s'arrêta.

Depuis, j'ai réfléchi à ce singulier phénomène sans
en trouver une explication satisfaisante. Toutefois,
il me paraît évident que nous n'occupions pas la
cheminée principale du volcan, mais bien un conduit
accessoire, où se faisait sentir un effet de contrecoup.

Combien de fois se reproduisit cette manœuvre, je ne
saurais le dire. Tout ce que je puis affirmer, c'est qu'à

chaque reprise du mouvement, nous étions lancés avec
force croissante et comme emportés par un véritable
projectile. Pendant les instants de halte, on étouffait;
pendant les moments de projection, l'air brûlant me
coupait la respiration. Je pensai un instant à cette
volupté de me retrouver subitement dans les régions
hyperboréennes par un froid de trente degrés au-
dessous de zéro. Mon imagination surexcitée se
promenait sur les plaines de neige des contrées arctiques
et j'aspirais au moment où je me roulerais sur les tapis
glacés du pôle! Peu à peu, d'ailleurs, ma tête, brisée
par ces secousses réitérées, se perdit. Sans les bras de
Hans, plus d'une fois je me serais brisé le crâne contre
la paroi de granit.

Je n'ai donc conservé aucun souvenir précis de ce
qui se passa pendant les heures suivantes. J'ai le
sentiment confus de détonations continues, de l'agitation du massif, d'un mouvement giratoire dont fut
pris le radeau. Il ondula sur des flots de laves, au milieu
d'une pluie de cendres. Les flammes ronflantes l'enve-
loppèrent. Un ouragan qu'on eût dit chassé d'un
ventilateur immense activait les feux souterrains. Une
dernière fois, la figure de Hans m'apparut dans un
reflet d'incendie, et je n'eus plus d'autre sentiment que
cette épouvante sinistre des condamnés attachés à la
bouche d'un canon, au moment où le coup part et
disperse leurs membres dans les airs.

XLIV

Quand je rouvris les yeux, je me sentis serré à la
ceinture par la main vigoureuse du guide. De l'autre
main il soutenait mon oncle. Je n'étais pas blessé
grièvement, mais brisé plutôt par une courbature
générale. Je me vis couché sur le versant d'une montagne, à deux pas d'un gouffre dans lequel le moindre

mouvement m'eût précipité. Hans m'avait sauvé de
la mort, pendant que je roulais sur les flancs du cratère.

« Où sommes-nous ? » demanda mon oncle, qui
me parut fort irrité d'être revenu sur terre.

Le chasseur leva les épaules en signe d'ignorance.

« En Islande, dis-je.

— « Nej », répondit Hans.

— Comment! non! s'écria le professeur.

— Hans se trompe », dis-je en me soulevant.

Après les surprises innombrables de ce voyage, une
stupéfaction nous était encore réservée. Je m'attendais
à voir un cône couvert de neiges éternelles, au milieu
des arides déserts des régions septentrionales, sous les
pâles rayons d'un ciel polaire, au-delà des latitudes
les plus élevées; et, contrairement à toutes ces prévi-
sions, mon oncle, l'Islandais et moi, nous étions
étendus à mi-flanc d'une montagne calcinée par les
ardeurs du soleil qui nous dévorait de ses feux.

Je ne voulais pas en croire mes regards; mais la
réelle cuisson dont mon corps était l'objet ne permettait
aucun doute. Nous étions sortis à demi nus du cratère,
et l'astre radieux, auquel nous n'avions rien demandé
depuis deux mois, se montrant à notre égard prodigue
de lumière et de chaleur, nous versait à flots une
splendide irradiation.

Quand mes yeux furent accoutumés à cet éclat dont
ils avaient perdu l'habitude, je les employai à rectifier
les erreurs de mon imagination. Pour le moins, je
voulais être au Spitzberg, et je n'étais pas d'humeur à
en démordre aisément.

Le professeur avait le premier pris la parole et dit :

« En effet, voilà qui ne ressemble pas à l'Islande.

— Mais l'île de Jean Mayen ? répondis-je.

— Pas davantage, mon garçon. Ceci n'est point un
volcan du nord avec ses collines de granit et sa calotte
de neige.

— Cependant...

— Regarde, Axel, regarde! »

Au-dessus de notre tête, à cinq cents pieds au plus,
s'ouvrait le cratère d'un volcan par lequel s'échappait,

de quart d'heure en quart d'heure, avec une très forte
détonation, une haute colonne de flammes, mêlée de
pierres ponces, de cendres et de laves. Je sentais les
convulsions de la montagne qui respirait à la façon
des baleines, et rejetait de temps à autre le feu et l'air
par ses énormes évents. Au-dessous et par une pente
assez roide, les nappes de matières éruptives s'éten-
daient à une profondeur de sept à huit cents pieds,
ce qui ne donnait pas au volcan une hauteur totale de
trois cents toises. Sa base disparaissait dans une véritable corbeille d'arbres verts, parmi lesquels je distin-
guai des oliviers, des figuiers et des vignes chargées
de grappes vermeilles.

Ce n'était point l'aspect des régions arctiques, il
fallait bien en convenir.

Lorsque le regard franchissait cette verdoyante
enceinte, il arrivait rapidement à se perdre dans les
eaux d'une mer admirable ou d'un lac, qui faisait de
cette terre enchantée une île large de quelques lieues
à peine. Au levant, se voyait un petit port, précédé de
quelques maisons, et dans lequel des navires d'une
forme particulière se balançaient aux ondulations des
flots azurés. Au-delà, des groupes d'îlots sortaient de
la plaine liquide, et si nombreux, qu'ils ressemblaient
à une vaste fourmilière. Vers le couchant, des côtes
éloignées s'arrondissaient à l'horizon; sur les unes se
profilaient des montagnes bleues d'une harmonieuse
conformation; sur les autres, plus lointaines, apparaissait un cône prodigieusement élevé, au sommet duquel
s'agitait un panache de fumée. Dans le nord, une
immense étendue d'eau étincelait sous les rayons
solaires, laissant poindre çà et là l'extrémité d'une
mâture ou la convexité d'une voile gonflée au vent.
L'imprévu d'un pareil spectacle en centuplait encore
les merveilleuses beautés.

« Où sommes-nous? où sommes-nous? » répé-
tais-je à mi-voix.

Hans fermait les yeux avec indifférence, et mon
oncle regardait sans comprendre.

« Quelle que soit cette montagne, dit-il enfin, il y

fait un peu chaud; les explosions ne discontinuent
pas, et ce ne serait vraiment pas la peine d'être sortis
d'une éruption pour recevoir un morceau de roc sur
la tête. Descendons, et nous saurons à quoi nous en
tenir. D'ailleurs, je meurs de faim et de soif. »

Décidément le professeur n'était point un esprit
contemplatif. Pour mon compte, oubliant le besoin
et les fatigues, je serais resté à cette place pendant
de longues heures encore, mais il fallut suivre mes
compagnons.

Le talus du volcan offrait des pentes très roides;
nous glissions dans de véritables fondrières de cendres,
évitant les ruisseaux de lave qui s'allongeaient comme
des serpents de feu. Tout en descendant, je causais
avec volubilité, car mon imagination était trop remplie
pour ne point s'en aller en paroles.

« Nous sommes en Asie, m'écriais-je, sur les côtes
de l'Inde, dans les îles Malaises, en pleine Océanie!
Nous avons traversé la moitié du globe pour aboutir
aux antipodes de l'Europe.

— Mais la boussole? répondait mon oncle.

— Oui! la boussole! disais-je d'un air embarrassé.
A l'en croire, nous avons toujours marché au nord.

— Elle a donc menti?

— Oh! menti!

— A moins que ceci ne soit le pôle nord!

— Le pôle! non; mais... »

Il y avait là un fait inexplicable. Je ne savais qu'imaginer.

Cependant nous nous rapprochions de cette verdure
qui faisait plaisir à voir. La faim me tourmentait et
la soif aussi. Heureusement, après deux heures de
marche, une jolie campagne s'offrit à nos regards,
entièrement couverte d'oliviers, de grenadiers et de
vignes qui avaient l'air d'appartenir à tout le monde.
D'ailleurs, dans notre dénuement, nous n'étions point
gens à y regarder de si près. Quelle jouissance ce fut
de presser ces fruits savoureux sur nos lèvres et de
mordre à pleines grappes dans ces vignes vermeilles!
Non loin, dans l'herbe, à l'ombre délicieuse des arbres,

je découvris une source d'eau fraîche, où notre figure et nos mains se plongèrent voluptueusement.

Pendant que chacun s'abandonnait ainsi à toutes les douceurs du repos, un enfant apparut entre deux touffes d'oliviers.

« Ah! m'écriai-je, un habitant de cette heureuse contrée! »

C'était une espèce de petit pauvre, très misérablement vêtu, assez souffreteux, et que notre aspect parut effrayer beaucoup; en effet, demi-nus, sous nos barbes incultes, nous avions fort mauvaise mine, et, à moins que ce pays ne fût un pays de voleurs, nous étions faits de manière à effrayer ses habitants.

Au moment où le gamin allait prendre la fuite, Hans courut après lui et le ramena, malgré ses cris et ses coups de pied.

Mon oncle commença par le rassurer de son mieux et lui dit en bon allemand :

« Quel est le nom de cette montagne, mon petit ami ? »

L'enfant ne répondit pas.

« Bon, dit mon oncle, nous ne sommes point en Allemagne. »

Et il refit la même demande en anglais.

L'enfant ne répondit pas davantage. J'étais très intrigué.

« Est-il donc muet ? » s'écria le professeur, qui, très fier de son polyglottisme, recommença la même question en français.

Même silence de l'enfant.

« Alors essayons de l'italien », reprit mon oncle, et il dit en cette langue :

« *Dove noi siamo ?*

— Oui! où sommes-nous ? » répétai-je avec impatience.

L'enfant de ne point répondre.

« Ah çà! parleras-tu ? s'écria mon oncle, que la colère commençait à gagner, et qui secoua l'enfant par les oreilles. *Come si noma questa isola ?*

— *Stromboli* », répondit le petit pâtre, qui s'échappa

des mains de Hans et gagna la plaine à travers les oliviers.

Nous ne pensions guère à lui! Le Stromboli! Quel effet produisit sur mon imagination ce nom inattendu! Nous étions en pleine Méditerranée, au milieu de l'archipel éolien de mythologique mémoire, dans l'ancienne Strongyle, où Eole tenait à la chaîne les vents et les tempêtes. Et ces montagnes bleues qui s'arrondissaient au levant, c'étaient les montagnes de la Calabre! Et ce volcan dressé à l'horizon du sud, l'Etna, le farouche Etna lui-même.

« Stromboli! Stromboli! » répétai-je.

Mon oncle m'accompagnait de ses gestes et de ses paroles. Nous avions l'air de chanter un chœur!

Ah! quel voyage! quel merveilleux voyage! Entrés par un volcan, nous étions sortis par un autre, et cet autre était situé à plus de douze cents lieues du Sneffels, de cet aride pays de l'Islande jeté aux confins du monde! Les hasards de cette expédition nous avaient transportés au sein des plus harmonieuses contrées de la terre. Nous avions abandonné la région des neiges éternelles pour celles de la verdure infinie, et laissé au-dessus de nos têtes le brouillard grisâtre des zones glacées pour revenir au ciel azuré de la Sicile!

Après un délicieux repas composé de fruits et d'eau fraîche, nous nous remîmes en route pour gagner le port de Stromboli. Dire comment nous étions arrivés dans l'île ne nous parut pas prudent : l'esprit superstitieux des Italiens n'eût pas manqué de voir en nous des démons vomis du sein des enfers; il fallut donc se résigner à passer pour d'humbles naufragés. C'était moins glorieux, mais plus sûr.

Chemin faisant, j'entendais mon oncle murmurer :

« Mais la boussole! la boussole, qui marquait le nord! Comment expliquer ce fait ?

— Ma foi! dis-je avec un grand air de dédain, il ne faut pas l'expliquer, c'est plus facile!

— Par exemple! un professeur au Johannæum qui ne trouverait pas la raison d'un phénomène cosmique, ce serait une honte! »

En parlant ainsi, mon oncle, demi-nu, sa bourse de
cuir autour des reins et dressant ses lunettes sur son
nez, redevint le terrible professeur de minéralogie.

Une heure après avoir quitté le bois d'oliviers, nous
arrivions au port de San-Vicenzo, où Hans réclamait
le prix de sa treizième semaine de service, qui lui fut
compté avec de chaleureuses poignées de main.

En cet instant, s'il ne partagea pas notre émotion
bien naturelle, il se laissa aller du moins à un mouvement d'expansion extraordinaire.

Du bout de ses doigts il pressa légèrement nos deux
mains et se mit à sourire.

XLV

Voici la conclusion d'un récit auquel refuseront
d'ajouter foi les gens les plus habitués à ne s'étonner
de rien. Mais je suis cuirassé d'avance contre l'incrédulité humaine.

Nous fûmes reçus par les pêcheurs strromboliotes
avec les égards dus à des naufragés. Ils nous donnèrent
des vêtements et des vivres. Après quarante-huit
heures d'attente, le 31 août, un petit speronare nous
conduisit à Messine, où quelques jours de repos nous
remirent de toutes nos fatigues.

Le vendredi 4 septembre, nous nous embarquions à
bord du *Volturne*, l'un des paquebots-poste des
messageries impériales de France, et, trois jours plus
tard, nous prenions terre à Marseille, n'ayant plus
qu'une seule préoccupation dans l'esprit, celle de
notre maudite boussole. Ce fait inexplicable ne laissait
pas de me tracasser très sérieusement. Le 9 septembre
au soir, nous arrivions à Hambourg.

Quelle fut la stupéfaction de Marthe, quelle fut la
joie de Graüben, je renonce à le décrire.

« Maintenant que tu es un héros, me dit ma chère

fiancée, tu n'auras plus besoin de me quitter, Axel! »

Je la regardai. Elle pleurait en souriant.

Je laisse à penser si le retour du professeur Liden-brock fit sensation à Hambourg. Grâce aux indiscrétions de Marthe, la nouvelle de son départ pour le centre de la terre s'était répandue dans le monde entier. On ne voulut pas y croire, et, en le revoyant, on n'y crut pas davantage.

Cependant la présence de Hans, et diverses informations venues d'Islande modifièrent peu à peu l'opinion publique.

Alors mon oncle devint un grand homme, et moi, le neveu d'un grand homme, ce qui est déjà quelque chose. Hambourg donna une fête en notre honneur. Une séance publique eut lieu au Johannæum, où le professeur fit le récit de son expédition et n'omit que les faits relatifs à la boussole. Le jour même, il déposa aux archives de la ville le document de Saknus-semm, et il exprima son vif regret de ce que les circonstances, plus fortes que sa volonté, ne lui eussent pas permis de suivre jusqu'au centre de la terre les traces du voyageur islandais. Il fut modeste dans sa gloire, et sa réputation s'en accrut.

Tant d'honneur devait nécessairement lui susciter des envieux. Il en eut, et comme ses théories, appuyées sur des faits certains, contredisaient les systèmes de la science sur la question du feu central, il soutint par la plume et par la parole de remarquables discussions avec les savants de tous pays.

Pour mon compte, je ne puis admettre sa théorie du refroidissement : en dépit de ce que j'ai vu, je crois et je croirai toujours à la chaleur centrale ; mais j'avoue que certaines circonstances encore mal définies peuvent modifier cette loi sous l'action de phénomènes naturels.

Au moment où ces questions étaient palpitantes, mon oncle éprouva un vrai chagrin. Hans, malgré ses instances, avait quitté Hambourg ; l'homme auquel nous devions tout ne voulut pas nous laisser lui payer notre dette. Il fut pris de la nostalgie de l'Islande.

« Farval », dit-il un jour, et sur ce simple mot d'adieu il partit pour Reykjawik, où il arriva heureusement.

Nous étions singulièrement attachés à notre brave chasseur d'eider ; son absence ne le fera jamais oublier de ceux auxquels il a sauvé la vie, et certainement je ne mourrai pas sans l'avoir revu une dernière fois.

Pour conclure, je dois ajouter que ce *Voyage au centre de la terre* fit une énorme sensation dans le monde. Il fut imprimé et traduit dans toutes les langues ; les journaux les plus accrédités s'en arrachèrent les principaux épisodes, qui furent commentés, discutés, attaqués, soutenus avec une égale conviction dans le camp des croyants et des incrédules. Chose rare ! mon oncle jouissait de son vivant de toute la gloire qu'il avait acquise, et il n'y eut pas jusqu'à M. Barnum qui ne lui proposât de « l'exhiber » à un très haut prix dans les Etats de l'Union.

Mais un ennui, disons même un tourment, se glissait au milieu de cette gloire. Un fait demeurait inexplicable, celui de la boussole ; or pour un savant, pareil phénomène inexpliqué devient un supplice de l'intelligence. Eh bien ! le Ciel réservait à mon oncle d'être complètement heureux.

Un jour, en rangeant une collection de minéraux dans son cabinet, j'aperçus cette fameuse boussole et je me mis à l'observer.

Depuis six mois elle était là, dans son coin, sans se douter des tracas qu'elle causait.

Tout à coup, quelle fut ma stupéfaction ! Je poussai un cri. Le professeur accourut.

« Qu'est-ce donc ? demanda-t-il.

— Cette boussole !...

— Eh bien ?

— Mais son aiguille indique le sud et non le nord !

— Que dis-tu ?

— Voyez ! ses pôles sont changés.

— Changés ! »

Mon oncle regarda, compara, et fit trembler la maison par un bond superbe.

Quelle lumière éclairait à la fois son esprit et le mien !

« Ainsi donc, s'écria-t-il, dès qu'il recouvra la parole, après notre arrivée au cap Saknussemm, l'aiguille de cette damnée boussole marquait le sud au lieu du nord ?

— Evidemment.

— Notre erreur s'explique alors. Mais quel phénomène a pu produire ce renversement des pôles ?

— Rien de plus simple.

— Explique-toi, mon garçon.

— Pendant l'orage, sur la mer Lidenbrock, cette boule de feu qui aimantait le fer du radeau avait tout simplement désorienté notre boussole !

— Ah ! s'écria le professeur en éclatant de rire, c'était donc un tour de l'électricité ? »

A partir de ce jour, mon oncle fut le plus heureux des savants, et moi le plus heureux des hommes, car ma jolie Virlandaise, abdiquant sa position de pupille, prit rang dans la maison de Königstrasse en la double qualité de nièce et d'épouse. Inutile d'ajouter que son oncle fut l'illustre professeur Otto Lidenbrock, membre correspondant de toutes les sociétés scientifiques, géographiques et minéralogiques des cinq parties du monde.

ARCHIVES DE L'ŒUVRE

I

MISE AU POINT SCIENTIFIQUE
ET TECHNIQUE

1. Le centre de la terre ne sera jamais atteint par l'homme, car l'on est maintenant certain que ce qu'on appelle le noyau est liquide, à base essentiellement de fer en fusion allié probablement à quelques métaux plus légers. Il comporte vraisemblablement un noyau interne ou « graine », peut-être solide. Sa densité est de 11,2 et la pression va de 1330 à 3900 kilobars. Ce noyau est entouré du manteau (de 40 à 2 390 kilomètres de profondeur). La seule partie directement explorable reste la croûte ou écorce. Mais les sondages les plus profonds n'ont atteint que 8 000 mètres, et l'homme n'est descendu qu'à 3 500 mètres. Un projet, le projet Mohole, se propose de forer la croûte (ou Moho) sous-marine. Pour le reste, la nature interne du globe nous est connue par le moyen de la réflexion des ondes sismiques.

2. La spéléologie scientifique permet de connaître une très petite profondeur de l'écorce, mais donne de précieux renseignements sur sa constitution, sur sa formation, les mouvements anciens qui l'ont animée, et ceux qui l'animent encore (dérive des continents); elle a fait d'importantes découvertes en paléontologie, en préhistoire (gravures rupestres). Elle a commencé dès le XVIIIe siècle avec le mathématicien Nagel qui explora jusqu'à —136 mètres des gouffres du Karst en 1748. Mais elle s'est développée surtout à partir de 1939 (Linder et Svetina). C'est E. A. Martel qui a mis l'exploration souterraine à la portée du grand public, avec les découvertes de l'Aven Armand et du

gouffre de Padirac. La spéléogie devient aussi sportive après la Première Guerre mondiale; elle invente un matériel adéquat, qui profite des progrès de l'alpinisme et de l'exploration sous-marine (bouteilles d'air comprimé pour passer les syphons). Le record de 1970 est de —1152 mètres au gouffre de la Pierre-Saint-Martin, bientôt battu par celui du gouffre Berger dans le Vercors. Mais on ne descend jamais par les cheminées des volcans : on explore les « trous » des montagnes calcaires.

3. Volcanologie. Il est possible de descendre parfois dans des cratères éteints, mais tout au plus au fond de l'entonnoir. Les volcans, à supposer que l'on puisse y descendre, ne conduiraient qu'au magma, formé de matières minérales fondues, à une température de plus de 1 000 degrés, avec à l'origine une phase gazeuse en solution. Il existe plusieurs magmas qui ne correspondent pas entre eux. La volcanologie ne se contente plus d'étudier les laves; elle est en relation avec la chimie, la physique, la géologie, la géochimie, la sismographie. Cette science a conquis l'intérêt du grand public depuis une vingtaine d'années, surtout depuis le film du volcanologue Haroun TAZIEFF, *Les rendez-vous du diable*, 1958. On notera que si Norbert Casteret, spéléogue célèbre entre les deux guerres, a toujours affirmé adorer Jules Verne, Haroun Tazieff fait, lui, une exception pour *Voyage au centre de la Terre*, dont il déplore l'extravagant propos.

S. V.

II

QUELQUES JUGEMENTS

Je lis maintenant le *Voyage au centre de la Terre* par Vernes *(sic)*. Jusqu'à présent, ça ressemble un peu trop à mon voyage dans le cristal *(Laura)*.

> G. SAND, lettre en date du 21 juillet 1865 à P.-J. Hetzel.

J'ai beaucoup de tes livres pour le premier âge, mais je n'ai pas tous ceux de Verne que j'adore et je les recevrai avec plaisir pour mes petites et pour moi...

> G. SAND, lettre du 29 décembre 1872 à Hetzel (la dernière lettre qu'il ait reçue d'elle).

*

(A propos d'*Hatteras*, de *Voyage au centre de la Terre*, et de *De la Terre à la Lune*).

Il y a une volumineuse collection de voyages imaginaires anciens et modernes : depuis l'*Histoire Véritable* de Lucien jusqu'aux *Aventures de Gulliver*, l'imagination humaine s'est complue dans ces fantaisies vagabondes où sous prétexte d'excursions aux contrées inconnues, les auteurs, avec plus ou moins de talent, développent leurs utopies ou exercent leur humeur satirique. — Les voyages de M. Jules Verne n'appartiennent à aucune de ces catégories. S'ils n'ont pas été accomplis et si même ils ne sauraient l'être encore, ils offrent la plus rigoureuse possibilité scientifique et les plus osés ne sont que le paradoxe ou l'outrance d'une vérité bientôt reconnue. La chimère est ici chevauchée et dirigée par un esprit mathématique. C'est l'application à un fait d'invention de tous les détails vrais, réels et précis qui peuvent s'y rattacher de manière à produire l'illusion la plus complète. Il y a plus chez M. Jules Verne d'Edgar Poë *(sic)* et de Daniel de Foë *(sic)* que de Swift, ou pour mieux dire il a trouvé son procédé lui-même et l'a porté du premier coup au plus haut degré de perfection.

Théophile GAUTIER, *Moniteur universel*,
n° 197, lundi 16 juillet 1866.

*

(M. Jules Verne) pourrait prendre pour devise ces paroles de Rabelais : « Ce grand monde, c'est le miroir qu'il nous faut regarder pour nous connaître de bon biais. Somme, je veux que ce soit le livre de mon écolier. » (...) il a entrepris dans son *Voyage au centre de la Terre* l'exposition complète de ce que l'on sait de certain sur l'état intérieur de notre globe. Rien de plus original, de plus émouvant, de plus dramatique que les récits étincelants de verve dans lesquels il a encadré les données de la science moderne. Ce voyage fictif a toutes les couleurs et le mouvement de la réalité; et si l'auteur lui-même n'avait pas pris soin de nous avertir lui-même de sa fiction, l'illusion serait presque trop complète. M. Jules Verne est à la fois un vrai savant, un délicieux conteur et un écrivain du plus grand mérite.

Gustave LANDOL, *Le Constitutionnel*,
11 décembre 1864.

*

(Parmi les nouveautés de livres d'étrennes, le journaliste signale) le *Voyage au pôle Nord* de M. Vernes *(sic)*, l'ingénieux conteur du *Voyage au centre de la Terre* et de *Cinq semaines en ballon*, où il a su bannir du roman l'amour et les sottes aventures, et les remplacer, savez-vous par quoi ? par la géographie, la paléontologie, la géologie, sans que le récit y perde le moins du monde de son intérêt dramatique.

P. CHALLEMEL-LACOUR, *Le Temps*,
16 décembre 1864.

*

M. Jules Verne est le fantaisiste de la science. Il met toute son imagination au service de déductions mathématiques. Il prend les théories et en tire des faits vraisemblables, sinon pratiques.

Ce n'est pas le cauchemar d'Edgar Poe, c'est une fantaisie aimable et instructive, ce sont des récits écrits pour les enfants et les gens du monde, pleins d'intérêt dramatique et d'enseignements utiles.

(...) Je ne crois pas qu'on puisse devenir bien savant en lisant de pareils livres, mais ils donnent au moins la curiosité de savoir; puis, ils intéressent, ils ont le grand mérite d'être sains et salutaires.

Emile ZOLA, *L'Evénement*,
12 mai 1866.

M. Verne est certainement, à cette heure, l'écrivain qui se vend le plus en France (...) *(ses livres)* sont dans les mains de tous les enfants, ils ont leur place marquée dans la bibliothèque de toutes les familles, ce qui explique leur débit considérable. Cela, d'ailleurs, n'a aucune importance dans le mouvement littéraire actuel. Les alphabets et les paroissiens se vendent eux aussi à des chiffres considérables.

Emile ZOLA, *Le Roman contemporain*, paru d'abord dans la *Revue de Saint-Pétersbourg*, puis dans *Le Figaro littéraire*, 22 décembre 1878.

*

Je voudrais parler aujourd'hui de Jules Verne, et ce
n'est pas seulement pour m'acquitter d'un devoir de
reconnaissance; car j'ai lu Jules Verne quand j'étais
enfant comme tant d'enfants; c'est aussi pour réagir
contre une injuste négligence. Nous sommes fâcheu-
sement enclins à dénier toute valeur littéraire aux
œuvres qui se présentent à nous sous une figure simple,
sans appareil, aux livres écrits pour le peuple, aux
œuvres écrites pour les enfants, c'est toujours une
injustice; c'est très souvent une erreur (...).

(... *son œuvre tout entière*) a exercé pendant quarante
ans, sur les enfants de ce pays et de l'Europe entière,
une influence qu'aucune œuvre n'a certainement
égalée. Et cette influence fut bonne dans la mesure où
on en peut juger aujourd'hui. Elle a été, tout à la fois,
un instrument d'éducation positive et de développement moral. Elle a propagé, avec le goût de l'aventure,
le goût de la recherche scientifique, la confiance dans
la force supérieure de la raison. Elle a développé la
notion de l'effort, mais utile et sans violence, du succès,
mais tempéré par la douceur et l'équité, de l'énergie
individuelle, mais asservie à l'intelligence. Elle a
instruit et distrait les enfants sans favoriser aucun
des instincts mauvais de l'homme.

Léon BLUM, *l'Humanité*, 3 avril 1905
(à l'occasion de la mort de J. Verne).

*

Vingt-sept volumes dépareillés, tant brochés que
reliés dont les noms suivent : (...) 27. Verne, *Le Voyage
au centre de la Terre*.

Alfred JARRY, *Gestes et opinions
du docteur Faustroll*, chap. IV,
1911 (posth.). Œuvres complètes,
Galimard, 1972.

*

Je voudrais aussi, dans ces notes, rendre hommage à l'homme d'incommensurable génie que fut Jules Verne.

Mon admiration pour lui est infinie.

Dans certaines pages du *Voyage au centre de la Terre*, de *Cinq semaines en ballon*, de *Vingt mille lieues sous les mers*, de *De la Terre à la Lune*, de *L'Ile mystérieuse*, d'*Hector Servadac*, il s'est élevé aux plus hautes cimes que puisse atteindre le verbe humain.

(...) O maître incomparable, soyez béni pour les heures sublimes que j'ai passées toute ma vie à vous lire et à vous relire sans cesse.

> Raymond ROUSSEL, *Comment j'ai écrit certains de mes livres* (1935, posth.) Pauvert, 1963.

*

... Jules Verne avait l'impression que l'on pouvait apercevoir à travers le prisme enchanté de la science tout le visage de l'avenir.

Dans ses quatre premiers romans, l'écrivain a placé au centre du récit quatre problèmes qui se posaient à la science de son temps : la navigation aérienne dirigée, l'énigme du monde souterrain, le vol au-delà des limites de la gravitation terrestre. Ces questions préoccupaient tout le monde scientifique, mais les introduire dans le domaine de la littérature constituait une innovation hardie.

> Cyrille ANDREEV, Préface aux Œuvres complètes de J. Verne en Russie, traduit par F. HIRSCH, Revue *Europe*, n° 112-113, 1955.

*

Au temps de mon enfance, les livres de Jules Verne m'ont laissé froid, sauf, pourtant, le *Voyage au centre de la Terre*.

> Marcel AYMÉ, préface à *55 histoires extraordinaires, fantastiques et insolites* résumés par P. A. Touttain, Gründ, 1961.

*

Le réel n'est qu'une sorte d'assomption de l'imaginaire.

(...) Il existait un autre point dont les caractéristiques le prédisposaient plus encore *(que le pôle)* à être le but du voyage : c'est évidemment le centre de la terre. D'une part il est unique, alors qu'il existe deux pôles, et il est relativement plus immobile par rapport à la terre entière que ceux-ci; d'autre part, il est, pourrait-on dire, plus « polaire » encore qu'eux, puisque l'attirance qui le manifeste est la pesanteur elle-même et donc s'applique à toutes choses. De plus nous trouvons déjà dans la cosmologie de la fin du XIXᵉ siècle le thème du feu central qui rejoint immédiatement celui du volcan et celui du retour à l'origine, puisque, à mesure que l'on s'enfonce dans la terre, en même temps que l'on échappe au froid de l'avenir, on remonte le passé en traversant des terrains de plus en plus anciens. Mais étant donné la poétique même de Jules Verne, *Le Voyage au centre de la Terre* présentait des difficultés de réalisation littéraire considérables. Aussi, tandis que l'atteinte du pôle revient perpétuellement dans les *Voyages extraordinaires*, cette descente n'est traitée qu'une seule fois.

Comparons *Le Voyage au centre de la Terre* et *Les Aventures du capitaine Hatteras* (...). Nous verrons à quel point c'est la même histoire qui nous est racontée ici et là, avec un matériel quelque peu différent. Nous retrouverons, après les longues pérégrinations dans une obscurité qui s'illumine parfois de merveilles, mais pleine de dangers et d'égarements possibles, ce même

thème de la mer libre, ici peuplée de poissons et
monstres des premiers âges, gloire de ce long ruisseau,
fil d'Ariane des voyageurs au milieu de leur labyrinthe,
mer électrique, mer éclairée, retour au paradis du
premier homme, élément où Axel se baigne aussitôt
qu'il peut se relever, patrie d'orages et de combats
millénaires protégeant ce point central inaccessible,
dont la route ouverte autrefois s'est maintenant
refermée. Mais après l'eau, c'est le feu que l'on atteint
(...).

> Michel Butor, article dans le n° 15
> d'*Arts et Lettres*, 1949, repris dans
> *Répertoire I*, « Le point suprême et
> l'Age d'or à travers quelques œuvres
> de Jules Verne » éd. de Minuit, 1960.

*

Verne a construit une sorte de cosmogonie fermée
sur elle-même, qui a ses catégories propres, son temps,
son espace, sa plénitude, et même son principe exis-
tentiel.

Ce principe me paraît être le geste continu de l'en-
fermement. L'imagination du voyage correspond chez
Verne à une exploration de la clôture, et l'accord de
Verne et de l'enfance ne vient pas d'une mystique
banale de l'aventure, mais au contraire d'un bonheur
commun du fini, que l'on retrouve dans la passion
commune des cabanes et des tentes (...).

Outre les innombrables ressources de la science,
Verne a en outre inventé un excellent moyen romanesque pour rendre éclatante cette appropriation du
monde : gager l'espace par le temps, conjoindre sans
cesse les deux catégories, les risquer sur un même coup
de dés ou sur un même coup de tête, toujours réussis.
Les péripéties elles mêmes ont à charge d'imprimer au
monde une sorte d'état élastique, d'éloigner puis de
rapprocher la clôture, et d'éprouver d'une façon mali-

cieuse le pouvoir de l'homme sur les espaces et les
horaires.

> Roland BARTHES, *Mythologies*,
> « Nautilus et Bateau ivre », *Pierres
> vives*, éd. du Seuil, 1957.

*

Dans le *Voyage au centre de la Terre*, l'archétype,
quoique dégradé, continue à être créateur. Les épreuves
décrites, le lecteur les fait siennes par l'imagination.
Ce qui signifie que les enfants et les adolescents les
vivent aussi intensément et aussi réellement qu'une
expérience objective.

> André CORBOZ, « Au milieu de la
> nuit, j'ai vu le soleil resplendir... »,
> *Action et pensée*, 1961.

*

Le propre du roman initiatique, lorsqu'il est l'œuvre
d'un grand écrivain, est d'être à la fois réaliste et symbolique. Ç'est le roman d'aventure, cependant, qui
se prête le mieux à cette transmutation spirituelle, et
j'ai constaté avec étonnement que, tandis que les
grands romans romantiques n'ont pas été envisagés
par la critique littéraire comme des œuvres initiatiques,
ce sont les œuvres de Jules Verne qui ont été commen-
tées en ce sens : *Voyage au centre de la Terre, Les
Aventures du capitaine Hatteras, L'Ile mystérieuse,*

Le Château des Carpathes (...) Si Baudelaire est un
frère d'Edgar Poe, Jules Verne est son demi-frère.

> Léon CELLIER, « Le roman initia-
> tique en France au temps du roman-
> tisme », *Cahiers internationaux de
> Symbolisme*, 1963.

*

Et puis la tradition *(des voyages imaginaires racon-
tant le processus de l'initiation majeure)*, si elle ne s'est
pas perdue, a dévié. Ce qui résidait dans le conscient
s'est perdu dans l'inconscient (...).

Quelques « grands initiés » d'instinct retrouvaient
la route ancienne *(l'auteur cite Poe, Holberg)*. Le
recensement et l'élucidation des grands voyages imaginaires conçus comme voyage initiatique nous conduiraient tout au long des millénaires suivant une ligne
ininterrompue depuis les exploits de Gilgamesh, la
descente d'Ishtar aux enfers et l'éternelle queste d'un
Graal sous de multiples apparences, jusqu'au plus
récent (si nous faisons abstraction du *Finnegan's Wake*
de Joyce), le *Voyage au centre de la Terre*, de Jules
Verne.

> Marcel BRION, « Le Voyage ´initia-
> tique » dans la revue *L'Arc*, n° 29,
> 1966.

Par leurs thèmes et leur fable, les récits de Jules Verne
sont tout proches de romans d' « initiation » et
de « formation ». Par la fiction, ils en sont aux antipodes. Sans doute, le héros naïf traverse ses propres
aventures comme autant d'épreuves marquées par des
événements rituels : purification du feu, mort glacée,
voyage à travers une région dangereuse, montée et

descente, passage au point ultime d'où il ne devrait pas être possible de revenir, retour quasi miraculeux au point de départ. *(Mais le véritable héros initiatique trouve une autre réalité que celle qu'il cherchait)*, lui-même et le monde transfigurés l'un pour l'autre; charbon et diamant ont échangé leur noirceur, leur éclat. Les *Voyages* de Jules Verne obéissent à une loi tout opposée : une vérité se déroule, selon ses lois autonomes, sous les yeux étonnés des ignorants, blasés de ceux qui savent. Cette nappe lisse, ce discours sans sujet parlant serait resté dans sa retraite essentielle, si l' « écart » du savant (son défaut, sa méchanceté, sa distraction, l'accroc qu'il forme dans le monde) ne l'avait provoqué à se montrer. Quand ils reviennent, ils ont vu et appris, certes, mais rien n'est changé, ni sur le visage du monde, ni dans la profondeur de leur être (...). Les voies multiples de la fiction se résorbent dans le murmure sans corps de la science; et les grandes ondulations du plus probable effacent de leur sable infini les arêtes du plus improbable.

> Michel FOUCAULT, « L'Arrière-fable » dans la revue *l'Arc, op. cit.*, 1966.

*

Je lis le *Voyage au centre de la Terre* de Jules Verne, et je suis fasciné par la hardiesse des symboles, la précision et la richesse des images. L'aventure est proprement initiatique et comme toute aventure de cet ordre, on retrouve les égarements dans le labyrinthe, la descente au monde souterrain, la passage des eaux, l'épreuve du feu, la rencontre avec les monstres, l'épreuve de la solitude absolue et des ténèbres, enfin, l'ascension triomphante qui n'est autre que l'apothéose de l'initié. Comme elles sont justes les images de ces mondes souterrains — les autres mondes — admirablement précise et cohérente aussi la mythologie à

peine camouflée par le jargon scientifique de Jules
Verne. Comment les psychologues et les critiques littéraires ont-ils pu ignorer jusqu'ici ce document excep-
tionnel, cet inépuisable trésor d'images et d'archétypes ?

Quelqu'un écrira bien, un jour, l'histoire de l'imagination moderne. Le chapitre consacré aux mondes
souterrains devra tenir compte du *Voyage au centre
de la Terre*, de *She*, par Rider Haggart, de *Om* et *There
was a door* par Talbot Mundy. Aucun de ces trois
auteurs n'entendait sans doute grand-chose aux mytho-
logies, ni aux rites initiatiques. Et cependant les
images, l'agencement des scènes qui évoquent les
mondes souterrains et qui abondent dans leurs livres
ne révèlent leurs significations secrètes que si on les
réintègre dans le mystère dont elles ont été détachées,
dans ce mystère inhérent à toute initiation.

> Mircea ELIADE, *Fragments d'un jour-
> nal*, juillet 1957, Gallimard, 1973.

*

S'il a peut-être souffert d'avoir été considéré par ses
contemporains comme un auteur éducatif pour la jeunesse plus que comme un « véritable écrivain »,
Jules Verne trouve sa revanche aujourd'hui; au point
qu'il serait surpris par l'exploration qui est faite
de ses profondeurs et par tout ce qu'on ramène au
jour.

> Yves FLORENNE, « Revue des revues »,
> *Le Monde*, 17-18 novembre 1974.

*

Il y a de ces correspondances. Dites bobine Rumk-
hoff (je cite de mémoire), gutta-percha, mont Hekla,
scaphandre Denayrouse, fulmicoton, et il se passe
quelque chose. Science et suspense. (...) Initiation.

C'est bien à la quête du Graal que partaient les savants voyageurs de l'inconnu au XIXᵉ siècle. Un voyage dont on commence à revenir, comme en revint pour son compte, à la fin de sa vie, Jules Verne.

J.-F. HELD, « Un vieux Jules tout neuf »,
Nouvel Observateur, 3 février 1975.

*

« Pour l'enfant amoureux de cartes et d'estampes », le voyage de Baudelaire rejoint celui de Verne dans une vision rétro du futur qui fait le charme de J. Verne : fuser vers la Lune en gibus, explorer les abîmes en redingote (...). Si Verne était un scientifique, on ne le lirait plus (...). Ce Charles Perrault du XIXᵉ siècle rattache la nouvelle société scientifique aux plus anciens mythes des hommes. Il recycle les grands fonds littéraires : le voyage d'initiation, le défi prométhéen aux forces telluriques, la quête du père. (...) les savants et les explorateurs de Jules Verne sont les psychanalystes de la nature. Ils révèlent les vieux désirs des éléments endormis. L'électricité libère les forces telluriques. Et l'alchimie scientifique célèbre le mariage romantique de l'eau et du feu, de la terre et de l'air. Ce merveilleux est un gouffre. Jules Verne donne des leçons d'abîme (...).

Plus poète que savant, Verne se garde une marge de rêve. Ses héros ne débarquent pas sur la Lune ni n'atteignent le centre de la Terre. Ses conquérants de l'impossible gardent cette distance qui permet de voir sans toucher les mystères. Jules Verne ne détruit pas les mythes.

J. CABAU, « Jules Verne rendu aux adultes »,
L'Express, 23-29 décembre 1974.

TABLE DES MATIÈRES

Archives de l'œuvre

GF — TEXTE INTÉGRAL — GF

6567-1977. — Impr.-Reliure Maison Mame, Tours.
N° d'édition 9696. — 4e trimestre 1977. — PRINTED IN FRANCE.